Le roman des filles

Confidences, SMS
et prince charmant !

Nathalie Somers

Le roman des filles

Confidences, SMS et prince charmant !

FLEURUS

Illustration de couverture : Isabelle Maroger

Direction : Guillaume Arnaud
Direction éditoriale : Sarah Malherbe
Édition : Raphaële Glaux

Direction artistique : Élisabeth Hebert

Fabrication : Thierry Dubus, Florence Bellot

© Groupe Fleurus, Paris, 2009
Site : www.fleuruseditions.com
ISBN : 978-2-2150-4686-8
Code MDS : 651 304

« À Luke et Hélène, mes ados dont je suis si fière. »
Nathalie Somers

1

Samedi 22 août, 23 h 45

— Eh ! les filles, vous ne croyez pas que nous sommes en train de faire une bêtise ?

La question, posée d'un ton inquiet, sembla résonner de manière exagérée dans le silence de la nuit.

— Évidemment ! s'exclama alors une voix que la nervosité rendait plus aiguë, et c'est justement là tout l'intérêt de la chose… Mais si tu…

À ce moment-là, un cri perçant retentit, couvrant le reste de la phrase.

— Aïe ! Et voilà, je me suis piquée ! Quelle idée aussi de planter des rosiers le long de la façade !

— Lily, fais attention ! Ce sont les préférés de ma mère ! Si tu fais tomber un pétale par terre, je te jure qu'elle nous tuera !

— Mais ce n'est pas un peu fini ! chuchota une autre voix exaspérée. Je vous rappelle qu'il est presque minuit ! Nous sommes censées dormir. Vous êtes aussi discrètes qu'une armée de fans en folie à la sortie d'un concert ! Si vous continuez à faire un boucan pareil, on va se faire piquer… et pas seulement par les rosiers !

La redoutable menace produisit son effet et les voix se turent aussitôt.

Si quelque insomniaque avait jeté un coup d'œil par sa fenêtre à cet instant-là, il aurait été bien surpris de distinguer trois étranges silhouettes se découpant sur le mur : l'une agrippée au rebord de la fenêtre du premier étage, la deuxième se débattant avec les épines des rosiers et la dernière glissant le long de la gouttière. Soudain, un craquement sonore rompit à nouveau la sérénité nocturne.

Une bordée d'injures fort peu féminines lui fit aussitôt écho.

– Désolée pour ta mère, Maëlle, commenta Chiara de sa voix un peu rauque, la jupe de Lily vient d'embarquer dans son sillage toute une branche de rosier.

– Oh, non ! Je vais me faire massacrer ! Lily, tu n'aurais pas pu faire attention ?

– Au lieu de te soucier de ces fichues roses, se plaignit l'interpellée, tu ferais mieux de t'inquiéter de ma jupe ! De quoi je vais avoir l'air, moi, maintenant ? Flûte alors ! Une jupe qui m'a coûté un mois de baby-sitting ! Et puis quelle idée aussi de vouloir passer par la fenêtre ! On ne pouvait pas sortir par la porte comme tout le monde ?

– « Tout le monde » ne fait pas le mur pour sortir en boîte ! Et dans ces cas-là, un minimum de discrétion s'impose… Si tu n'avais…

– Chuuuut ! souffla Chiara pour les rappeler à l'ordre une nouvelle fois.

Le bruit mat de ses deux pieds touchant terre mit provisoirement fin à la discussion. Soulagée, la jeune fille redressa sa longue et fine silhouette.

– Ouf ! j'y suis !

En dépit de quelques difficultés supplémentaires – talons et sacs à main ne facilitant guère la tâche –, les deux autres membres du trio ne tardèrent pas à la rejoindre sur la terrasse.

– Une bonne chose de faite ! déclara Maëlle d'un ton satisfait en se frottant les mains. Le reste, c'est du gâteau !

Et, sans plus d'explications, elle se mit à chercher quelque chose dans son sac à la chiche lueur de la lune tandis que Lily constatait, désolée, les dégâts causés à sa jupe par le redoutable rosier. Chiara, s'approchant pour jeter un coup d'œil, décréta d'un ton qu'elle voulait rassurant :

— Ce n'est rien, c'est juste l'ourlet qui a craqué… Tu n'as qu'à le défaire complètement et on n'y verra que du feu !

En désespoir de cause, son amie s'y résigna. Pleine de zèle, Chiara s'accroupit à ses côtés pour l'aider à tirer le fil. Quelques secondes plus tard, le tissu de l'ourlet retomba et Chiara commenta d'une voix suffisante :

— Bah, de toute façon, les minijupes, il faut être un vrai fil de fer pour bien les porter… Ça t'ira beaucoup mieux comme ça !

Dans la semi-obscurité, personne ne remarqua la légère rougeur qui envahissait les joues de Lily. Les yeux baissés, la jeune fille tirait sur son chemisier pour le réajuster, quand Maëlle maugréa :

— Ce n'est pas possible… Je ne trouve rien dans ce fichu sac !

Agacée, Chiara se releva brusquement :

— Mais enfin, qu'est-ce que tu cherches ? Ce n'est pas le moment de te remettre du gloss !

Maëlle, outrée, allait lui répondre vertement quand Lily, désignant le pantalon de Chiara, s'exclama :

— Dis, tu n'as pas quelque chose, là ?

Se penchant aussitôt, son amie étouffa un cri :

— Oh, non ! dites-moi que je rêve ! Mon pantalon blanc est tout taché. C'était mon préféré, en plus !

Furieuse, elle tapa du pied sur le sol :

— Et tout ça juste pour aller s'agiter sur des musiques stupides !

– Bon ! Chiara ! Arrête un peu ! Tu es vraiment de mauvais poil, ce soir ! gronda Maëlle entre ses dents. On sait bien qu'à part tes pièces de théâtre rien ne t'intéresse… Mais, t'inquiète, la prochaine fois, c'est juré, on te laissera bien sagement chez toi pour que tu puisses réviser la scène du balcon de *Roméo et Juliette* !

Puis, sans laisser à son amie le temps de répliquer, elle se tourna vers Lily :

– C'est toi qui as la torche ? Éclaire-moi, tu veux ? Je n'arrive pas à mettre la main sur la clé du portillon… et, comme je ne vous sens pas vraiment prêtes pour de nouvelles acrobaties, j'ai intérêt à la trouver !

Comme en réponse à sa demande, la terrasse s'illumina brusquement.

Stupéfaite, Maëlle faillit demander à Lily ce qu'elle avait encore fabriqué, lorsqu'une voix que la jeune fille connaissait par cœur retentit dans la nuit :

– Et comme ça, tu auras assez de lumière ou tu veux que j'aille chercher des projecteurs ?

Éblouies par cette vive clarté, les trois filles se figèrent en découvrant la personne qui venait de parler.

– Ma… Maman… balbutia lamentablement Maëlle.

– Et Papa ! compléta son père jusqu'alors dissimulé par le somptueux laurier-rose qui ornait le coin de la terrasse.

Tétanisée, la jeune fille pâlit subitement : sa mère ET son père comme comité de réception, elle n'aurait pas pu imaginer pire !

Les tentatives d'explication les plus folles et les plus incongrues se succédèrent à la vitesse de l'éclair avant d'être impitoyablement rejetées par son esprit logique. Quinze années qu'elle pratiquait ses parents ! Elle savait donc parfaitement que ceux-ci avaient horreur qu'on les prenne pour des imbéciles. Et si elle voulait éviter le pire, elle avait intérêt à trouver très vite une idée brillante, raisonnable et imparable…

— Ferme la bouche ! lui intima son père, ou tu vas avaler les derniers moustiques de l'été.

Maëlle s'exécuta.

— Eh bien ! On t'écoute ! dit sèchement sa mère.

Malgré la situation délicate dans laquelle elle se trouvait, Maëlle ne put s'empêcher de rétorquer :

— Faudrait savoir ! Je ne peux pas ouvrir et fermer la bouche en même temps !

— C'est ça, fais la maligne, en plus ! tança son père. Ça arrangera certainement ton cas…

Dans son dos, ses amies, impressionnées par la colère paternelle, ne bougeaient pas d'un poil. Le colonel Tadier, même en short et en tee-shirt, semblait encore porter l'uniforme.

Maëlle cherchait toujours l'idée géniale qui allait les sauver des foudres parentales, lorsque la voix douce et timide de Lily s'éleva à la place de la sienne :

— Nous… Nous voulions sortir…

— Pour aller en boîte… précisa Chiara dans un murmure.

En prenant la parole, chacune s'était avancée d'un pas et elles encadraient maintenant leur amie.

Imperceptiblement, Maëlle laissa échapper un soupir de soulagement. Ainsi entourée de Lily et de Chiara, elle se sentait beaucoup mieux, comme si le poids qui lui pesait sur les épaules s'était soudain considérablement allégé. Elle se détendit. Un peu.

Ses parents, qui s'attendaient à une discussion acharnée, parurent un instant déstabilisés. Mais le colonel Tadier, habitué à faire face en toutes circonstances, se reprit immédiatement :

— Bien ! Au moins, vous avez le cran d'avouer la vérité ! Cela ne diminue cependant en rien la gravité des faits !

Maëlle, surprise que son père ne pose pas davantage de questions, riposta d'un air bravache :

– Comment sais-tu que c'est la vérité ? Peut-être qu'on vient juste de l'inventer ? Peut-être qu'en fait on avait décidé d'aller braquer une banque...

– Ça suffit, Maëlle ! s'impatienta Mme Tadier. On était au courant de votre petite virée nocturne depuis déjà pas mal de temps !

Les filles se regardèrent, interdites. Leur descente peu discrète n'était donc pas à l'origine de l'arrivée inopinée des parents de Maëlle... Leur plan était-il d'avance voué à l'échec ?

Chiara fut la première à demander tout haut ce que chacune pensait tout bas :

– Comment avez-vous su ?

Mme Tadier eut un petit sourire en coin :

– Maëlle a tendance à faire trop de choses en même temps, par exemple, regarder la télé tout en chattant sur l'ordinateur... ou, comme avant-hier, courir répondre à un appel sur son portable sans penser à se déconnecter de sa messagerie. Le hasard faisant bien les choses, du moins pour nous, ses parents, j'avais besoin de l'ordinateur... Et là, que vois-je ? Toute une succession de messages expliquant avec force détails vos projets pour cette nuit !

Elle leva les mains en signe d'excuse et poursuivit :

– Désolée, les filles, je ne pouvais pas ne pas les voir ! Je n'ai pas voulu en parler plus tôt, car j'espérais que vous seriez raisonnables et que vous n'iriez pas jusqu'au bout de cette idée stupide mais, malheureusement, cela n'a pas été le cas !

Au fur et à mesure que sa mère parlait, le visage de Maëlle se décomposait. Quelle idiote elle avait été ! Tout avait raté à cause d'elle ! Les filles allaient la détester...

Elle n'osait même plus les regarder, lorsqu'elle sentit une main se poser sur son épaule et une autre sur son bras.

— Nous sommes avec toi, lui souffla Chiara à l'oreille.

— Toutes pour une, une pour toutes ! continua Lily.

Le père de Maëlle reprit la parole :

— Trêve de bavardages, nous allons devoir mettre vos parents au courant, mesdemoiselles. Attendez-vous donc à de sérieuses sanctions !

Les trois coupables échangèrent des regards horrifiés. C'est vrai, elles l'avaient presque oublié : une catastrophe n'arrive jamais seule...

2

Mardi 1er septembre, 6 h 30

La nuit de Lily avait été très agitée.

Non pas qu'elle ait fait quelque chose de spécial, bien au contraire ! Depuis leur escapade manquée de la fin des vacances, elle n'avait eu le droit ni de revoir ses deux amies ni de sortir le soir. Quelle fin d'été ratée !

Elle s'était donc couchée tôt, espérant ainsi être en forme et avoir le teint frais le lendemain matin. Mais, dès qu'elle s'était retrouvée allongée dans son lit, la lumière éteinte, le sommeil l'avait fuie jusqu'à une heure avancée de la nuit. La raison de cette insomnie ? L'angoisse de la rentrée prochaine qu'elle s'était pourtant efforcée de chasser de ses pensées ces derniers jours, mais qui était revenue au triple galop, plus intense et envahissante que jamais. Si au moins, la veille, elle avait pu appeler Maëlle ou Chiara pour qu'elles la rassurent… Mais non ! Comme si l'interdiction de sortie ne suffisait pas, leurs parents avaient confisqué les portables jusqu'à nouvel ordre et mis leurs ordinateurs sous scellés jusqu'à la rentrée.

Lorsque le père de Lily avait vu l'air horrifié de sa fille à l'annonce de la sanction, il lui avait fait remarquer son statut privilégié : puisque malgré ses demandes réitérées Lily n'avait toujours pas de portable, sa punition lui paraîtrait plus douce qu'à ses copines, n'est-ce pas ? Et tout ça avec un humour qui n'avait pas été du tout du goût de Lily ! Mais, pour elle, le coup de grâce était à venir ! Plus question qu'elle emporte dans sa chambre le récepteur du téléphone fixe ! Si Lily voulait passer une communication, elle était priée de le faire du salon. Rien qu'à l'idée de devoir s'installer au beau milieu de la pièce avec toute sa famille autour, une conversation avec ses amies l'avait soudain beaucoup moins tentée. Et si on ajoutait à cela le fait que, aussi sûrement que s'il avait été équipé d'un radar, Hugo, son affreux petit frère de deux ans son cadet, déboulait dans le salon dès qu'elle soulevait le combiné, ses dernières velléités d'appel s'étaient définitivement envolées.

Lily en avait donc été réduite à se tourner et à se retourner dans son lit, en se demandant comment leur trio allait pouvoir survivre à une rentrée qui s'annonçait sous de si terribles auspices. Énervée, stressée, elle avait écouté la vieille horloge du salon sonner avec régularité chaque heure de la nuit, avant de s'assoupir enfin, aux premières heures de l'aube.

Résultat, elle était épuisée avec les yeux gonflés de sommeil, elle n'avait pas entendu sonner son réveil, et était donc en retard ! Elle s'était pourtant bien juré que les choses allaient changer… Elle voulait en finir avec ces infernales courses contre la montre qui avaient accompagné toutes ses années de collège. Cela se terminait invariablement par une catastrophe plus ou moins « catastrophique » mais toujours embarrassante. Elle avait eu plus que son compte de mots de retard, de sacs oubliés ou de taches de confiture de fraises étalées sur ses tee-shirts pour avoir voulu finir son petit déjeuner dans le bus !

« Mais, cette fois-ci, je ne tomberai pas dans le piège ! » se dit-elle en bondissant de son lit. Un coup d'œil au réveil lui suffit pour savoir qu'un choix cornélien s'imposait déjà à elle : petit déjeuner ou séance beauté, il allait falloir trancher…

Pas d'hésitation possible ! Elle devait domestiquer à tout

prix ses cheveux frisés, et ses jeans avaient une fâcheuse tendance à la serrer ces derniers temps. Un petit déjeuner en moins lui ferait certainement le plus grand bien !

Dans le miroir de la salle de bains, le spectacle qu'elle découvrit la fit tiquer. Combien elle aurait aimé que son reflet soit semblable à l'image parfaite et lisse qu'elle voulait présenter à tous ceux qu'elle rencontrerait pour la première fois au cours de cette matinée !

Lily fronça les sourcils, mécontente d'elle-même. Pour être tout à fait honnête, elle devait bien avouer qu'elle se souciait beaucoup moins de l'avis de tous ces inconnus que de celui d'un individu en particulier.

Refusant d'engager plus loin ses pensées sur ce terrain douloureux, elle soupira et se lança avec détermination dans un gommage désincrustant. Rageuse, elle attaqua son nez, bien trop brillant à son goût. Après une douche rapide, l'aiguille de sa montre lui assura qu'elle était toujours dans les temps.

– *Good !* murmura-t-elle, satisfaite.

Avec dextérité, elle mit ses lentilles de contact et eut, comme chaque fois que son visage lui apparaissait avec netteté, une pensée émue pour leur inventeur. S'il n'avait tenu qu'à elle, elle lui aurait sans hésitation attribué le prix Nobel de la paix ou un truc comme ça. C'est vrai, quoi ! En la libérant de l'esclavage de ces menottes de verre communément appelées « lunettes » qui lui avaient empoisonné la vie pendant des années, n'avait-il pas contribué à ce qu'elle soit plus en paix avec elle-même ? Mais sa satisfaction ne dura guère : son nez, en signe de protestation contre le traitement qui lui avait été infligé, affichait désormais une jolie couleur rouge vif.

Elle pesta de plus belle en réalisant que sa crème teintée

n'atténuait en rien son éclat. Seule consolation, son nez était (pour l'instant) résolument mat.

Avec un geste d'impuissance, elle fit une grimace à son reflet et se saisit du tube de mascara qu'elle s'était offert la veille pour célébrer sa rentrée au lycée. Concentrée, elle l'appliqua avec soin mais générosité sur les cils de l'œil droit. Elle attaquait l'œil gauche quand de violents coups tambourinés à la porte la firent sursauter.

– Aïe ! Mon œil !

Derrière la porte, la voix d'Hugo hurlait :

– Grouille ! Ça fait une heure que t'es là-dedans ! Il n'y a pas que toi qui dois te préparer !

Bien trop préoccupée par le mascara qui avait sali son verre de contact, sa sœur l'entendit à peine. Avec précaution, elle retira sa lentille et la rinça soigneusement avant de la remettre en place.

Dans le couloir, Hugo cognait de plus belle. Lily allait vertement le remettre à sa place, mais elle eut un haut-le-corps en voyant l'heure affichée sur sa montre.

Elle se rua hors de la salle de bains, manqua d'écraser son frère contre le mur et courut jusque dans sa chambre. Elle se débarrassa d'un geste de son peignoir, enfila à toute allure le jean et la tunique qu'elle avait (heureusement) choisis la veille et se précipita au rez-de-chaussée.

– *Ciao !* fit-elle à sa mère en passant, telle une comète, devant la cuisine.

– Tu pars déjà ? Mais tu n'as pas petit-déjeuné ! s'exclama cette dernière, surprise.

– Pas le temps ! Je ne veux pas manquer le bus ! cria Lily tout en enfilant ses ballerines.

Dehors, elle faillit percuter Thomas, son frère aîné, qui sortait son scooter du garage.

Comme il avait, du haut de ses vingt ans, une légère propension à lui faire la leçon, elle s'enfuit dans la rue à toutes jambes afin d'échapper à son prévisible discours sentencieux sur les jeunes filles écervelées qui ne regardent pas devant elles.

Finalement, elle attendit le bus près d'un quart d'heure. Il lui faudrait peut-être revoir le rigoureux timing qu'elle s'était imposé pour cette première journée, mais elle était, au fond, assez contente d'elle-même. Elle préférait avoir de l'avance plutôt que devoir attraper le bus au prix d'un sprint infernal qui l'aurait laissée pantelante et les joues en feu. Elle espérait d'ailleurs qu'elle devait les regards furtifs des autres personnes à l'arrêt de bus à cette nouvelle et admirable maîtrise d'elle-même plutôt qu'à son nez écarlate !

Quand le véhicule arriva enfin, elle aperçut Chiara, qui lui faisait signe derrière la vitre. Malgré son excitation, elle se força à monter à bord avec calme et retenue avant de se diriger vers elle.

Mais Chiara, après l'avoir dévisagée d'une drôle de manière, lui chuchota :

— Tu as une tête bizarre.

— Merci, je sais, rétorqua Lily avec une grimace, mon nez ressemble à celui d'un des rennes du père Noël !

— Qu'est-ce que tu racontes ?

— Oui, tu sais, celui qui a la truffe rouge et brillante... Elle lui permet de guider le traîneau dans le brouillard... C'est vrai que ça peut être utile, sauf que, manque de chance, aujourd'hui, il y a du soleil !

Chiara esquissa un sourire avant de reprendre d'un air concentré :

— Non, ce n'est pas ça... Ça y est, j'y suis ! Ce sont tes yeux, ils ne sont pas symétriques !

— Quoi ? s'étrangla Lily.

— Oui, l'un est maquillé, mais l'autre ne l'est pas.

Chiara sortit de son sac un petit miroir qu'elle tendit à son amie. Avant même de s'en saisir, Lily avait compris : Hugo ! À cause de son intervention, elle n'avait pas eu le temps de finir l'œil gauche !

Elle gémit :

— Misère, je comprends maintenant pourquoi les gens me regardaient bizarrement à l'arrêt de bus !

Se tournant vers Chiara, elle quémanda d'une voix suppliante :

— Tu n'aurais pas du mascara ?

— Hélas ! non, fit son amie désolée, j'ai juste un peigne…

— Oh, non ! il va falloir que j'essaie d'enlever le mascara de l'œil droit !

Et, à l'aide d'un mouchoir en papier, la mort dans l'âme, Lily commença à se frotter l'œil avec vigueur.

Elle venait de terminer quand le bus s'arrêta devant le lycée.

— Ça va mieux, commenta Chiara.

— Si l'on veut, grommela Lily en se regardant une dernière fois dans le miroir. Maintenant, j'ai l'œil droit assorti au nez : ils sont aussi rouges l'un que l'autre !

Ravalant des larmes qui n'auraient en rien arrangé la situation, elle suivit Chiara. Cette dernière, voulant consoler son amie, se retourna pour lancer :

— Allez, viens, ç'aurait pu être pire !

— Tu crois vraiment ?

— Bien sûr, insista Chiara avec un grand sourire, ç'aurait pu être du waterproof !

3

Mardi 1er septembre, 7 h 50

Postée près des hautes portes de bois sculpté, à cette heure grandes ouvertes, du vieux lycée Balzac, Maëlle, une pochette cartonnée à l'effigie de Coldplay sous le bras, les attendait déjà. Impatiente de retrouver ses amies, elle scrutait le flot des nouveaux arrivants qu'une file presque ininterrompue de bus déversait au rond-point. Dès qu'elle les eut repérées, elle se mit à gesticuler dans leur direction avec la discrétion d'un moulin à vent perché au sommet d'une colline.

— Alors, prêtes pour le grand jour ? s'enquit-elle dès que Chiara et Lily l'eurent rejointe.

Elle-même, en l'honneur de l'événement, arborait une petite robe trapèze rouge avec des spartiates. Surprise de voir la sportive du trio dans une tenue aussi féminine, Chiara s'exclama :

— Ça alors ! Je crois bien que c'est la première fois qu'on te voit en robe !

— Si on excepte bien sûr le jour où a été prise la photo qui trône sur la cheminée de ton salon ! précisa Lily en riant.

— Mais celle-là ne compte pas ! Maëlle ne devait pas avoir plus de deux ans…

Piquée au vif, cette dernière intervint :

— Eh ! Ce n'est pas parce que je suis en robe que je n'ai pas d'oreilles !

Devant ses deux amies hilares, Maëlle consentit quand même à leur confier la raison de ce changement :

— Ma cousine a débarqué hier après-midi pour m'emmener faire du shopping. Elle m'a dit qu'à l'entrée en seconde il était temps d'abandonner mon look de garçon manqué.

— Trop cool ! soupira Lily avec envie. Dire que je ne suis entourée que de garçons… Qu'est-ce que j'aimerais avoir une cousine comme ça !

Puis, avec un nouveau soupir, elle ajouta :

— En tout cas, entrée en seconde ou pas, les robes et les jupes, pour moi, c'est bien fini ! L'épisode du rosier m'a suffi… Finalement, les pantalons, c'est ce que je préfère.

— Moi aussi, renchérit Chiara.

Avec un clin d'œil, elle poursuivit :

— Il faut dire que tout le monde n'a pas des jambes aussi fuselées et bronzées à faire admirer !

— Pitié ! supplia Maëlle, en se cachant le visage avec sa pochette.

Mais, comme la grande fille brune continuait de pouffer, elle marmonna :

— OK, c'est bon, demain je viens en jean !

— Ne l'écoute pas ! fit Lily. Ça te va très bien !

Reprenant son sérieux, Chiara acquiesça :

— C'est vrai…

Avant de poursuivre d'un ton grandiloquent :

— Ce serait un crime de cacher de si belles jambes !

Cette fois, bien qu'elle tentât d'assommer sa copine à coups de pochette, même Maëlle se mit à rire.

Quand elles se furent un peu calmées, Lily lança :

— Et si on allait voir les listes ?

Les deux autres filles approuvèrent aussitôt. Venait enfin le moment qu'elles avaient à la fois tant attendu et redouté depuis que les portes du collège s'étaient définitivement refermées derrière elles. Nul doute que leur fou rire devait beaucoup à la nervosité que le suspense, désormais sur le point de s'achever, avait fait naître en elles.

Elles n'étaient d'ailleurs pas les seules à vouloir satisfaire leur curiosité et, quand elles atteignirent le grand préau qui faisait le tour de la cour, une foule d'élèves les avait déjà précédées devant les feuilles de papier blanc affichées sur le mur du bureau des surveillants.

Grâce à sa haute taille et à sa très bonne vue, Chiara fut la première à repérer des noms connus :

– Maëlle, tu es en seconde B… avec Wendy Vianney et Farouk Hacer !

À cette nouvelle, Maëlle fronça le nez de contrariété : Wendy était une vraie peste dont elle se serait bien passée… Heureusement que Farouk était là ! Lui était drôle, gentil et très cool : le genre de garçon capable de mettre de l'ambiance dans les fêtes les plus sinistres. L'un compenserait l'autre !

Des élèves ayant cédé leur place, le trio avança de quelques pas. Mais cela ne changea pas grand-chose pour Lily. Elle plissait les yeux et se dressait sur la pointe des pieds, mais elle ne parvenait toujours pas à déchiffrer les noms inscrits sur les listes. Décidant de s'en remettre aux yeux de lynx de son amie, elle demanda à Chiara avec une légère anxiété :

– Et moi ? Je suis où ?

Après quelques instants de recherche, Chiara répondit :

– En seconde D !

Puis, prenant un air de conspiratrice, elle ajouta :

– Et en plus, mademoiselle Berry, c'est votre jour de

chance, le bel Adrien Nison se trouve dans votre classe !
Toutes les filles du lycée vont vous envier.

Le cœur de Lily, qui s'était subitement accéléré, retrouva son rythme habituel : si Adrien, avec son physique d'athlète, ses yeux verts et ses cheveux châtains mi-longs, faisait craquer beaucoup de filles, il la laissait, elle, complètement indifférente.

Haussant les épaules, elle rétorqua :

— Très drôle ! Tu sais bien que je me fiche totalement de lui, sans compter que, de toute manière, il ne sait même pas que j'existe…

Puis, maudissant intérieurement sa petite taille, Lily s'adressa de nouveau à Chiara sur un ton qu'elle espérait détaché :

— Et à part lui, il n'y a personne d'autre que je connais ?

Mais l'adolescente, à la recherche de sa propre classe, ne parut pas l'entendre. Lily réprima un soupir de frustration. Hésitant à insister trop ouvertement, elle décida de faire appel à Maëlle. Soudain, Chiara s'exclama :

— Seconde E ! Et bien sûr, il n'y a personne avec moi !

— Wahou ! se moqua Maëlle, une classe juste pour toi !

Chiara lui envoya une bourrade dans les côtes en riant :

— C'est bon, tu as très bien compris ce que je veux dire !

Lily s'impatientait. Le bavardage de ses amies, qui l'amusait tant habituellement, lui paraissait à cet instant terriblement exaspérant. Elle les connaissait assez pour savoir qu'elles pouvaient encore passer plusieurs minutes à se taquiner ainsi, juste pour le plaisir.

Et ce groupe de lycéens qui n'avançait pas ! Pourtant, il fallait à tout prix qu'elle sache !

Jetant aux orties sa résolution de paraître indifférente, elle interrompit les deux filles en lançant d'une voix forte :

— Alors ? Il y a des anciens du collège avec moi, oui ou non ?

Ses amies lui jetèrent un regard surpris, mais elles parurent

25

comprendre que le sujet lui importait vraiment. Portant à nouveau leur attention sur la liste de noms inscrits en seconde D, elles la parcoururent rapidement jusqu'à ce que Maëlle finisse par répondre d'un ton léger :

— Eh bien oui ! Il y a déjà Marine ! Tu te souviens ? Elle était en quatrième avec nous. Tu vois, il ne fallait pas t'en faire, ajouta-t-elle d'une voix qui se voulait rassurante, convaincue que Lily s'inquiétait à l'idée d'être seule dans cette nouvelle classe.

— Et il y a même Florian, compléta Chiara (avant d'ajouter, avec malice), même si on sait bien que les garçons, cela ne compte pas vraiment…

— Marine Weber et… Florian Bressan ?

— Ben oui ! Pourquoi ? Tu en connais d'autres ?

— Non, non, c'était juste pour être sûre, répondit Lily dont le cœur s'était remis à battre plus vite.

À ce moment-là, la porte du bâtiment principal s'ouvrit, et un groupe de professeurs, portant cartables et documents, s'avança. Un silence curieux s'installa aussitôt dans la cour.

Un homme grand et maigre, barbu, vêtu d'un costume gris et âgé d'une cinquantaine d'années, prit la parole d'une voix forte :

— Bonjour à toutes et à tous. Je suis monsieur Prévost, le proviseur du lycée Balzac…

Mais le trio n'écouta que d'une oreille la suite du discours de bienvenue, bien plus soucieuses de deviner quels seraient leurs futurs professeurs parmi les enseignants qui se tenaient au côté du proviseur.

— Eh bien, quelque chose me dit qu'on ne va pas rigoler tous les jours, souffla Chiara, impressionnée par l'aspect sévère de la plupart d'entre eux.

— Comme tu dis, murmura Lily.

— Détrompez-vous, les filles ! chuchota Maëlle. Visez plutôt le prof à la gauche du proviseur, il est plutôt pas mal, non ?

Les deux autres filles se tordirent le cou et découvrirent à leur tour un enseignant qui, par sa jeunesse et son allure, détonnait au sein du corps professoral.

— Très mignon, même ! confirma Chiara. Et puis, contrairement aux autres, il ne semble pas s'être échappé d'une maison de retraite !

Ses amies gloussèrent tout en essayant de rester discrètes. Pas question de se faire remarquer dès le premier jour.

Elles reprirent leur sérieux, mais, dans un murmure, Chiara ne put cependant s'empêcher d'ajouter avec un soupir à fendre l'âme :

— Avec ma veine, je suis certaine que je ne l'aurai pas… Pourtant, avec lui, je suis prête à parier que même les mathématiques deviennent une matière passionnante.

Comme le discours s'éternisait, elle continua d'échanger avec Maëlle des commentaires sur chacun des professeurs présents, cherchant à deviner, d'après leur allure, quelle matière ils pouvaient bien enseigner.

Lily acquiesçait machinalement, mais si ses amies avaient été plus attentives, elles auraient remarqué que depuis quelques minutes la jeune fille ne regardait plus dans la même direction qu'elles. Son attention s'était fixée sur un garçon élancé, de taille moyenne, les cheveux bruns en bataille. Son visage, si calme d'habitude, trahissait une certaine nervosité. En le voyant remonter ses lunettes sur son nez pour la deuxième fois en moins d'une minute, Lily comprit alors que la rentrée au lycée angoissait autant Florian Bressan qu'elle-même. Elle eut un léger sourire en prenant conscience que les garçons, comme les filles, étaient affectés par les changements qui, ils le pressentaient, allaient avoir lieu dans leur vie. Plus rien ne serait jamais comme avant. Le temps du collège était bel et bien terminé.

Cependant, Lily pensa avec satisfaction que les choses se présentaient plutôt bien.

Florian dans la même classe qu'elle : c'était vraiment inespéré ! Un coup de pouce incroyable du destin !

Respirant plus librement, la jeune fille laissa son imagination s'envoler.

Oui, cette année enfin, tout allait changer…

4

Mardi 1ᵉʳ septembre, 8 h 45

M. Grimaud, professeur de mathématiques de la classe de seconde D, n'avait rien de commun avec ce collègue au look de jeune premier qui avait fait si grande impression aux trois filles. Petit, le crâne dégarni et doté d'un embonpoint pour le moins proéminent, il avait autant de charme qu'une barrique décrépite mais ne s'en souciait guère.

Tapant avec son stylo doré à une cadence régulière sur un vieux bureau de bois paraissant dater de l'époque de la création du lycée – qui remontait à près d'un siècle –, il dictait déjà avec précision et rapidité son premier cours de l'année. D'une redoutable efficacité, il avait expédié en moins d'une demi-heure les formalités administratives de la rentrée avant d'annoncer sans états d'âme :

– Passons dès maintenant au chapitre des fonctions affines.

Une fois le premier instant de stupeur passé, les adolescents se mirent à écrire en essayant de suivre tant bien que mal le rythme soutenu imposé par l'enseignant.

Quelques minutes plus tard, comme un lycéen courageux lui demandait de ralentir, le professeur le fixa droit dans les yeux en martelant :

– Dans mon cours, monsieur, on attend d'avoir la parole

avant de pouvoir s'exprimer. Je vous saurai gré de ne pas l'oublier à l'avenir.

Avec une grimace, Lily pivota d'un quart de tour vers Florian, qui se trouvait un rang derrière elle, et, satisfaite, elle constata qu'elle était idéalement placée pour pouvoir communiquer avec lui. Lorsqu'ils s'étaient retrouvés devant la porte du cours de mathématiques, la jeune fille avait été enchantée de le voir se diriger vers elle et la saluer amicalement avant d'entrer. Mais leur échange n'était pas allé plus loin et, au moment de choisir une place, il avait fallu faire vite. Lily l'avait laissé passer en premier pour voir où il s'installait, puis, elle s'était (discrètement) précipitée à cette place de manière à être assise devant lui. Ce choix s'était révélé fort judicieux : ni trop près (ce qui aurait pu sembler suspect) ni trop loin (puisque à portée de bavardages), c'était tout simplement parfait !

Bien sûr, dans un monde idéal, elle se serait placée à côté de lui. Mais tenter cet exploit avait été au-dessus de ses forces. Sans compter qu'Adrien, le meilleur ami de Florian, ne lui en aurait certainement pas laissé l'occasion : il tenait trop à cette proximité qui permettait de lui sauver la mise les jours où il « oubliait » de réviser.

À mille lieues d'imaginer les pensées qui défilaient derrière le front de Lily, Florian, tout aussi impressionné qu'elle, releva les sourcils en réponse à sa grimace. Nul besoin d'être devin pour prédire que les cours de mathématiques avec ce professeur n'allaient pas être une partie de plaisir…

La dictée ayant repris de plus belle, Lily était de nouveau penchée sur sa feuille lorsqu'on entendit frapper à la porte. La contrariété voila un instant le visage de M. Grimaud, et Lily se demanda s'il allait répondre. Elle pressentait que, dans son cours, tout devait être aussi bien ordonné que dans l'ensemble N des entiers naturels. Il était donc évident que toute interruption était considérée comme un crime de lèse-majesté.

Un nouveau coup frappé à la porte parut cependant le décider :

— Entrez ! fit-il sur le ton qu'Ali Baba avait dû employer pour prononcer son « sésame ».

La porte s'ouvrit lentement et une fille avança d'un pas.

Dans la classe, le silence le plus absolu se fit soudain. Chacun, le stylo levé, avait les yeux tournés vers la retardataire.

— Wahou ! laissa enfin échapper Adrien à voix basse dans le dos de Lily.

Cette dernière, comme tous les autres élèves, contemplait avec incrédulité la nouvelle venue. Debout dans l'encadrement de la porte, la jeune fille se tenait, grande et mince, une main négligemment posée sur la poignée, immobile devant tous ces regards curieux. Et pourtant, Lily aurait parié qu'à la minute où cette inconnue bougerait, chacun de ses mouvements se parerait d'une grâce délicate. Les reflets flamboyants de ses cheveux roux, longs et bouclés suffisaient à attirer toute l'attention, mais la nature l'avait aussi dotée d'un visage aux traits fins et réguliers, illuminé par deux grands yeux verts au regard légèrement impertinent.

« Ce doit être ça, être belle ! pensa Lily. Et en plus, elle a du goût ! »

En effet, il était évident que l'inconnue savait s'habiller et qu'elle n'achetait pas ses vêtements au supermarché du coin. Elle portait en ce jour de rentrée un pantacourt bouffant en lin gris surmonté d'un débardeur rose pâle et d'un gilet d'homme noir cintré, mettant en valeur sa taille fine. Sa présence dans la classe de seconde D paraissait aussi incongrue que celle d'une orchidée dans un bouquet de fleurs des champs.

Pas étonnant qu'elle ait eu un effet renversant sur Adrien !

M. Grimaud, lui, sembla beaucoup moins impressionné lorsqu'il l'entendit s'excuser de son retard. Il la sermonna vertement et lui fit bien comprendre que la magnanimité dont il faisait preuve en ce jour de rentrée, en l'acceptant dans son cours sans billet de retard, ne se renouvellerait pas.

– Votre nom ? demanda-t-il en ressortant son cahier d'appel.

– Mélisande de Saint-Sevrin, répondit-elle sans paraître affectée outre mesure par le ton glacial du professeur.

– Et en plus elle a un nom de star, chuchota Adrien. Des filles comme ça, je croyais que ça n'existait que dans les magazines !

Le professeur rectifia le nombre des présents avec une nouvelle moue de contrariété, puis il lui intima l'ordre de s'asseoir.

– Nous avons assez perdu de temps comme ça !

Lily fut presque embarrassée lorsque la nouvelle venue vint s'installer à côté d'elle, mais elle devina que cette place allait faire la joie d'Adrien, si dragueur d'ordinaire.

Avec gentillesse, elle souffla discrètement à cette voisine inattendue :

– Je te passerai le début du cours tout à l'heure.

Mélisande lui lança un regard étonné et la remercia d'un sourire un peu distant que Lily trouva fantastique ! Elle se promit de s'entraîner le soir même devant son miroir pour arriver à le reproduire.

C'est alors qu'une voix grave aux intonations de velours chuchota dans leur dos :

– Moi aussi, je peux te passer le début du cours… et je te promets qu'il sera bien plus intéressant que celui de Lily.

Mais Mélisande resta de marbre et ne prit même pas la peine de se retourner. Vexé, Adrien haussa le ton, peu habitué à ce qu'une fille l'ignore :

— Eh, je te parle !

M. Grimaud, qui était au tableau en train d'écrire une équation, se retourna vivement :

— Votre nom ? exigea-t-il, le regard braqué sur Adrien.

Ce dernier le lui donna de mauvaise grâce.

— Eh bien, monsieur Nison, vous ne perdez pas de temps pour vous faire remarquer ! Sachez que j'ai le chahut en horreur. Et, pour que les choses soient bien claires entre nous, vous m'apporterez votre carnet de liaison à la fin du cours. Je serai ravi de l'étrenner…

Assise près de la fenêtre, sa place favorite depuis qu'elle était en âge d'aller à l'école, Chiara rêvassait, le visage tourné vers le ciel, et elle n'écoutait le cours que d'une oreille. On lui serinait depuis son plus jeune âge que les études étaient un mal nécessaire, mais, décidément, elle avait toujours autant de difficultés à s'y faire. Estimant qu'elle n'avait déjà passé que trop de temps en cours, Chiara autorisait donc son esprit à s'évader dès que l'occasion s'en présentait.

Aussi loin que remontaient ses souvenirs scolaires, Lily s'était tenue à ses côtés. Lily, si douce et toujours prête à écouter les problèmes des autres. Et puis il y avait eu Maëlle, quelques années plus tard. Une fille vive, soupe au lait, frondeuse. De cette rencontre était né leur trio. Improbable, mais que les liens de l'amitié avaient rendu solide, indestructible. Les trois filles ne s'étaient plus quittées.

Seule à avoir choisi des options littéraires, Chiara se retrouvait séparée de ses amies pour la première fois, et elle avait eu beau plaisanter sous le préau, elle ne pouvait se défaire d'un étrange sentiment d'abandon. Désormais sans personne avec qui parler, Chiara pressentait que, pour ne pas s'ennuyer, elle allait vite devoir apprendre à connaître par cœur chaque détail de la rue qu'elle apercevait depuis sa chaise.

Une nouvelle fois, son regard parcourut la salle pour finalement s'arrêter sur le professeur de français qu'elle devrait supporter les dix prochains mois. Chiara n'aurait pas su lui donner un âge précis malgré les railleries qu'elle avait échangées un peu plus tôt avec Maëlle au sujet de l'âge canonique de l'ensemble des professeurs. Grande et sèche, les cheveux bruns coupés très court, Mme Docile arpentait l'estrade d'un pas énergique, ne s'arrêtant que l'espace d'un instant quand elle tenait à souligner un point particulier. Les petits rires épars à l'énoncé de son nom s'étaient vite éteints lorsqu'elle avait balayé la classe de ses yeux aussi bleus qu'un glacier. La trentaine d'élèves de seconde E avait immédiatement lu dans ce regard qu'en dépit de ce qu'annonçait son patronyme, il ne serait pas si facile de la domestiquer.

Avec un soupir, Chiara retourna à la contemplation de la rue et des allées et venues des badauds, de plus en plus nombreux au fur et à mesure que la matinée avançait. De l'autre côté de la vitre, la vie lui paraissait autrement plus passionnante.

Lorsque la sonnerie retentit, annonçant la fin des cours, Maëlle poussa, elle aussi, un soupir de soulagement. Moins de quatre heures de cours, mais elle avait senti revenir avec force les premiers symptômes de la « Wendyite aiguë ». Souffrant depuis quelques années de cette maladie, elle espérait être débarrassée de Wendy Vianney à son arrivée au lycée. Hélas ! le sort en avait décidé autrement, et Maëlle se demandait déjà comment elle parviendrait à endurer toute une année scolaire la présence de cette horrible fille dans sa classe.

Pourtant, en entrant en cours, Maëlle avait eu une très, très bonne surprise. Incroyable, mais vrai ! M. Wolf, le professeur principal de sa classe de seconde n'était autre que le « trop-beau-pour-être-vrai-et-encore-plus-pour-être-prof » ! Mais, dès le début, cette peste de Wendy se débrouilla pour tout gâcher.

— *I'm your English teacher*, s'exclama le jeune professeur devant une classe dont la moitié féminine était sur le point de tomber en pâmoison à la vue de tant de charmes concentrés.

Dans le silence émerveillé qui suivit cette déclaration pourtant relativement anodine, une élève, une seule, ne put se contenter d'écouter et d'admirer. Wendy (qui d'autre ?) s'écria :

— *I spent one month in London last summer. I love England !*

À quelques rangées d'elle, Maëlle leva les yeux au ciel à l'écoute de cette déclaration qui venait de valoir à son ennemie un sourire étincelant de la part de leur professeur.

— *How interesting ! London is a fantastic city indeed.*

M. Wolf ajouta encore une ou deux choses sur la capitale et Wendy, déployant ses atouts, en profita pour monopoliser son attention en mentionnant les divers monuments qu'elle avait visités.

Maëlle, irritée par cet échange, fut tentée d'intervenir. Après tout, elle aussi avait visité la Tour de Londres quelques années plus tôt, et son anglais n'avait rien à envier à celui de Wendy ! Mais, finalement, elle renonça. Pas question de laisser croire à cette harpie qu'elle était jalouse de l'intérêt que lui portait le séduisant M. Wolf !

À côté d'elle, Farouk, bien qu'ignorant les pensées qui agitaient sa voisine, chuchota :

— La pauvre ! Si elle savait, elle ne se donnerait pas tant de mal.

— Pourquoi ? demanda Maëlle, intriguée.

Farouk ricana sous cape :

– Parce qu'il est marié avec une fille super belle.

– Comment tu sais ça ?

– Mon frère l'a eu en terminale l'année passée. Sympa, mais raide dingue de sa femme.

« Dommage », pensa Maëlle avec un petit pincement au cœur. Et elle tenta de se concentrer de nouveau. Malheureusement, la suite de la matinée continua de mettre ses nerfs à rude épreuve. Certes, Wendy n'avait pas sorti le grand jeu avec tous les enseignants, mais elle avait, comme à sa détestable habitude, cherché avec doigté à s'attirer les bonnes grâces des professeurs.

– Quelle lèche-bottes ! avait plus d'une fois marmonné Maëlle entre ses dents.

Cependant, malgré son agacement, elle était bien obligée de reconnaître que, dans ce domaine-là, Wendy était devenue une experte au fil des années. Intelligente et rusée, elle dosait parfaitement ses interventions, n'en faisant jamais trop et s'adaptant avec adresse à la personnalité de chaque enseignant.

« Tout le contraire de moi ! » pesta intérieurement Maëlle, dont la contrariété se teintait, à son corps défendant, d'une pointe d'admiration. Elle grimaça en se souvenant du sobriquet dont on l'avait affublée à l'école primaire. Bien sûr, Bulldozer n'était pas le surnom dont elle aurait rêvé, mais elle se consolait en pensant qu'avec elle, au moins, les gens savaient sur quel pied danser !

Quand Chiara et Maëlle retrouvèrent Lily à la sortie du lycée, elles eurent la surprise de la découvrir en pleine conversation avec une fille très belle, grande et rousse, qu'elles n'avaient jamais vue auparavant. Lily les accueillit avec un grand sourire :

— Salut, les filles ! Je vous présente Mélisande. Elle est dans la même classe que moi. Elle vient de Paris. Elle a emménagé cet été.

— Salut, fit Chiara, sans grand enthousiasme.

D'instinct, elle se méfiait de ces filles apprêtées comme des gravures de mode et qui à quinze ans en paraissaient déjà dix-huit.

De son côté, Maëlle dévisageait l'inconnue avec une hostilité à peine dissimulée. Son examen terminé, elle finit par répondre assez fraîchement :

— Salut.

Puis, se remémorant malgré elle les leçons de politesse que sa mère lui avait prodiguées, elle ajouta du bout des lèvres :

— J'espère que la rentrée s'est bien passée pour toi.

Ensuite, se tournant alors vers ses deux amies, elle lança :

— Bon, vous venez ? J'ai des tonnes de choses à vous raconter ! Et je vous offre une crêpe pour fêter la rentrée !

— Super, se réjouit Chiara, j'ai une de ces faims ! C'est fou comme ça creuse de ne rien faire !

— Et… hésita Lily en lançant un coup d'œil à Mélisande.

Mais cette dernière la devança avec nonchalance :

— Bon, ben, salut… Et encore merci pour les cours, Lily !

Puis, sans se presser, elle se détourna et s'éloigna dans la rue.

Lily, indignée, pivota vers ses amies :

— Vous auriez pu être plus sympas, quand même !

— Non mais, tu as vu comme elle est sapée ? rétorqua Maëlle. On dirait qu'elle sort d'un défilé de mode… et puis dis donc, quelle démarche !

Et, rejetant la tête en arrière, Maëlle fit quelques pas en

balançant les hanches de manière exagérée, singeant Mélisande qui s'éloignait.

Chiara s'esclaffa, mais Lily fronça les sourcils. Devant son air réprobateur, Maëlle insista :

— Allez ! Arrête ! Cette fille, c'est un vrai pot de miel ambulant pour les garçons ! Je parierais qu'elle est prête à tout pour les attirer dans ses filets… Tiens, tu sais quoi ? Elle me rappelle Wendy !

Ce qui, dans la bouche de Maëlle, était la pire des insultes !

— Et nous, riposta Lily d'une voix légèrement tremblante, quand nous avons mis près de trois heures à nous préparer pour notre soirée ratée en boîte, ce n'était pas pour plaire aux garçons ?

— Pas du tout ! objecta vivement son amie. Nous, on n'avait pas écrit sur le front : « Venez me draguer, je n'attends que ça ! » Les fringues, le maquillage, c'était juste pour nous amuser un peu ! Et puis, on ne passe pas notre temps à penser aux garçons, nous !

Lily ne trouva rien à répondre à cela, du moins rien qu'elle osât exprimer à haute voix. Bien sûr, elle non plus ne passait pas son temps à songer *aux garçons* ! En revanche, *à un garçon* en particulier… Lily se demanda ce que ses amies auraient dit si elles avaient pu deviner ses pensées… Embarrassée par le tour que prenait la conversation, elle sentit une rougeur traître empourprer son visage et détourna la tête en priant pour que les deux autres filles ne remarquent rien. Heureusement, Chiara choisit cet instant précis pour recentrer le débat sur la jolie mais controversée nouvelle venue :

— C'est quand même vrai qu'elle a l'air super snob, ta Mélisande, on voit bien qu'elle n'est pas de notre monde. Tu as vu comment elle nous a regardées ?

Découragée, Lily secoua la tête.

— Je vous accorde qu'elle est assez différente de nous, mais on aurait quand même pu lui laisser une chance…

— Franchement, Lily, rétorqua Maëlle, on est très bien comme ça, je ne vois vraiment pas ce qu'on aurait à gagner à devenir amies avec elle !

À ces paroles, un certain malaise envahit la jeune fille et de désagréables souvenirs lui revinrent soudain en mémoire. Comme si c'était hier, Maëlle se remémora son entrée en CM1, dans cette nouvelle école à la cour remplie de marronniers et d'inconnus où la dernière mutation de son père l'avait conduite. Cette fois-là, ses parents lui avaient assuré, « promis, juré », que ce serait le dernier déménagement de sa scolarité. Ne faisant jamais les choses à moitié, Maëlle avait alors décidé de devenir la fille la plus populaire de la classe. Déjà première dans toutes les matières, elle avait cherché à impressionner tout le monde en remportant le cross interécoles de l'automne… C'est lors de cet événement qu'elle avait gagné l'affreux surnom de Bulldozer qui allait lui coller à la peau jusqu'à la fin du primaire. Elle reconnaissait cependant qu'elle n'avait pas toujours été très fair-play dans les épreuves sportives, et plusieurs de ses concurrents avaient fait les frais de bousculades qu'elle avait provoquées pendant la course, tant son désir de victoire était fort. Lassés, ses camarades de classe s'étaient détournés d'elle et si Lily, déjà inséparable de Chiara, ne lui avait pas tendu une main charitable, elle se serait retrouvée seule dans la cour, à regarder jouer les autres d'un œil à la fois envieux et malheureux.

Secouant la tête comme pour chasser ces pensées déplaisantes, Maëlle, le regard tourné dans la direction où Mélisande avait disparu, étouffa bien vite ses remords naissants.

« Après tout, se justifia-t-elle, on ne peut quand même pas

comparer une petite fille de neuf ans à une pimbêche au look ravageur ! »

Et levant les yeux vers ses amies, elle s'exclama :

– Assez perdu de temps ! On y va ?

Chiara ne se fit pas prier pour la suivre. Quant à Lily, elle se retrouva d'autorité entraînée par Maëlle qui lui avait pris le bras. Elle se sentait triste pour Mélisande, mais elle ne put s'empêcher de sourire en entendant quelques secondes plus tard Maëlle s'écrier d'une voix triomphante :

– Eh ! Vous savez quoi ? Je parie que vous allez mourir de jalousie lorsque vous saurez qui est mon prof principal !

5

Mardi 1ᵉʳ septembre, 18 h 00

Lorsqu'elle referma derrière elle la porte du petit appartement qu'elle occupait avec son père, Chiara se sentit d'humeur légère. M. Prévost, homme de grande sagesse à n'en pas douter, avait décidé qu'après deux mois de vacances la reprise devait se faire à dose homéopathique. Et que, par conséquent, une demi-journée de cours suffisait pour amorcer cette nouvelle année scolaire.

Une décision qui avait ravi les trois filles.

« Il n'y a pas à dire, songea Chiara en se servant un verre de lait, rien ne vaut un après-midi entier à papoter avec les copines pour se sentir en pleine forme ! »

Elle s'appuya contre l'évier et avala une gorgée de lait. Elle repensa à ces moments qu'elles venaient de partager, si précieux pour la fille unique qu'elle était.

Après avoir dégusté leur crêpe, les trois amies avaient flâné dans les rues de ce quartier nouveau pour elles. Situé plus près du centre-ville que leur ancien collège de banlieue, le lycée Balzac se dressait dans un quartier animé, plein de boutiques, de restaurants et de cafés. Elles avaient alors découvert, au détour d'une rue, le café des Anges. Elles étaient tombées immédiatement sous son charme. Elles avaient adoré sa décoration disparate chinée dans les brocantes, son escalier en colimaçon caché au fond de sa minuscule salle, son parfum de chocolat chaud !

D'un pas alerte, elles avaient franchi le seuil et s'étaient installées avec une feinte assurance à l'une des petites tables en bois qui meublaient la salle.

C'était pour elles une première de se retrouver dans ce genre d'endroit sans adultes, et le sentiment grisant d'entamer une vie nouvelle, déjà présent lorsqu'elles avaient passé ce matin les portes de Balzac, les avait envahies une fois de plus.

Maëlle avait commandé trois chocolats à la serveuse et, tout en le buvant à petites gorgées, elles étaient revenues sur les divers événements de cette rentrée si particulière.

Au début, Lily était bien encore un peu grognon, mais l'imitation par Chiara de Mme Docile en train de balayer la classe de son air sévère lui avait redonné le sourire. Et quand Maëlle avait décrit l'effet que produisait le beau-à-en-(presque-mais-pas-tout-à-fait-quand-même)-mourir M. Wolf sur les filles de seconde B, elles avaient toutes les trois éclaté de rire sous les regards étonnés des autres clients.

Son verre à la main, Chiara se dirigea vers le salon. Elle regarda la télévision cinq minutes, retourna dans la cuisine chercher un paquet de gâteaux au chocolat, zappa plusieurs fois, puis finalement décida d'éteindre le poste. Comme d'habitude, il n'y avait à cette heure que des émissions et des séries stupides dans lesquelles le jeu des acteurs la faisait, suivant son humeur, hurler de rire ou déprimer à mort.

Quand le silence revint, elle resta pensive quelques secondes, puis se releva d'un bond. Elle regrettait que Maëlle et Lily aient dû rentrer. Elle aurait bien volontiers prolongé ces instants ensemble. Avec un soupir, elle rinça son verre dans l'évier, puis se rendit dans sa chambre.

Comme à son habitude, Chiara se jeta sur son lit et laissa son regard vagabonder autour d'elle. Aujourd'hui, plus que jamais, sa chambre lui sembla trop petite, trop classique. Terriblement étrangère à sa personnalité.

À l'exception d'une très belle photographie encadrée sur laquelle la mer et le soleil de Sicile, la terre de ses ancêtres, semblaient l'inviter au voyage, le reste de la décoration avait un côté « petite fille modèle » qui l'exaspérait. Son père avait choisi les meubles à une époque où elle ne savait pas encore vraiment ce qu'elle voulait et où elle adoptait avec enthousiasme tous ses choix. Elle avait grandi, changé, mais le décor, lui, était resté le même. Ses yeux s'attardèrent sur une grande affiche placardée contre sa porte annonçant la représentation du *Cid* à la Comédie-Française. Chiara aurait tout donné pour assister à cette pièce à Paris. S'asseoir dans un des fauteuils rouges de la salle Richelieu. Écouter avec ravissement ces vers de Corneille qu'elle connaissait par cœur ! Hélas ! son père avait refusé d'en entendre parler et la pièce s'était arrêtée avant que son vœu ne se réalise.

Cette année encore, elle le savait, il lui faudrait continuer d'être patiente et dompter le feu qui brûlait en elle.

Quelques mois plus tôt, elle avait pourtant pensé avoir trouvé un moyen d'obtenir gain de cause.

— J'arrête les cours de guitare, avait-elle annoncé à son père d'un ton péremptoire.

Elle espérait ainsi provoquer une réaction de son père et avoir enfin l'occasion d'aborder le sujet qui lui tenait à cœur. Mais, avant même qu'elle n'ait eu le temps d'exprimer sa requête, il avait déclaré d'un ton sans appel que de toute façon, à l'entrée en seconde, les amusements de cette sorte étaient à bannir. Sévère, il lui avait rappelé sa fin de troisième médiocre et avait insisté pour la millième fois sur l'importance d'avoir un métier « décent ». « Décent », dans sa bouche, représentant le parfait antonyme d'« artistique ». Chiara avait eu beau supplier, s'énerver, se mettre en colère, son père s'était, comme chaque fois qu'ils avaient cette discussion, braqué sans montrer le plus petit signe de fléchissement. Son intransigeance absolue dans ce domaine la rendait folle, mais plus elle s'emportait, plus il se retranchait derrière un masque impassible et froid.

Allongée sur son lit, Chiara sentit une tristesse amère l'envahir. Elle se rappelait combien son père était attentionné quand elle n'était encore qu'une toute petite fille. Son amour était maladroit, parfois envahissant, mais Chiara regrettait cette période. Depuis qu'elle était adolescente, les disputes entre eux étaient devenues de plus en plus fréquentes, et les remarques plus cinglantes chaque fois qu'elle se laissait aller à parler de son désir de jouer la comédie. Alors, au fil du temps, Chiara et son père s'étaient éloignés l'un de l'autre.

Parfois, la jeune fille se demandait si ces sautes d'humeur n'étaient pas liées à la disparition de sa mère, quatorze ans auparavant. Chiara n'était qu'un bébé quand celle-ci avait perdu la vie dans un accident de voiture, et la jeune fille ne gardait aucun souvenir d'elle. Contrairement à son père. Chaque fois que son regard se posait sur le portrait de sa femme posé sur la commode de l'entrée, un voile de tristesse assombrissait son visage. Mais, au grand regret de sa fille, il ne parlait jamais d'elle. Visiblement, la plaie ne s'était pas refermée. Chiara comprenait. En effet, comment oublier une femme qui avait été aussi belle et pleine de vie ? Sur la photo, avec ses lourdes boucles blondes soulevées par le vent et ses étonnants yeux turquoise pétillants d'enthousiasme, elle paraissait immortelle.

Chiara, elle, tenait de son père. Elle avait hérité de sa haute silhouette un peu maigre. Le sang sicilien qui coulait dans ses veines l'avait gratifiée d'une chevelure aussi noire que l'aile d'un corbeau, d'une paire d'yeux sombres comme la nuit et d'un nez légèrement busqué. « Un physique de tragédienne », lui répétait Lily, ce qui lui plaisait assez… Sauf bien sûr les fois où elle surprenait le regard de son père, plein de réprobation muette, posé sur elle. Nul doute qu'il avait aimé sa mère à la folie et qu'il aurait souhaité que sa fille lui ressemblât.

Soudain, elle se redressa et bondit sur ses jambes. Son réveil affichait dix-huit heures trente. Son père serait là bientôt. Il était temps de mettre le dîner en route.

Dans la cuisine, elle pensa avec envie à Lily qui, lorsqu'elle rentrait chez elle, était toujours accueillie par sa mère. En dépit de ce que pensaient parfois ses amies, faire la cuisine (encore qu'elle doutât que l'on puisse appeler « cuisine » le fait de faire cuire quelques pâtes avant de les asperger du contenu d'un bocal de sauce bolognaise) ne la dérangeait pas. Mais elle aurait tant aimé avoir quelqu'un à qui parler, surtout un jour comme aujourd'hui !

Chiara ravala furieusement les larmes qu'elle sentait venir et décida de faire une omelette, sa grande spécialité. Quand elle entendit le téléphone sonner, elle se précipita pour répondre.

– Allô ?

– Bonjour, ma petite girelle !

– Mamée ! Si tu savais comme je suis contente de t'entendre !

– Alors, dis-moi vite comment s'est passée cette rentrée… Je n'ai pas cessé de penser à toi, tu sais. J'ai déjà appelé deux fois, mais il n'y avait personne. Ton grand-père se moquait de moi : « Qu'est-ce que ce sera quand elle passera le bac ! » Mais, je ne me suis pas laissée faire…

En entendant la voix chaleureuse de sa grand-mère, un sourire s'était épanoui sur le visage de Chiara et, tandis qu'elle lui racontait sa journée, toutes les images de son enfance refaisaient surface.

Quand son père s'était retrouvé veuf avec Chiara, il avait été totalement désemparé. Son éducation sicilienne traditionnelle ne l'ayant pas préparé à prendre en charge une enfant si jeune, la solution idéale fut de l'envoyer chez ses grands-parents maternels. C'est ainsi que la petite Chiara avait vécu jusqu'à l'âge de six ans à l'ombre des pins parasols et des oliviers. Gâtée par son Papé et sa Mamée, des gens simples mais affectueux, Chiara se remémorait cette période comme la plus heureuse de sa vie.

Au fur et à mesure de la conversation, Chiara s'anima et raconta en détail à sa grand-mère tout ce qu'elle avait fait en ce jour de rentrée.

Quand elle raccrocha, sa bonne humeur était revenue. Et c'est en chantant à pleins poumons « The Fear » de Lily Allen qu'elle se dirigea vers la cuisine de Formica blanc.

Les œufs n'avaient qu'à bien se tenir.

6

Jeudi 24 septembre, 10 h 15

Ce matin-là, tout était allé de travers. Émergeant avec difficulté d'un sommeil profond, Lily avait arrêté la sonnerie de l'alarme d'une main tâtonnante et s'était retournée dans son lit pour s'accorder quelques petites minutes de repos supplémentaires. Après tout, elle se levait très tôt depuis le début de l'année scolaire et démarrait toutes ses journées sur les chapeaux de roue, arrivant toujours en avance à l'arrêt de bus. Mais ce rythme infernal, si contraire à sa nature, commençait à lui peser.

« Cinq minutes, pas plus », avait-elle pensé en se replongeant avec délice dans les bras de Morphée.

Quand elle avait repris conscience, les cinq-petites-minutes-pas-plus s'étaient multipliées à une vitesse effarante, et Lily avait failli tomber de son lit en voyant l'heure.

Avec un cri étranglé, elle s'était précipitée vers la salle de bains. Et, devant la porte fermée, le cœur lui avait manqué.

S'acharnant en vain sur la poignée, elle avait hurlé :

– Ouvre, Hugo ! Je suis méga à la bourre !

Un rire sardonique l'avait narguée, et son frère ne s'était même pas donné la peine de répondre.

Alors qu'elle tapait du plat de la main en le menaçant des pires représailles, il s'était mis à chantonner « Chacun son tour, chacun sa salle de bains » sur l'air de « Chacun sa route, chacun son chemin ».

Devinant qu'il ne la laisserait jamais entrer, Lily tourna les talons et alla supplier sa mère de l'autoriser à utiliser sa salle d'eau. Cette dernière, la voyant proche de l'hystérie, donna son accord alors qu'en temps normal elle en interdisait l'accès à toute personne ne sachant pas suspendre gants et serviettes.

Après une douche supersonique, Lily s'était tortillée comme un ver pour enfiler son jean et avait couru à toute vitesse pour attraper le bus *in extremis*.

Alors, bien sûr, en se laissant tomber sur le siège à côté de Chiara, elle s'était dit qu'une journée qui débutait ainsi ne pouvait qu'aller de mal en pis, mais son exubérante amie lui avait si bien changé les idées qu'elle n'y avait plus pensé.

C'est à l'heure du cours légèrement soporifique de Mme Paillet que, de la manière la plus imprévisible qui soit, tout avait à nouveau basculé… D'ailleurs, si quelque temps auparavant on avait prétendu devant Lily que l'on pouvait mourir pendant un cours d'histoire-géographie, elle aurait ri de cette affirmation fantaisiste.

En cours d'EPS, à la rigueur, où un accident était toujours possible, surtout lorsqu'on attaquait le module d'escalade. En cours de chimie éventuellement, si on négligeait les consignes de sécurité données par le prof et qu'on fabriquait par inadvertance du TNT. Mais pendant un cours d'histoire-géographie… Alors que les élèves se tenaient bien sagement assis sur leur siège…

Impossible !

Pourtant, ce jour-là, Lily devait découvrir qu'au contraire c'était tout à fait possible. Oui, vraiment, à quelques secondes près, elle avait failli mourir…

… de honte.

Pourtant, rien dans l'atmosphère ne laissait présager un drame imminent. Mme Paillet, professeur d'histoire et de géographie toute en rondeur, appréciée de ses élèves pour sa bonne humeur constante, semblait être une brave femme totalement inoffensive. Les minutes à venir allaient cependant prouver le contraire.

Pourquoi interrogea-t-elle Lily plutôt qu'une autre pendant ce cours-là ?

Nul n'aurait su le dire et elle-même pas davantage. La demande « Pouvez-vous venir nous indiquer où se trouvent les pays de l'Opep sur cette carte du monde ? » était tout à fait anodine et elle n'aurait dû causer aucune difficulté à l'élève studieuse qu'était Lily. Inconsciente du drame qui se nouait, Lily s'était donc levée quand, soudain, Mélisande lui avait brusquement saisi le bras et l'avait forcée à se rasseoir. Avant qu'elle n'ait eu le temps d'ouvrir la bouche pour protester, sa voisine lui avait glissé entre ses dents :

– Ta braguette !

Puis, pour faire diversion, elle avait posé à haute voix la première question qui lui était passée par la tête :

– Vous voulez parler de ceux qui font partie de l'Union européenne, madame ?

Interloquée, Mme Paillet avait dévisagé Mélisande quelques secondes : était-elle sérieuse ou en train de se payer sa tête ? Mais, devant l'air angélique de la jeune fille, elle avait fait part à la classe de son indignation. Que l'on puisse arriver en classe de seconde en proférant de telles sornettes lui semblait au-delà du compréhensible.

Alors que plusieurs élèves pouffaient, Mélisande était restée de marbre, acceptant sans broncher de revoir entièrement le chapitre 14 du manuel de géographie pour la fois d'après.

Ce petit intermède n'avait duré que quelques secondes,

mais elles avaient permis à Lily, rouge comme une pivoine, de remonter d'un geste vif sa fermeture Éclair. Heureusement, tous les regards étant braqués sur Mélisande, personne n'avait rien remarqué.

Quand Mme Paillet la rappela enfin au tableau, elle se tourna vers Mélisande en articulant silencieusement le mot « merci », mais, dans ses yeux plus encore, sa voisine put lire qu'elle lui vouait désormais une reconnaissance éternelle.

D'un point de vue architectural, le réfectoire du lycée Balzac était un parfait exemple de ce qui pouvait se faire de pire en matière de construction hybride. Avec ses hauts plafonds boisés et ses fenêtres étroites, mais nombreuses, qui s'ouvraient sur la cour, il était doté d'un petit côté « monastique » non dénué de charme. Mais au sol, le regard découvrait des alignements de froids carreaux blancs qui n'auraient pas déparé un hôpital, ainsi qu'un ensemble de tables et de chaises en Formica vert pâle d'une fadeur sans pareille.

Lorsque Lily y pénétra, Maëlle et Chiara, déjà attablées, lui firent de grands signes. Ces dernières cependant suspendirent leur geste lorsqu'elles s'aperçurent que l'importune Mélisande accompagnait encore leur amie. Elles ne savaient que faire, quand elles virent de loin les deux nouvelles arrivantes s'arrêter puis se mettre à discuter vivement. Visiblement, elles n'étaient pas d'accord.

Finalement, Lily se décida enfin à les rejoindre, seule.

– Qu'est-ce qui se passe ? s'enquit Maëlle les sourcils froncés. Miss Nombril-de-l'univers te cherche des ennuis ?

Et, sans même laisser à son amie l'opportunité de lui répondre, elle continua :

– Je vais aller lui dire deux mots, moi, tu vas voir, je vais lui faire comprendre qu'elle n'a pas intérêt à faire son numéro de starlette avec mes copines…

– Arrête, Maëlle et assieds-toi, coupa Lily en posant son plateau sur la table, tu n'y es pas du tout !

Stoppée dans son élan, Maëlle, qui s'était déjà levée à moitié, obéit lentement mais garda un sourcil levé en signe d'incompréhension. Plantant sa fourchette dans ses frites, Chiara intervint à son tour :

– Vu d'ici, vous n'aviez pourtant pas vraiment l'air d'être sur la même longueur d'onde.

Mais, jetant un coup d'œil sur le plateau de son amie, elle s'exclama :

– Eh ! Ça ne va pas ? Tu es malade ? Tu n'as rien dans ton assiette !

– Si ! contredit Lily.

– Tu parles ! Une salade et un yaourt ! C'est pas un repas, ça ! Tu vas crever de faim cet aprèm' !

– Moi ? je n'ai jamais faim… De toute façon, quand je vous aurai raconté ce qui m'est arrivé ce matin, vous comprendrez qu'il est temps que je fasse quelque chose pour perdre tout le gras qui se planque là ! dit-elle en désignant son ventre d'un air dégoûté.

Maëlle tapa du poing sur la table.

– J'en étais sûre ! C'est ce cintre ambulant qui t'a dit que tu étais trop grosse ! Je vais…

– Arrête ! l'interrompit encore Lily avec un soupir de frustration, tu ne sais rien du tout ! Laisse-moi donc le temps de vous expliquer !

Et, en quelques mots, elle leur raconta l'affreuse mésaventure qui avait marqué sa matinée. Avec une pointe de défi dans la voix, elle conclut :

– Du coup, j'étais obligée de devenir son amie… C'est

d'ailleurs pour ça qu'on discutait en arrivant : je voulais qu'elle vienne déjeuner avec nous... Franchement, c'est pas drôle pour elle d'être toute seule !

Lily secoua sa tête frisée en signe de compassion avant de continuer en haussant les épaules :

— Mais elle a refusé... elle sent bien que vous ne l'appréciez pas.

Nullement affectée par la note de reproche qui avait percé dans la voix de sa copine, Chiara eut un rire léger :

— Eh bien, ça prouve qu'elle n'a pas que des défauts.

Puis, désignant un endroit de la salle d'un mouvement de tête, elle ajouta :

— Et pour ce qui est d'être seule, je crois que tu n'as pas trop à t'inquiéter...

Regardant à son tour dans la direction indiquée, Lily vit qu'Adrien s'était assis en face de Mélisande. Elle ne voyait que son dos mais, à voir la raideur de sa nuque, Lily était bien certaine que cette compagnie ne l'enchantait guère.

Elle allait faire part à ses amies de son opinion, lorsque la situation se compliqua encore :

— Zut ! souffla-t-elle, voilà que cette peste de Wendy s'en mêle !

Soudain très intéressée, Maëlle se retourna brusquement. Son ennemie de toujours avait profité qu'Adrien se soit galamment levé afin d'aller remplir d'eau une carafe pour s'approcher sournoisement de Mélisande.

— Aïe ! aïe ! aïe ! Ça va chauffer, murmura-t-elle, je la connais assez pour deviner qu'elle ne va pas apprécier qu'une autre fille déjeune en tête-à-tête avec Adrien.

Évidemment, Mélisande, nouvelle venue, ignorait ce qui était de notoriété publique pour les anciens du collège

Jacques-Prévert : Adrien, bien que loin d'être consentant, était la chasse gardée de Wendy.

Cette dernière, juchée sur de hauts talons pour compenser sa petite taille, se coula jusqu'à Mélisande de sa démarche ondulante. Bien qu'un peu maigre, elle était assez jolie, et nombreux étaient ceux qui se laissaient prendre au piège du sourire avenant qu'elle affichait sur commande, sans se rendre compte que l'éclat métallique de ses yeux bleus en démentait la douceur. Ayant vérifié d'un rapide coup d'œil qu'Adrien était toujours occupé à la fontaine, elle adressa la parole à Mélisande. Celle-ci, surprise, se tourna vers elle et la dévisagea d'un air hautain sans lui répondre. Une nette crispation de son visage prouva que Wendy n'appréciait guère qu'on la traite de cette façon.

Comme au spectacle, les trois amies observaient la scène, fascinées malgré elles. Elles ne pouvaient entendre ce qui se disait, mais, même à distance, elles devinaient que la tension était palpable.

– Franchement, chuchota Maëlle à Lily, je commence presque à plaindre ton « top model ». Wendy ne va en faire qu'une bouchée.

Contrairement à ce qu'elles craignaient, les trois filles n'entendirent pas d'éclats de voix. De manière inattendue, elles virent un sourire doucereux étirer doucement les lèvres de Wendy alors qu'elle se penchait vers Mélisande. Celle-ci se recula instinctivement et pâlit en entendant les paroles prononcées par la jeune fille.

Satisfaite du résultat, Wendy n'insista pas. Voyant Adrien qui revenait, elle s'éloigna aussi calmement qu'elle était arrivée.

Un frisson parcourut Lily et elle voulut se lever pour

rejoindre Mélisande qui visiblement accusait le coup. Mais la main de Maëlle l'arrêta :

— Ne t'en mêle pas. Tu n'es pas de taille à lutter contre Wendy.

Puis, après un dernier regard en direction de Mélisande, elle lâcha :

— Et, de toute façon, Adrien est avec elle, maintenant. Elle n'a pas besoin de toi.

7

Lundi 28 septembre, 17 h 05

Il fallait à Maëlle une petite vingtaine de minutes de marche pour rentrer chez elle. Avant, quand elle était encore au collège, elle devait prendre le bus, sauf les jours où sa mère venait la chercher. C'était confortable, mais elle appréciait désormais l'indépendance que lui offrait ce trajet à pied. Ainsi, lorsqu'elle traversait les rues commerçantes, elle pouvait faire du lèche-vitrines ou alors même un tour dans les magasins. Il lui suffisait ensuite de piquer un sprint pour rattraper le temps perdu. Car il n'était pas question pour elle d'arriver à la maison plus de vingt minutes après la fin des cours : elle connaissait assez sa mère pour savoir que celle-ci n'hésiterait pas à appeler la gendarmerie, les pompiers, voire l'armée, si elle arrivait avec dix minutes de retard.

Cette tendance à s'inquiéter sans cesse agaçait prodigieusement Maëlle et le fait de devoir tenir ses parents au courant de ses moindres faits et gestes lui donnait parfois des envies de rébellion. Heureusement, ses entraînements d'athlétisme lui permettaient de savourer quelques espaces de liberté. Ainsi, deux jours plus tôt, elle avait même pu essayer deux pantalons et un top dans une boutique hyper cool qui venait juste d'ouvrir. Elle avait ensuite dû courir tout le reste du trajet avec son sac entre les bras, mais elle était arrivée juste à temps, ce qui au bout du compte était la seule chose qui importait.

Son seul regret avait été de ne pas avoir chronométré sa performance, car elle pensait bien avoir cette fois-là battu son record des 800 mètres... Elle avait eu un petit rire intérieur. Si son entraîneur faisait preuve d'imagination, ses progrès seraient encore plus spectaculaires !

S'arrêtant devant la devanture d'un magasin, Maëlle se prit à observer le reflet que la vitrine lui renvoyait. Elle ne savait pas si elle était satisfaite de ses cheveux blonds légèrement ondulés qui rebiquaient régulièrement, mais elle détestait son teint pâle qui, non content de lui donner des airs de porcelaine fragile, lui valait en prime des coups de soleil dès que celui-ci dardait des rayons un peu trop ardents. En revanche, elle devait reconnaître que ses yeux bleu clair, héritage de sa mère, lui plaisaient assez. Mais ce dont elle était le plus fière était son corps, mince et musclé, et qui lui permettait de battre à la course tous les garçons et les filles de sa connaissance.

Son excellente condition physique n'avait rien d'étonnant : depuis toujours, Maëlle s'était consacrée entièrement aux activités sportives. Cela avait commencé sous forme de jeu quand elle était très jeune et que son père lui lançait de petits défis, mais, avec le temps, une réelle compétition s'était établie entre eux. Encore aujourd'hui, lorsque les déplacements du colonel Tadier le permettaient, ils s'entraînaient et faisaient la course au parc de la Tête d'or. Mais, contrairement à ce que croyaient certains, ils ne jouaient pas. Cette course, c'était du sérieux et il n'était pas question pour son père de la laisser gagner comme certains parents complaisants le faisaient souvent avec leurs rejetons !

Aussi, quelle jubilation de voir petit à petit l'écart qui les séparait se réduire ! Un jour, elle en était sûre, elle parviendrait à le rattraper. Maëlle attendait ce moment avec impatience. Il représentait pour elle le premier jalon d'une route longue et périlleuse, à la destination improbable (voire insensée, à en croire sa mère), mais qu'elle s'était juré d'atteindre un jour.

Les étoiles.

« Elles ne sont pas aussi inaccessibles qu'on le dit », lui avait toujours répété son père. Pour en avoir le cœur net, elle s'était lancé un défi totalement déraisonnable : devenir spationaute. Mais elle était sûre de réussir si elle s'en donnait la peine.

Et ce jour-là, le ciel ne serait plus une limite. Quant aux étoiles, elles seraient à portée de main.

En attendant de goûter à cette vie aventureuse, Maëlle fut enchantée de reconnaître, lorsqu'elle poussa la porte de la maison, le délicieux parfum de cookies sortant du four.

— Salut, 'man !

— Bonjour, ma chérie, lança Mme Tadier depuis la cuisine.

Grande et brune, elle n'avait en commun avec sa fille que la couleur claire de ses iris. Ordonnée et distinguée, elle tenait parfaitement sa maison, aimait recevoir dans les règles de l'art et détestait le sport. Maëlle ne se demandait que rarement à quoi sa mère occupait ses journées, le sujet lui paressant profondément ennuyeux. Cependant, quel que soit son emploi du temps de la journée, elle était toujours là lorsque sa fille unique rentrait à la maison.

Un tablier autour de la taille, elle finissait pour le moment de remplir une théière.

— La journée a été bonne ?

— Comme d'hab', fit Maëlle en laissant tomber son sac et sa

veste sur une chaise au milieu du salon impeccablement rangé.

Sa mère eut un léger froncement de sourcils.

— On dit « comme d'habitude » et je te prierais de bien vouloir ranger tes affaires correctement.

— Ouais, tout à l'heure…

— Non, tout de suite !

Avec un soupir râleur, Maëlle alla ramasser les objets incriminés avant de rejoindre sa mère dans la grande cuisine illuminée par le soleil d'automne.

Sa mère la remercia d'un sourire et dit encore :

— Dépêche-toi de goûter, tu dois partir pour ton entraînement dans trois quarts d'heure et j'aimerais que tu aies fait une partie de tes devoirs d'ici là.

Maëlle souffla.

— Je comprends que ça te fait beaucoup, mais c'est toi qui as décidé de faire de l'athlétisme. Si tu veux arrêter, il n'y a aucun problème…

— Arrêter mon entraînement ? Tu plaisantes !

— Dans ce cas, rappelle-toi que tes études, elles, sont prioritaires !

Maëlle grommela vaguement une réponse incompréhensible avant de subtiliser un des biscuits dorés disposés dans une assiette.

Miam ! Comme toujours, ils étaient moelleux à souhait, les pépites de chocolat encore tièdes et fondantes dans la bouche, la noix de coco ajoutant une pointe d'exotisme idéale. Un vrai délice… Mme Tadier était vraiment la reine des cuisinières !

Et Maëlle prit un deuxième cookie en se disant qu'avoir sa mère à la maison pouvait être parfois très casse-pieds, mais que cela offrait aussi quelques compensations bien agréables !

8

Mardi 29 septembre, 18 h 15

— C'est mou, tout ça ! Allez, allez, un peu de nerf, les jeunes ! Les pensionnaires de la maison de retraite voisine sont plus dynamiques que vous !

Sifflet autour du cou, Philippe Alfonse, l'entraîneur, observait ses troupes d'un œil critique. Cette année, il y avait peu de garçons. Trop peu pour qu'une émulation se crée. Quant aux filles, la plupart avaient dû confondre lors de l'inscription le club d'athlétisme avec celui des pies jacasseuses.

Il y en avait quand même une qui se détachait nettement du groupe. Du haut de son mètre soixante-huit, elle faisait ses exercices d'échauffement avec une absence totale de modération. Pas étonnant qu'elle enfonce tous les autres « athlètes » lors des essais chronométrés ! Dommage qu'elle n'ait personne à sa hauteur lors des séances d'entraînement. Il faudrait attendre les qualifications pour savoir ce qu'elle avait vraiment dans le ventre. Mais alors cela serait peut-être déjà trop tard…

D'un coup de sifflet impérieux, Philippe mit fin à la séance de « talons-fesses ».

— Bien, nous allons profiter de cet entraînement exceptionnel au parc de la Tête d'or pour effectuer une jolie « course longue ». Le tour fait quatre kilomètres, les meilleurs d'entre vous devraient pouvoir le parcourir en moins de dix-sept minutes.

Lorsqu'il prononça la fin de sa phrase, il avait les yeux fixés sur Maëlle. Elle lui sourit. « Les meilleurs », elle le savait bien, c'était elle et elle seule !

Au coup d'envoi, elle prit immédiatement la tête de la course. Il n'y avait pas de stratégie à avoir : dès les premiers cent mètres, elle se retrouverait uniquement avec les trois garçons du club, garçons qu'elle laisserait ensuite loin derrière au fil des kilomètres.

Louvoyant entre les *rollerskaters* et les joggeurs, elle se faufilait avec aisance. Farouk, qui avait rejoint le club cette année, courait à côté d'elle. Grand et en bonne forme physique, il s'en sortait bien, mais Maëlle savait que le petit raidillon qui se trouvait près du lac serait le vrai test. Il coupait les jambes aux mieux entraînés et beaucoup « craquaient » à ce moment-là. Il lui suffirait alors de maintenir sa vitesse pour voir les concurrents décrocher les uns après les autres.

Les épaules relâchées et la foulée fluide, elle envoyait un sourire d'encouragement à Farouk lorsqu'elle aperçut soudain un inconnu qui dépassait en courant tous les membres du club d'athlétisme. Cela arrivait parfois quand quelques adultes, presque des « pros », avaient l'idée de suivre le même parcours, mais Maëlle vit immédiatement que celui qui venait de surgir était à peu près du même âge qu'elle. Sans effort, il remontait tout le monde. Bientôt, il serait à leur hauteur.

– Tu vas voir, Farouk, dit alors Maëlle entre deux inspirations, le parfait exemple du frimeur ! Pff, pff. Il va vouloir nous dépasser pour nous en mettre plein la vue, pff, pff, et puis il bifurquera à droite, pff, pff, pour aller s'écrouler, pff, pff, derrière un arbre pendant que nous, pff, pff, on terminera les deux derniers kilomètres !

Maëlle décida alors de donner une leçon à ce prétentieux.

Ce serait très amusant de le voir devenir rouge comme une pivoine lorsqu'elle lui imposerait son rythme !

Mais quand le garçon arriva à leur hauteur, il tourna la tête pour leur sourire et poussa l'outrecuidance jusqu'à lâcher :

– Salut !

À son tour, Maëlle lui retourna le plus éblouissant des sourires et, l'air de rien, enclencha le turbo.

En quelques mètres, Farouk et le coureur ne furent bientôt plus qu'un lointain souvenir. Assez contente de son accélération, Maëlle se retourna au bout de l'allée pour envoyer un petit signe d'adieu, assez condescendant, elle voulait bien l'admettre, au prétentieux qui avait voulu la défier. Son geste se figea lorsqu'elle vit ce dernier, à peine deux mètres derrière, en train de la rattraper. Elle eut un haut-le-corps et se força à poursuivre sa course au même rythme alors qu'elle avait espéré pouvoir enfin ralentir. Elle entendait maintenant ses pas dans son dos et vit avec soulagement, malgré ses muscles douloureux et sa respiration saccadée, le petit raidillon qui se profilait un peu plus loin.

Mais, contrairement à ce qu'elle avait pensé, l'inconnu ne tourna pas. Ils allaient donc attaquer, presque côte à côte, la partie la plus redoutable du parcours.

La montée, c'était son truc. Il fallait absolument qu'elle fasse la différence à ce moment-là.

Pourtant, elle se rendait compte qu'elle courait mal, trop crispée, trop tendue. Presque tétanisée tant la souffrance devenait intense.

Elle entendit alors la voix de son père qui lui répétait :

« La douleur est comme un animal sauvage, elle s'apprivoise. »

Mais elle en était, à cet instant-là, bien incapable.

Lorsqu'ils amorcèrent la montée, ils étaient tous les deux concentrés sur l'effort.

À mi-pente, Maëlle jeta un coup d'œil à celui qu'elle considérait désormais comme son adversaire.

Ce fut le moment qu'il choisit aussi pour tourner la tête.

Leurs regards se croisèrent… et le garçon lui sourit.

Ce fut ce sourire qui lui annonça sa défaite. Il n'était ni contracté, ni douloureux, ni même forcé. C'était un sourire léger et spontané, tellement loin de la lutte intérieure que menait Maëlle pour ne pas faiblir la cadence qu'elle comprit immédiatement qu'elle avait perdu.

Quand elle s'effondra sur l'herbe quelques minutes plus tard, Philippe accourut, extatique.

– 15'45" ! s'enthousiasma-t-il. Du jamais-vu ! C'est fou !

Puis il se tourna vers le garçon qui s'était adossé à un arbre pour reprendre son souffle :

– Quant à toi, jeune homme, je n'ai pas ton temps, mais tu as certainement pulvérisé le record du club !

Maëlle se redressa en entendant ces paroles. Elle n'en revenait pas ! D'habitude, quand Philippe employait ce ton admiratif, c'était à elle qu'il s'adressait !

Maintenant qu'ils étaient à l'arrêt, elle prit le temps de dévisager celui qui avait réussi à la battre.

Il portait relativement long ses cheveux blond foncé qui bouclaient dans son cou, pour l'instant trempé de sueur. Deux yeux noirs pétillant de bonne humeur adoucissaient les traits volontaires de son visage, mais un nez un peu fort et un menton carré confirmaient l'impression générale de détermination qui se dégageait de sa personne. Quant à sa bouche bien proportionnée, elle s'étirait facilement en un sourire qui creusait une fossette dans sa joue droite.

En d'autres occasions, Maëlle l'aurait jugé plutôt mignon,

mais pour l'instant elle lui trouvait un je-ne-sais-quoi d'insupportable. Trop sûr de lui, ce mec ! Et c'était franchement agaçant.

Son irritation monta d'un cran lorsqu'elle entendit Philippe l'exhorter à rejoindre le club.

Et un peu plus encore lorsque l'inconnu, se présentant sous le nom de Maxime Trémazan, accepta avec nonchalance. Mais elle atteignit des sommets insoupçonnés lorsque Maxime, s'approchant d'elle, lui tendit la main et commenta :

— En tout cas, c'était pas mal… pour une fille.

Cette main tendue ne rencontra jamais celle de Maëlle : la jeune fille, tête baissée, préféra l'utiliser pour épousseter méticuleusement son short.

9

Vendredi 9 octobre, 8 h 45

Une dizaine de jours plus tard, lorsque le bus passa sans s'arrêter devant l'Abribus où attendait habituellement Lily, Chiara eut une pensée émue pour ses amies qui étaient depuis près d'une heure déjà sur les bancs du lycée. Mais, même si elle les plaignait de tout cœur, elle n'aurait échangé sa place pour rien au monde : elle adorait commencer plus tard que le commun des mortels, cela lui procurait un petit sentiment de fantaisie précieux dans sa vie trop rangée.

Pourtant, ces matins-là, même si elle coupait son alarme, elle était généralement réveillée aussi tôt que d'habitude par la cafetière à espressos que son père mettait en route à sept heures précises. Il prétendait que c'était la seule à faire un café buvable. « La seule aussi à faire vibrer les murs de tout l'immeuble », aurait-elle pu ajouter.

Mais cela ne la dérangeait pas trop. Pelotonnée sous sa couette, elle profitait de ces minutes oisives pour reprendre en douceur contact avec la réalité. À sept heures trente (toujours précises), il frappait à sa porte, glissait la tête dans l'entrebâillement et rappelait :

– Surtout ne te rendors pas, *cara*[1], il ne faut pas manquer le bus !

---

1. « Chérie » en italien.

– Papa, grommelait-elle alors, je n'ai encore jamais raté le bus !

– Je sais, je sais, mais c'est justement parce que je te le rappelle chaque fois…

Mais même si Chiara ronchonnait volontiers, les matins restaient pour l'adolescente et son père le meilleur moment de la journée. Les tensions de la veille ayant été effacées par le sommeil de la nuit, il retrouvait à cette heure-là ses réflexes de papa poule, et sa fille encore à moitié endormie avait de son côté oublié ses velléités de rébellion.

Vêtu d'un costume gris ou bleu marine, il se rendait ensuite en métro à son bureau où il exerçait avec beaucoup de sérieux et peu de passion le métier de comptable.

En se délectant du luxe de temps supplémentaire que lui offrait cette rentrée tardive, Chiara finissait par se lever, dévorait un copieux petit déjeuner en écoutant son chanteur préféré du moment, Pete Doherty, puis se préparait pour partir à son tour.

Comme l'immeuble dans lequel ils vivaient était assez éloigné du lycée, il arrivait que la jeune fille soit la seule passagère du bus pendant quelques minutes. Elle en profitait alors pour se perdre dans des rêves où le théâtre prenait toute la place.

Elle revint soudain à la réalité lorsque des passagers, l'oreille collée au portable, montèrent à l'arrêt suivant. Être privée de téléphone mobile était frustrant, mais, heureusement, l'interdiction d'utiliser l'ordinateur avait été levée quelques jours après la rentrée, ce qui avait permis hier soir au trio d'amies de passer un long moment à s'envoyer des messages sur MSN. Maëlle les avait bien fait rire en leur racontant en détail ses dernières prises de bec avec ce Maxime à la foulée exceptionnelle. Depuis leur première rencontre, elle ne décolérait pas et chaque séance d'entraînement la rendait plus furieuse. Connaissant son amie, Chiara se doutait qu'il y aurait des suites à l'affaire et elle s'en réjouissait d'avance.

Ouvrant son sac pour relire quelques vers de Corneille, elle chercha son anthologie des plus belles scènes de tragédie du XVIIᵉ siècle. Elle avait trouvé ce petit livre presque par miracle, au marché aux puces, un matin glacial de décembre. C'était une édition originale, reliée de cuir, datant du début du XXᵉ siècle, mais le vendeur, qui l'ignorait, la lui avait cédée pour quelques euros. Aussi y tenait-elle comme à la prunelle de ses yeux, consciente que jamais plus une telle occasion ne se présenterait de nouveau.

Une angoisse soudaine la saisit lorsque, malgré une fouille minutieuse, celle-ci demeura introuvable.

Elle se mit à réfléchir frénétiquement. Elle était bien sûre de ne pas l'avoir sortie hier soir à la maison, donc elle devait l'avoir égarée quelque part au lycée…

En arrivant à Balzac, elle se précipita au bureau de la vie scolaire, mais en vain : l'anthologie ne se trouvait pas parmi le bric-à-brac des objets trouvés.

La mort dans l'ame, elle se rendit en cours.

Samedi 10 octobre, 15 h 50

Alors que sa séance d'entraînement tirait à sa fin, Maëlle, le visage sombre, fulminait.

Elle se disait que forcément dans l'univers il y avait quelqu'un qui lui en voulait terriblement pour que, dans sa vie, les choses aillent aussi mal.

D'abord, il y avait de l'eau dans le gaz au sein du trio. Chiara, à son tour, l'avait abandonnée et avait rejoint la position de Lily à l'égard de Mélisande. Elles avaient assuré que cela ne changerait en rien leur amitié, mais elle était certaine du contraire. Il existait maintenant des tensions et des silences qui n'y étaient pas auparavant.

Et puis, surtout, il y avait… Maxime.

Avec assiduité, il assistait désormais aux entraînements du club à la plus grande joie de Philippe. En quelques séances, il était devenu le meilleur « pote » des garçons et avait transformé toutes les filles en brebis bêlantes devant ce… ce bouc mal embouché !

Maëlle se demandait bien pourquoi le monde avait soudain perdu la tête ! Jusqu'à Farouk, qui trouvait « trop cool » le nouveau. Heureusement qu'elle, elle voyait clair dans le jeu des gens…

Mais le plus pénible restait quand même ses performances redoutables. Maëlle avait beau essayer de s'accrocher, il finissait systématiquement en tête. C'était tout simplement insupportable !

Ce soir encore, il avait transformé en calvaire la séance d'entraînement. Elle était pourtant partie comme une fusée et, pendant près de la moitié de la course, elle y avait cru. Mais petit à petit Maxime s'était rapproché, finissant par la doubler. Comble de l'humiliation, il lui avait adressé un petit salut moqueur avant de s'éloigner !

Tirant de toutes ses forces sur sa jambe, Maëlle écrasait son front contre son genou droit lorsque l'entraîneur s'approcha et lui dit discrètement :

— Le but des étirements est d'éliminer en douceur les acides lactiques produits par l'effort, pas de provoquer un claquage !

Relâchant sa cheville, Maëlle se redressa en gémissant. C'est vrai qu'elle exagérait peut-être un peu, mais zut ! elle avait besoin de se défouler !

Philippe l'emmena à l'écart et tous les deux s'assirent sur un des bancs du stade.

– S'il y a quelque chose qui ne va pas, tu devrais m'en parler.

Les yeux perdus dans la contemplation de ses baskets, Maëlle répondit :

– Tout va bien.

Philippe se racla la gorge.

– Eh bien, ce n'est pas mon avis. Avant, quand tu courais, tu avais la souplesse de la gazelle. Maintenant, le galop d'un mammouth perclus de rhumatismes serait un modèle de légèreté comparé à la fin de course que tu viens de produire.

Maëlle se renfrogna. Elle savait tout ça, bien qu'elle trouvât que Philippe y allait un peu fort. Un éléphant passe encore, mais un mammouth, fallait quand même pas exagérer…

De toute façon, elle n'y pouvait rien. Il suffisait qu'elle aperçoive Maxime pour que tous ses muscles se contractent comme une peau de chagrin.

Tendant l'oreille, elle entendit que l'entraîneur continuait sur un ton badin :

– Je suis bien sûr que l'arrivée de Maxime n'est pour rien dans ces changements, mais, je ne sais pas pourquoi, je préfère quand même te rappeler que vous ne courrez jamais l'un contre l'autre en compétition. De plus, il est parfois bon de se souvenir que la nature n'a pas doté les garçons et les filles d'une musculature identique, et ça, on ne peut rien y faire…

Sauf que, jusqu'à présent, Maëlle battait quand même les garçons !

– Et puis, on n'est plus au Far West, il y a de la place pour tout le monde dans le club !

Eh bien si, justement ! C'était exactement ça ! L'un d'eux était de trop et lui, le « beau gosse »…

« Beau gosse » ! Elle l'avait appelé « beau gosse » !

Même si personne ne l'avait entendu, elle avait terriblement honte de ce lapsus un peu trop révélateur… Heureusement, son orgueil était sauf ! Et, à la façon dont elle avait déjà rejeté plusieurs fois le calumet de la paix que Maxime lui avait tendu, il y avait peu de chances qu'il y revienne.

Philippe soupira à ce moment-là. Puis il conclut :

– Il faut que tu retrouves le plaisir de courir, gazelle…

Maëlle baissa la tête pour éviter son regard. Elle ne tenait pas à ce qu'il puisse lire ce qui pouvait se cacher au fond de ses yeux.

10

Lundi 12 octobre, 7 h 50

Ce matin, Chiara arriva très déprimée en cours. Elle avait eu beau chercher partout chez elle, au lycée, en vain : elle n'avait toujours pas retrouvé son anthologie. Elle venait de passer les portes de Balzac lorsqu'une tape légère sur l'épaule la fit sursauter.

– Chiara ?

En se retournant, elle découvrit la belle fille rousse qui était devenue l'amie de Lily.

– Oui ? fit-elle, légèrement méfiante.

Mélisande sortit alors de son sac un petit livre ancien relié de cuir marron.

– Tiens, je pense que c'est à toi…

En reconnaissant son anthologie, Chiara faillit bondir de joie, mais, devant l'attitude posée de l'autre fille, elle se retint.

– Oh ! merci, répondit-elle quand même avec enthousiasme, mais comment as-tu su… ?

– Lily me parle souvent de vous, alors, quand j'ai trouvé cette petite merveille dans un des bacs à BD au CDI, je me suis dit qu'il y avait des chances qu'elle appartienne à une passionnée de théâtre… et tu es la seule que je connaisse ! J'ai demandé ce matin à Lily si elle pensait que c'était à toi, mais elle ne savait pas trop et elle m'a conseillé de voir avec toi directement.

Chiara faillit lui dire que Lily savait parfaitement que cette anthologie était la sienne, mais elle se retint juste à temps pour ne pas trahir son amie. Elle devinait que Lily avait sauté sur l'occasion pour provoquer un rapprochement entre elle et Mélisande. Cela partait d'un bon sentiment, et Chiara était si heureuse qu'elle trouvait soudain cette idée magnifique.

— J'ai dû la ranger sans m'en rendre compte avec la pile de BD que j'ai lues hier, soupira-t-elle. Je suis tellement contente de l'avoir retrouvée !

Son soulagement était tel qu'elle se mit à rire. Consciente du regard de Mélisande, elle se sentit obligée d'expliquer :

— J'ai eu un coup de chance pas croyable le jour où je l'ai achetée… Jamais je n'aurais pu en obtenir une autre à ce prix-là !

Puis, avec un haussement d'épaules, elle ajouta encore, un peu gênée :

— Je sais, il faudrait que j'écrive mon nom dessus…

— Mais sur une édition qui date du début du XXᵉ siècle, on n'ose pas !

Étonnée, Chiara dévisagea Mélisande :

— Tu comprends ça, toi ?

— Bien sûr ! répondit-elle avec un rire léger, moi aussi j'aime les beaux livres.

Chiara ne trouva rien à répondre. Tête penchée, elle caressait de la main la couverture de son anthologie.

Un silence s'installa mais, avant qu'il ne se transforme en malaise, Mélisande lança :

— Bon, ben, salut.

Chiara releva alors la tête et, un sourire reconnaissant aux lèvres, laissa échapper :

— Salut, et merci encore.

— De rien, je suis heureuse de ne pas m'être trompée.

Puis, sur ces mots, elle s'en alla. Chiara, pensive, la regarda s'éloigner.

Finalement, Lily avait peut-être bien raison : elle n'avait pas l'air si snob que ça, après tout !

Lundi 12 octobre, 12 h 15

— Monsieur Nison, auriez-vous l'amabilité de m'apporter le petit bout de papier que vous vous hasardez à faire passer, avec un manque de discrétion remarquable, à votre voisine de devant ?

Malgré le ton calme et bon enfant employé par M. Grimaud, toute la classe de seconde D se figea.

Et Adrien plus qu'aucun autre.

Pendant un instant, Lily se demanda s'il allait obéir.

— J'attends, laissa tomber le professeur d'une voix soudain glaciale.

Lily entendit le frottement d'une chaise sur le sol, puis vit Adrien se diriger avec réticence vers l'estrade. Il se racla la gorge et parvint à dire d'une voix bizarrement enrouée :

— C'est personnel.

— Sachez, jeune homme, que tout ce qui se passe dans ma classe est du domaine public, rétorqua M. Grimaud sans une once d'émotion. Et apprenez par la même occasion que j'ai horreur que l'on prenne mon cours pour une annexe de la poste.

Déployant le papier, il lut d'une voix monocorde :

— « Mélisande, la vie sans toi est dépourvue de sel. Si tu as un peu de cœur, accepte au moins de me parler à la sortie ce soir. J'ai une surprise pour toi. »

Dans un autre cours, toute la classe aurait déjà éclaté de rire. Mais ici, où même respirer trop fort semblait être une activité répréhensible, se laisser aller à s'esclaffer sans autorisation se serait apparenté à un suicide collectif.

Alors que le professeur repliait soigneusement le petit bout de papier, un silence de mort régnait dans la salle. Lily frissonna : il lui semblait presque entendre résonner le roulement de tambour précédant l'exécution du condamné.

— Une surprise ? Comme c'est charmant... Eh bien, puisque vous aimez les surprises, jeune homme, vous serez heureux d'apprendre que j'en ai également une pour vous... bien que je doute qu'elle vous soit aussi agréable que celle que vous réserviez à Mlle de Saint-Sevrin...

Le professeur laissa durer le suspense un instant avant de lâcher :

— Vous me ferez quatre heures de colle mercredi après-midi.

Alors qu'Adrien, très digne malgré tout, regagnait sa place, il ajouta encore d'une voix détachée :

— Et je vous informe que les condiments sont en libre-service sur la table qui se trouve à votre gauche à l'entrée du réfectoire.

Interloqué, Adrien le fixa sans comprendre.

— Vous y trouverez tout ce qu'il semble vous manquer dans la vie, continua M. Grimaud très sérieux, sel, poivre, moutarde... Vous verrez, vous n'aurez que l'embarras du choix...

Lorsqu'enfin elle sortit de la classe, Mélisande se mit à pouffer de rire.

Adrien avait filé sans demander son reste avec Florian, et Lily n'avait pu s'empêcher de le plaindre. Tout le lycée serait vite au courant. Cela allait jaser dans les couloirs.

Sa copine ne partageait cependant pas ses sentiments compatissants.

— Ce qu'il peut être collant, celui-là ! fit la jolie rousse. J'espère que ça va lui servir de leçon… Depuis une semaine, il m'envoie des mots à tous les cours ! Il devait croire qu'il m'aurait à l'usure…

— Tu es incroyable ! s'étonna Lily. La moitié des filles du lycée donneraient n'importe quoi pour qu'il leur accorde un regard !

— Eh bien, je ne fais pas partie de cette moitié-là ! Moi, il ne m'intéresse pas ! Et ses copains pas davantage d'ailleurs. Ce ne sont que des gamins !

— Pas tous, quand même, grommela Lily.

— Ils sont TOUS pareils, souligna Mélisande, péremptoire. Moi, il m'en faut plus, beaucoup plus, pour me donner des ailes !

Lily n'insista pas. Ce n'était pas la première fois que sa copine faisait ce genre de réflexion et elle finissait par se demander si elle trouverait un jour chaussure à son pied. Parfois, elle devait bien se l'avouer, elle avait du mal à la comprendre.

Mais elle admirait Mélisande. Avec sa chevelure de feu, sa taille élancée et ses lumineux yeux verts, elle se détachait immanquablement du commun des mortels. Quand on ajoutait à cela sa classe naturelle, on comprenait pourquoi elle attirait les garçons comme le miel les ours bruns. Dès qu'elle l'avait vue, Lily s'était dit que, si elle ne pouvait changer ni sa petite taille ni la couleur marron de ses yeux, rien ne l'empêchait de prendre modèle sur elle pour gagner en distinction… ce qui avait d'ailleurs le don d'énerver Maëlle. Mais il faut dire qu'en ce moment cette dernière s'énervait très facilement. Depuis le revirement de Chiara, elle ne cessait de leur répéter qu'elles étaient bien naïves toutes les deux et que Mélisande n'était rien d'autre qu'une Wendy en puissance.

Néanmoins, Lily la soupçonnait d'être agacée surtout par ce garçon qui la battait régulièrement à la course. Elle se demandait avec curiosité comment les choses allaient tourner. Maëlle n'avait jamais aimé être reléguée à la deuxième place, mais Lily se doutait bien que le fameux Maxime n'allait pas la laisser gagner pour lui faire plaisir.

La vue des portes vitrées du restaurant scolaire la ramena à des préoccupations plus immédiates :

— Tu viens déjeuner avec nous ? proposa Lily à Mélisande.

— Non... il ne vaut mieux pas. Chiara et toi, vous êtes très sympas, mais ta copine Maëlle ne me supporte pas, et, entre nous, ça me couperait un peu l'appétit de l'avoir en face de moi.

— Mais tu vas encore être toute seule !

— T'en fais pas, la solitude, j'ai l'habitude... Et puis, cette fois, je devrais avoir de la compagnie : Sophie m'a proposé de la rejoindre.

— Sophie ? releva Lily étonnée. La copine de Wendy ?

— Oui, il paraît qu'elle veut me parler d'un truc... Peut-être qu'elle aussi a des problèmes avec Wendy...

Lily fit une moue dubitative.

— Ça m'étonnerait, elles sont aussi sournoises l'une que l'autre, sauf que Sophie n'a rien dans la tête. Elle se contente de suivre Wendy dans tous ses mauvais coups depuis la sixième.

Mélisande haussa les épaules d'un air indifférent.

— Bah, on verra bien.

Elles se servirent au self. Contrairement à Chiara, Mélisande ne faisait pas de remarques sur le contenu plus qu'allégé du plateau de Lily, ce qui convenait parfaitement à celle-ci. Apercevant justement son amie de toujours, Lily salua Mélisande et se dirigea vers Chiara.

« Chiara a vraiment de la chance, pensa la jeune fille en la voyant attablée devant un plateau bien garni, elle passe son temps à avaler des sucreries et ne prend jamais un gramme. » Comment Chiara aurait-elle pu deviner que la vue de la moindre gourmandise plongeait Lily dans les affres de la tentation et de la culpabilité ?

De son côté, Mélisande repéra Sophie. Assise à l'autre bout du réfectoire, cette dernière guettait son arrivée et lui fit signe en la voyant. Bifurquant dans sa direction, Mélisande s'avança vers elle.

– Attention !

Au moment même où retentissait ce cri d'alarme, une main de fer la retint en arrière.

Tournant la tête, Mélisande n'eut que le temps de reconnaître Maëlle qui la maintenait fermement sur sa gauche. Déséquilibrée, elle sentit que son plateau lui échappait et s'envolait dans les airs. C'est alors qu'apparut dans son champ de vision une jambe, terminée par de redoutables talons hauts. Un croche-pied. Insoupçonnable et inévitable sans l'intervention miraculeuse de Maëlle.

– Ma jupe ! Aaah !

Mélisande tourna cette fois la tête à droite et elle découvrit alors un spectacle qui valait son pesant d'or : la tranche de gigot juteuse qui se prélassait, il y a encore quelques secondes à peine, sur un lit de purée s'était, après une belle trajectoire, déposée avec un « floc » graisseux sur les genoux de la propriétaire de la coupable jambe… Une certaine Wendy Vianney.

Le fracas de l'assiette et du verre se brisant sur le sol stoppa net son hurlement. Saisie d'une froide colère, Wendy se leva lentement, le regard braqué sur les deux autres filles. Alors que certains lycéens se mettaient à siffler et d'autres à scander joyeusement « En-core ! En-core ! », elle pointa son index vers Maëlle et articula d'une voix blanche en détachant chaque syllabe :

— Toi, tu viens de signer ton arrêt de mort !

Et, d'un ton plein de mépris à l'intention de Mélisande :

— Quant à toi, tu ne perds rien pour attendre !

Puis elle s'éloigna, sans se retourner, dans le brouhaha général.

Encore sous le choc, Mélisande n'avait pas bougé. Les dames de service arrivaient déjà en rouspétant, serpillière à la main. Heureusement, assiette, verre et couverts étaient retombés sans blesser personne.

Maëlle, qui la tenait toujours par le bras, l'entraîna alors vers la table où ses deux amies avaient assisté avec des regards incrédules à la scène. Moins affectée que sa compagne, elle éclata d'un rire malicieux en s'asseyant.

— Wahou, je crois que c'est le meilleur jour de ma vie ! Depuis le temps que je rêvais de donner une bonne leçon à cette peste !

— Mais comment as-tu fait ? s'étonna Lily.

— Je n'y suis pour rien… enfin, presque. J'étais simplement allée remplir la carafe d'eau quand j'ai vu Wendy faire signe à son idiote de copine en soufflant « Elle arrive »…

Devançant leurs questions, elle précisa :

— Elle ne me voyait pas, car elle était tournée vers l'entrée… Je n'ai pas tout de suite saisi de quoi il s'agissait, mais quand j'ai vu Mélisande se diriger vers elles et Wendy étendre la jambe, j'ai tout compris !

Se balançant dangereusement sur sa chaise, elle leva les bras au ciel en concluant :

— Comme quoi, « le crime ne paie pas » !

Mélisande, encore un peu pâle, murmura :

— Au fait, merci.

– Pas de quoi, tout le plaisir était pour moi ! Et ce n'est pas qu'une formule…

Reposant soudain les deux pieds avant de la chaise sur le sol, elle se mit à examiner Mélisande d'un œil neuf.

– En fait, c'est grâce à toi qu'une journée terne à souhait est soudain devenue passionnante… Peut-être bien que je t'ai mal jugée, après tout…

Comme Mélisande ouvrait la bouche pour répondre, Maëlle poursuivit :

– Écoute, je ne suis pas du style à tourner autour du pot et je ne vais pas te dire que tu es l'amie dont j'ai toujours rêvé… Mais je suis logique, et comme dirait mon père : « Les ennemis de mes ennemis sont mes amis », alors, vu que Wendy te déteste et que Lily et Chiara te font confiance, je suis prête à te donner une chance.

Un sourire légèrement condescendant s'affichait désormais sur le visage de Maëlle. Mélisande l'observa, semblant peser le pour et le contre de cette proposition, sous le regard légèrement anxieux des deux autres. Puis, sur son visage également, un lent sourire se dessina. Enfin, elle déclara :

– Ça marche pour moi… Après tout, il n'y a que les imbéciles qui ne changent pas d'avis.

Chiara et Lily retinrent leur respiration en voyant les traits de Maëlle se figer. Il y eut un petit flottement, mais soudain cette dernière laissa échapper un rire auquel ses deux amies joignirent aussitôt le leur, soulagées qu'elle le prenne aussi bien.

– OK, fit l'impétueuse blonde, c'est de bonne guerre… Je crois qu'on va bien s'entendre, finalement !

Et Lily, ravie, conclut :

– De toute façon, c'était écrit : les trois mousquetaires, ils finissent toujours à quatre !

11

Mercredi 14 octobre, 17 h 30

Les professeurs de la Maison de la danse et de la musique, la MDM, dispensaient les secrets de leur art dans un bâtiment datant des années cinquante, à l'architecture résolument stalinienne. Une austérité que la qualité de l'enseignement prodigué dans ces locaux faisait heureusement vite oublier.

Sortant de la bouche de métro au milieu d'une foule compacte, Mélisande remonta la longue avenue qui menait à l'imposant immeuble. Songeuse, elle ne prêtait pas attention aux boutiques de mode qui l'attiraient d'habitude comme un aimant.

Les événements qui avaient marqué la journée tant mouvementée de lundi dernier lui revenaient une fois de plus en mémoire. Elle avait eu peur, avait ri, eu envie de pleurer, puis de rire encore. Mais ce qui avait dominé cet enchevêtrement d'émotions avait été le plaisir intense d'avoir enfin intégré le trio des filles.

Elle les connaissait peu, mais elle sentait que des liens forts et sincères les unissaient. Elle n'avait encore qu'une vague idée de ce que cela pouvait signifier au quotidien, mais elle avait d'ores et déjà bénéficié très concrètement de leur amitié : comme après le vol plané de son plateau elle n'avait plus rien eu à manger, chacune avait partagé un peu de son repas avec elle, jusqu'à Lily qui avait absolument insisté pour lui offrir quelques rondelles de sa salade de tomates…

Avoir des amies comme celles-ci était nouveau pour elle. Ainsi qu'elle l'avait confié à Lily en entrant dans le réfectoire, son lot, c'était plutôt la solitude.

En fait, quand elle y pensait, elle se rendait compte qu'on l'avait toujours mise à part.

Petite, sa mère l'habillait et la coiffait déjà comme une gravure de mode. Les autres enfants l'admiraient mais ne jouaient pas avec elle. De son côté, elle-même ne recherchait pas leur compagnie. Et puis, chaque matin, sa mère lui faisait mille et une recommandations sur la façon dont elle devait se comporter, et chaque tache ramenée à la maison était un drame. Très vite, elle avait appris à agir comme la parfaite petite fille que l'on désirait qu'elle fût.

C'était encore l'époque où, naïve, elle pensait ainsi gagner l'affection de ses parents…

Depuis, elle avait compris que, entre la carrière de photographe de mode de sa mère et le poste de directeur de banque de son père, il n'y avait pas de place pour elle.

Ce qu'elle ne comprenait toujours pas, mais dont elle leur était néanmoins reconnaissante, avait été leur décision de lui donner une petite sœur lorsqu'elle avait eu trois ans. Pourquoi s'étaient-ils embarrassés d'un deuxième enfant alors qu'ils n'avaient déjà pas de temps pour le premier ? Le mystère restait entier. La seule idée qui avait traversé l'esprit de Mélisande un jour de cafard était que deux enfants, cela devait faire mieux sur les photos. Or, les photos, c'était toute la vie de sa mère…

En tout cas, Pauline avait été pendant toutes ces années le seul être humain dont elle s'était vraiment sentie proche. Et c'était Mélisande, plus qu'aucune des nombreuses jeunes filles au pair qui s'étaient succédé à la maison, qui l'avait élevée.

Elle avait joué avec elle, l'avait accompagnée à chacune de ses rentrées scolaires, l'avait consolée quand elle s'écorchait les genoux ou se disputait avec ses copines et lui avait expliqué tout ce que l'on devait savoir à l'orée de l'adolescence.

Mélisande soupira en remontant sur son épaule le sac orange brodé de perles qui contenait ses affaires de danse.

Être « maman », même adoptive, si jeune, n'avait pas toujours été facile. Bien sûr, cela lui avait épargné de se retrouver complètement seule, mais parfois, et de plus en plus ces derniers temps, cela devenait pesant.

Poussant d'une main la lourde porte d'acier et de verre de la MDM, Mélisande enleva de l'autre les longs pendentifs qui ornaient ses oreilles. Elle avait passé des heures à les fabriquer elle-même et en était très fière, mais ils rendaient folle son professeur de modern jazz. Mieux valait donc s'en débarrasser avant de s'attirer de nouvelles remarques désobligeantes !

Tête baissée, elle s'engouffra dans un couloir tout en cherchant à ranger ses bijoux dans la petite poche intérieure de son sac. Pestant car ils s'accrochaient à ses collants de danse, elle ne vit pas l'individu qui se dirigeait vers elle, lui-même aussi absorbé par la lecture des numéros de salle affichés sur les portes.

Le choc, inévitable, les surprit autant l'un que l'autre, mais seule Mélisande se retrouva par terre.

– Mademoiselle, comment ça va ?

En entendant cette voix de basse soulignée d'un fort accent espagnol, Mélisande rouvrit les paupières qu'elle avait instinctivement fermées au moment de l'impact et découvrit alors deux magnifiques yeux noirs qui l'observaient avec anxiété.

Si beaux qu'elle en oublia aussitôt sa chute douloureuse.

N'ayant pas obtenu de réponse, le jeune homme lui prit la

main et répéta sa question maladroite. Se forçant à sortir de l'état de torpeur dans lequel ce regard de braise l'avait plongée, Mélisande balbutia un vague « Ça va, ça va… ».

Aussitôt, un sourire éclatant, révélant des dents parfaitement blanches, éclaira le visage du jeune homme.

— Bien ! Je suis… content !

— Moi aussi, fit Mélisande en écho, bien que doutant qu'ils soient en train de parler de la même chose.

— Je suis vraiment désolé, je ne vous avais pas vue.

Au fur et à mesure que le garçon se remettait de son émotion, son accent s'atténuait, sa voix ne conservant plus qu'une légère pointe chantante.

— Je m'appelle Lisandro. Je vais vous aider…

À ce moment-là, Mélisande réalisa que le contenu de son sac s'était répandu par terre et que les perles en cristal de ses boucles avaient roulé un peu partout dans le couloir.

— Moi, c'est Mélisande, dit-elle en saisissant la main qu'il lui tendait pour se relever.

Elle se félicita tout d'abord d'avoir eu la bonne idée de mettre un pantalon ce jour-là, puis, voyant qu'il s'affairait déjà à récupérer les perles dispersées sur le sol sans lui prêter plus d'attention, elle regretta soudain sa minijupe plissée à carreaux écossais.

— Oh, tu sais… commença-t-elle avant de s'interrompre soudainement.

— Oui ? fit Lisandro en relevant la tête.

— Heu… rien, je me demandais juste de quel pays tu venais…

Elle avait failli lui dire d'oublier les perles, qu'elle en avait des tonnes chez elle et que cela ne valait vraiment pas qu'il se donne tant de peine. Mais, en contemplant ce garçon vraiment craquant qui se tenait à ses genoux pour venir à son secours, elle avait réalisé qu'elle ferait mieux de profiter un peu de la situation.

– Ah ! C'est mon accent ? Je sais, il est terrible ! s'exclama Lisandro avec un sourire désarmant.

– Oh non ! Pas du tout, s'empressa de corriger Mélisande, dont le cœur s'était mis à battre follement, on l'entend à peine, et puis, c'est très… exotique !

– Exotique ? s'appliqua-t-il à répéter sans accent.

Il se mit à rire :

– C'est drôle ! Je ne pensais pas que l'Espagne était encore « exotique » !

Il avait un rire grave et une voix qui, ô bonheur ! avait fini de muer. Émerveillée, Mélisande l'observait du coin de l'œil. Elle lui donnait au moins vingt ans. Ses traits étaient fermement dessinés et ses joues, bien que rasées, gardaient l'ombre d'une barbe sombre.

Rien à voir avec les petits blancs-becs du lycée qui ne se seraient de toute manière jamais abaissés à ramasser les perles d'une jeune fille en détresse !

– L'Espagne ? Vraiment ? Et que fais-tu en France ?

– Je suis parti avec Erasmus, les échanges d'étudiants en Europe. Moi, je suis à l'école des Arts et… Oh, en voilà encore une ! Je crois que c'est la dernière…

D'un air triomphant, il lui remit toute une poignée de perles en cristal.

– Elles sont très jolies, j'espère que tu pourras réparer ton bijou.

À ce moment-là, Mélisande se fichait bien de ses précieuses boucles d'oreilles. Elle ne pensait qu'une chose : maintenant qu'il avait fini de les ramasser, il allait partir.

Et il ne lui avait toujours pas posé une seule question !

D'habitude, les questions, elle les fuyait comme la peste. Elle était passée maîtresse dans l'art de snober tout le monde, et jouer les beautés inaccessibles était devenu son rôle favori.

Mais, à cet instant précis, elle aurait tout donné pour que ce garçon si différent de ceux qui lui tournaient habituellement autour s'intéresse un peu à elle ! Pendant une fraction de seconde, elle fut tentée d'ouvrir la main et de laisser à nouveau les perles s'échapper. Mais elle se ravisa aussitôt. Il allait la prendre pour la reine des maladroites, et il ne se donnerait sûrement pas la peine de les ramasser une seconde fois.

Soudain, elle comprit. Il devait penser qu'elle était beaucoup plus jeune que lui. Elle savait pourtant qu'elle faisait plus que son âge, mais lui, la première vision qu'il avait eue d'elle n'avait guère été flatteuse : quand il l'avait découverte tout échevelée et les quatre fers en l'air, il avait dû la prendre pour une gamine.

Alors elle se jeta à l'eau :

— Moi aussi, je suis étudiante. J'ai dix-huit ans et je suis à la fac de sciences.

Voilà, elle l'avait dit. Maintenant, forcément il allait l'inviter à boire un verre et chercher à en savoir plus.

— *Muy bien !* approuva-t-il avec un sourire poli.

Puis, il s'excusa :

— Je dois y aller, maintenant, car je dois me renseigner pour un cours. *Hasta la vista*, Mélisande !

Toujours souriant, il lui fit un petit geste de la main avant de s'éloigner d'un pas rapide dans le couloir.

Elle resta un moment sans bouger, désemparée, puis elle desserra les doigts pour contempler dans la paume de sa main les minuscules éclats de cristal. Bien qu'immobiles, ils semblaient danser sous la lumière blafarde des néons.

Précautionneusement, elle les laissa glisser un à un dans la poche intérieure de son sac. Cette fois, il n'était plus question de les perdre.

12

Vendredi 23 octobre, 16 h 25

— **Z**ut alors ! Moi qui voulais vous offrir une crêpe pour fêter les vacances !

Dépitée, Chiara relut à haute voix la pancarte suspendue à l'intérieur de la devanture du café des Anges :

« Fermeture pour les vacances de Toussaint. »

En ce vendredi, veille de vacances, les quatre filles avaient eu la chance de toutes finir à seize heures. Elles avaient aussitôt profité de l'occasion pour organiser une séance « papotage et grignotage sauvage ».

— Bah, ce n'est pas si grave, lâcha Mélisande, allons au Roy d'Ys. Leurs crêpes sont fantastiques.

Chiara réprima une grimace. Volant à son secours, Maëlle s'exclama :

— Tu as vu leurs prix ? Rien que pour une malheureuse crêpe au sucre, il faut dépenser une fortune !

— Pas de problème, c'est moi qui paie !

— Ah non alors, protesta Chiara, tu as déjà payé le pop-corn au ciné la semaine dernière. Cette fois, c'est mon tour.

Lily intervint :

— Eh ! J'ai une super idée ! Je connais un endroit où on fait les meilleures crêpes du monde et où cela ne nous coûtera pratiquement rien… si ce n'est un petit coup de main !

Quelques minutes plus tard, les quatre filles montaient à bord du bus qui les conduirait jusqu'au pavillon de banlieue dans lequel habitait Lily.

Au fur et à mesure que le véhicule s'éloignait du centre-ville, l'avancée de l'automne devenait plus perceptible. Les dernières rafales du vent d'octobre avaient dénudé les arbres, et la nature perdait déjà ses belles couleurs flamboyantes.

Mélisande, citadine par excellence, ne s'était jamais auparavant aventurée dans cette tranquille banlieue pavillonnaire. Lorsqu'elle vit pour la première fois la maison sans prétention de Lily, avec sa pelouse où les pissenlits le disputaient aux trèfles, et sa cour où des vélos de toutes tailles s'entassaient pêle-mêle contre le mur, elle pressentit immédiatement que cette crêpe-partie improvisée allait être pour elle une expérience nouvelle.

— Hello, Maman ! C'est nous !

Comme si cette entrée en matière lancée à pleins poumons ne suffisait pas, Lily ouvrit la porte à toute volée. Remarquant le regard presque choqué de Mélisande, elle expliqua :

— Tu sais, quand ma mère est dans son atelier au sous-sol en train de travailler sur ses illustrations, il faut bien ça pour se faire entendre…

— Elle est illustratrice ? C'est son métier ?

— Oui, enfin… Elle fait tellement de choses qu'elle dit parfois qu'elle ne sait même plus vraiment quel est son métier !

— C'est toi, ma chérie ? s'exclama à ce moment-là une voix depuis le sous-sol de la maison.

— Oui, et j'ai amené les filles !

Des pas résonnèrent dans la montée de l'escalier, puis Mélisande vit une femme de taille moyenne apparaître dans l'encadrement d'une porte. Bien que plus grande que Lily, elle avait les mêmes cheveux châtains et, si de petites rides n'avaient pas marqué le coin de ses yeux et que ses joues avaient été plus rondes, elle aurait presque pu passer pour sa sœur aînée. Vêtue d'un jean délavé et d'un chemisier rose pâle, elle avait encore les doigts tachés de peinture.

– Bonjour, les filles ! Comment se fait-il que vous soyez là ? Lily m'avait dit que vous deviez passer la fin d'après-midi au café des Anges.

– Justement… dit sa fille.

Et, en quelques mots, elle lui expliqua la situation.

– OK ! J'ai compris, fit Mme Berry avec un sourire, mais à une condition : tout le monde met la main à la pâte !

Sa proposition fut acceptée avec enthousiasme par Chiara et Maëlle, des habituées de la maison. Restée légèrement en retrait, Mélisande, elle, ne se manifesta pas. Mme Berry l'avait pourtant accueillie chaleureusement quand Lily la lui avait présentée, mais elle ne pouvait se défaire du sentiment d'étrangeté qui l'avait envahie dès son arrivée.

À nouveau, elle jeta un coup œil discret autour d'elle. La maison était décorée avec goût, bien que les diverses couleurs éclatantes qui se côtoyaient çà et là ne manquassent pas de surprendre quand on était habitué à évoluer dans un univers où le beige était considéré comme une couleur vive. De jolis meubles en pin apportaient une touche campagnarde au salon, et les coussins en patchwork accentuaient encore l'aspect rustique de la pièce. Mais ce qui frappait le plus Mélisande était le fabuleux désordre qui régnait : des piles de livres et de DVD s'entassaient par terre près des canapés, un pupitre ouvert croulait sous les partitions de musique, une vieille balle mâchouillée avait trouvé refuge sous une table… Quelle différence avec le luxueux et moderne appartement, décoré par un professionnel, que Mélisande retrouvait chaque soir ! Là-bas, un grain de poussière ne s'aventurait jamais longtemps sur les bibelots et, si léger désordre il y avait parfois le soir, il avait disparu dès le lendemain grâce à la redoutable efficacité de l'employée de ménage de ses parents.

Mais c'est en regardant les clichés suspendus au mur que Mélisande prit vraiment conscience du gouffre qui séparait les deux foyers.

Chez elle aussi les photos ornaient les murs. Des photos de Pauline, d'elle-même, de la famille au complet parfois… mais des photos toujours travaillées, étudiées, lissées. Des photos pour lesquelles sa sœur et elle avaient dû s'habiller spéciale-ment pour poser ensuite pendant de longues minutes jusqu'à obtenir le cliché parfait.

Ici, rien de tout ça ! Les enfants photographiés avaient parfois les cheveux ébouriffés, une dent de lait qui manquait, le col de travers, mais ces « défauts » s'effaçaient vite lorsqu'on les découvrait, les yeux pétillant de joie, accrochés au cou d'un énorme labrador. Et si le cadrage laissait parfois à désirer, chaque fois le « modèle » affichait un sourire éclatant, heureux et plein de vie.

C'était tellement… différent !

– Dis, Mélisande, tu rêves ? Ne crois pas que tu t'en tireras sans rien faire, l'interpella Chiara.

– Oui, viens casser les œufs, ajouta Maëlle qui, comme les deux autres, avait suivi la mère de Lily dans la pièce d'à côté.

Après un dernier regard perplexe autour d'elle, la jeune fille se dépêcha de les rejoindre dans la cuisine qui fourmillait déjà d'activité. Elle regarda le bol et les quatre œufs posés à côté, qui attendaient sagement qu'on leur fasse un sort. Lente-ment, elle se saisit du premier et suspendit son geste, embar-rassée. Elle jeta un coup d'œil furtif à ses trois nouvelles amies, mais chacune d'elles était occupée à une tâche et personne ne lui prêtait attention. Elle se demanda une seconde si elle allait oser leur avouer qu'elle n'avait jamais cassé un œuf de sa vie et ne savait pas comment s'y prendre. C'était sûr, elles allaient la prendre pour la reine des empotées !

Soudain Mme Berry s'approcha d'elle :

— Imagine un peu, Mélisande : l'autre jour, Hugo, le jeune frère de Lily, m'a dit qu'il ne savait pas casser les œufs. Je lui ai dit : « Il n'y a rien de plus facile, tu en prends un, tu le frappes d'un petit coup sec sur le bord d'un récipient, et tu y verses le contenu en faisant bien attention de ne pas faire tomber des morceaux de coquille ! »

Joignant le geste à la parole, elle fit devant Mélisande la démonstration dont celle-ci avait tant besoin.

« Génial ! pensa-t-elle, voilà qui ne pouvait pas mieux tomber ! »

Ravie, elle s'attela aussitôt à la tâche. Elle cassait avec succès son deuxième œuf quand elle se dit que le hasard faisait vraiment un peu trop bien les choses. Levant la tête, elle surprit le regard de Mme Berry posé sur elle. En réponse à sa question muette, cette dernière lui fit un clin d'œil complice. Un peu déstabilisée, Mélisande lui répondit par un sourire à la fois reconnaissant et timide, bien différent de celui qui avait provoqué en début d'année l'admiration de Lily.

Une fois que la pâte fut prête, Mme Berry s'apprêtait à rejoindre son atelier lorsqu'elle se retourna pour demander à Chiara :

— Au fait, la guitare, ça marche toujours ?

— Ah non ! répondit la jeune fille avec emphase, et c'est tant mieux ! Les gammes et les arpèges, c'est fini pour moi. Me voilà enfin libre de l'esclavage du solfège et de la musique !

– Chut ! supplia Mme Berry en riant, tu sais bien que la musique, c'est sacré dans cette maison. Si le père de Lily t'entendait, tu serais bannie à vie !

Nullement ébranlée par cette terrible menace, Chiara riposta avec vivacité :

– Mais c'est tout à fait différent, vous, la musique, vous aimez tous ça !

– C'est vrai, renchérit Lily, c'est comme si tu m'obligeais à abandonner ma clarinette pour faire du théâtre, ou pire encore, si on forçait Papa à monter sur les planches !

À cette idée, toutes celles qui connaissaient le père de Lily se mirent à rire. Le grand et imposant M. Berry avait horreur de parler en public. Menuisier-ébéniste, il adorait son métier et n'était jamais aussi heureux que lorsqu'il travaillait à l'élaboration d'un beau meuble au son d'une symphonie de Mozart, son compositeur préféré.

– D'accord, conclut la mère de Lily, je n'insisterai pas, mais c'est quand même dommage… Lily s'est inscrite à un camp musical pendant les vacances de février, vous auriez pu y aller ensemble…

– Plutôt suivre des cours de remise à niveau, proclama Chiara sur un ton sinistre.

Et pour qui connaissait son amour pour le travail scolaire, la comparaison était éloquente.

Sans insister, Mme Berry sortit de la cuisine en riant.

Jetant alors un coup d'œil à la pendule suspendue au mur de la cuisine, Lily poussa un petit cri horrifié :

– Mince, il est déjà cinq heures et demie ! On n'a plus qu'une heure avant qu'Hugo le vorace ne rapplique de son cours de piano. On a intérêt à faire cuire les crêpes si on veut en manger quelques-unes !

Comme elle allumait le feu sous la poêle, Maëlle grommela :

— Voilà un sujet dont je parlerai si je deviens un jour journaliste : « Les mille et une façons dont les garçons pourrissent la vie des filles ! »

— Je croyais que tu voulais devenir spationaute, s'étonna Chiara.

— L'un n'empêche pas l'autre, répliqua son amie sans se démonter, quand tu voyages jusqu'à Mars, laisse-moi te dire que tu as le temps d'en écrire, des articles !

— Et de quel garçon en particulier tu voudrais parler ? demanda Lily d'un air innocent tout en faisant chauffer l'huile.

— D'Adrien, évidemment ! N'est-ce pas lui qui ennuie Mélisande depuis le début de l'année ?

Ses amies pouffèrent de rire.

— C'est vrai, confirma Mélisande, mais je ne sais pas pourquoi, j'avais un autre prénom en tête !

— Un prénom qui commence par M… continua Chiara.

— Ah non ! s'insurgea Maëlle, je ne veux même pas l'entendre ! Vous ne pouvez pas imaginer à quel point il est… il est…

Sous le regard intéressé de ses amies, elle reprit son souffle et déclara d'une traite :

— Il est sans conteste le champion toutes catégories des mecs imbuvables, insupportables, inqualifiables, « ignomables »…

— Je crois qu'ignoble suffirait, fit remarquer Mélisande.

— Peut-être, mais ça sonne moins bien !

Le débat s'interrompit lorsque Lily s'écria :

— Elle est pour qui, la première ?

— Moi ! firent en même temps trois ventres affamés.

Mais Chiara, prête à tout pour engloutir sans attendre une délicieuse crêpe maison, n'hésita pas à se jeter aux pieds de Lily. Son assiette à la main, le visage empreint du désespoir le plus profond, elle déclama avec une passion irrésistible :

— Mon royaume pour une crêpe !

VACANCES
DE LA TOUSSAINT

13

Lundi 9 novembre, 10 h 46

L a tête encore pleine des journées passées à se balader dans les champs d'oliviers qui entouraient le mas provençal de ses grands-parents, Chiara, fidèle à elle-même, rêvait en cours de français. Laissant à Mme Docile et quelques autres le soin de se passionner pour les « variations sociales et historiques de l'usage langagier » d'un texte de Voltaire, elle se remémorait avec délice les savoureuses navettes[1] qui avaient agrémenté chaque pause gourmande des vacances.

Un mot lâché par Mme Docile la tira pourtant brusquement de sa rêverie.

– ... du théâtre. Nous étudierons donc à partir de la semaine prochaine ses différents genres et registres. Bien sûr, nous utiliserons comme support une tragédie que tout le monde devrait connaître et que je vous demanderai de vous procurer : *Le Cid* de Corneille.

Pour une fois toute ouïe, Chiara pensa que c'était trop beau pour être vrai. Elle n'était pourtant pas au bout de ses surprises... Du fond de la classe, elle vit Mme Docile sortir une petite liasse de tracts de sa serviette :

– Il se trouve d'ailleurs qu'un nouveau cours de théâtre

---

1. Petit biscuit en forme de barque, assez dur et le plus souvent aromatisé à la fleur d'oranger (spécialité marseillaise).

vient d'ouvrir près du lycée. Le directeur est l'un de mes anciens élèves et j'ai accepté de lui faire un peu de publicité. En échange, vous aurez droit à un cours gratuit sur présentation de ce tract. Je ne saurais que trop vous encourager…

Chiara n'écouta pas la suite. Elle se pinça juste le bras avec vigueur pour s'assurer qu'elle ne s'était pas malencontreusement endormie pendant ce soporifique cours de français. La douleur vive qu'elle ressentit aussitôt la combla de bonheur : cool ! Elle était bien éveillée !

Quelques secondes plus tard, un sourire béat aux lèvres, elle contemplait, avec encore un rien d'incrédulité, le petit papier orange qu'on venait de lui distribuer…

— Allez, viens avec moi !
— Mais on va rater le bus !
— On prendra le suivant… et puis on ne restera pas, on va juste se renseigner.

Cédant aux supplications de son amie, Lily finit par lui emboîter le pas… À vrai dire, il était difficile de résister à Chiara lorsqu'elle était, comme ce soir-là, convaincue que le paradis se trouvait à portée de main.

Avec tous les devoirs qui l'attendaient, Lily aurait préféré rentrer directement chez elle, mais elle connaissait la place que tenait le théâtre dans la vie de son amie et elle ne pouvait se résoudre à la laisser seule dans un moment pareil. Or Mélisande avait filé comme une flèche à son cours de danse et Maëlle les avait abandonnées tout aussi rapidement en prétextant un entraînement. Ne restait donc plus qu'elle.

Comme elle marchait au côté de son amie, Lily s'interrogea à haute voix :

— C'est drôle, je croyais que Maëlle n'avait pas d'entraînement le lundi…

Chiara se mit à rire :

– Elle n'a pas d'entraînement… mais elle est prête à tout pour battre ce Maxime que personne ne connaît. Alors, depuis quelque temps, elle va courir tous les soirs… Elle m'a dit juste avant que tu n'arrives qu'elle avait gagné cinq secondes pendant les vacances et qu'elle espérait bien s'améliorer encore ! Si tu veux mon avis, elle va surtout mourir épuisée !

– Mais comment fait-elle avec tout le travail qu'on nous donne ?

Chiara, qui n'avait jamais fait grand cas des devoirs, répondit avec légèreté :

– Bah, tu connais Maëlle, elle parvient toujours à s'en sortir !

Bien qu'un peu dubitative, Lily dut reconnaître que son amie avait raison… du moins jusqu'à présent. Elle trouvait pourtant que le rythme de travail exigé en seconde était bien plus conséquent qu'au collège.

Elle n'eut cependant pas le loisir de s'interroger davantage, car Chiara venait de s'arrêter brusquement devant une porte ancienne en bois sculpté. L'immeuble bourgeois de la fin du XIXᵉ siècle qui se dressait devant elles arborait une plaque en cuivre fraîchement scellée sur laquelle on pouvait lire : « Cours Saint-Émilien ».

Suivaient les jours et les heures d'ouverture.

Une main sur la poignée, Lily se retourna, surprise que Chiara ne soit pas la première à sauter sur la porte.

– Alors, on y va ?

Son amie, les yeux rivés sur la plaque, ne répondit pas. Immobile, le regard figé, elle semblait soudain s'être transformée en statue de sel.

Au même moment, Mélisande errait telle une âme en peine dans les couloirs presque déserts de la MDM. À cette heure, tous les cours avaient commencé depuis longtemps et elle aurait dû être en train de répéter l'enchaînement compliqué que son professeur de danse leur avait concocté pour la fin de l'année.

Plutôt que de rejoindre son groupe, elle avait préféré mener l'enquête et avait frappé à toutes les portes de l'étage, répétant chaque fois avec un naturel parfait :

– Oh, excusez-moi, j'ai dû me tromper de salle.

Bien sûr, elle en avait profité pour promener systématiquement un regard circulaire sur les élèves présents, mais à aucun moment ses yeux n'avaient croisé les prunelles sombres dont elle avait chéri le souvenir pendant toutes ses vacances.

Elle repensa soudain à la mise en garde de sa jeune sœur. Quand elle lui avait parlé de ses projets, Pauline, avec le sens pratique qui la caractérisait, avait émis l'hypothèse que Lisandro n'aurait peut-être pas cours ce jour-là. Mais son envie de le revoir était telle que Mélisande s'était convaincue du contraire.

De nouveau, la jeune fille se demanda si elle avait bien fait de mettre sa benjamine dans la confidence.

Au début, elle n'en avait pas eu l'intention : elle la connaissait assez pour savoir qu'elle la harcèlerait ensuite de questions indiscrètes. Elle avait plutôt prévu d'en parler à ses toutes nouvelles amies. Mais, finalement, elle n'avait pas osé : aucune ne semblait vraiment intéressée par les garçons, et elle ne voulait surtout pas que Maëlle se moque d'elle ou la classe arbitrairement dans la catégorie des dragueuses !

Bien sûr, elle aurait pu ne rien dire à personne, mais le défi s'était révélé impossible à relever : il fallait qu'elle parle de

Lisandro à quelqu'un, sinon, elle le sentait, elle allait devenir folle !

Et Pauline était là, disponible, ravie d'assumer le rôle de confidente. Bien sûr, elle ne lui avait pas tout dit... Pas question de lui avouer qu'elle avait menti sur son âge pour essayer d'attirer l'attention du jeune homme. Sa sœur, qui lui vouait depuis toujours une admiration sans bornes, l'avait placée sur un piédestal avec la conviction absolue que rien ni personne ne pouvait lui résister. C'était parfois un peu étouffant, mais le plus souvent assez agréable, et l'adolescente ne tenait pas à ternir son image aux yeux de sa sœur. Cependant, elle trouvait assez humiliant d'avoir été obligée de recourir à ce stratagème. D'autant plus que son mensonge n'avait pas servi à grand-chose jusqu'à présent.

Passant devant une porte en verre sur laquelle le mot « secrétariat » était inscrit, Mélisande ralentit le pas. Une idée, osée, venait de lui traverser l'esprit.

Sans y réfléchir à deux fois, de peur de renoncer, elle frappa à la vitre.

Ses poumons étaient en feu et chaque muscle de ses jambes se contractait douloureusement. Ignorant de toutes ses forces les signaux envoyés par son corps, Maëlle se concentra sur la fine ligne blanche qui s'étirait, à une centaine de mètres devant elle, de part et d'autre de la piste.

« Expire ! Expire ! » se répétait-elle. Son corps, lui, se chargerait bien d'inspirer.

Elle appuya sur le chronomètre qu'elle portait attaché au poignet au moment où elle franchissait la ligne d'arrivée.

« 14'98" », lut-elle avant de s'effondrer sur le bord de la piste cendrée.

Les yeux fermés, le souffle court, elle était en proie à des sentiments mitigés. Si on lui avait prédit quelques mois auparavant qu'elle courrait quatre kilomètres en moins de quinze minutes, elle aurait été aux anges.

Oui mais voilà, depuis, Maxime était passé par là. Et lui, il le courait en 13'83''.

Autant dire à la vitesse de la lumière…

— Alors ?

La voix de son entraîneur parvint jusqu'à son esprit embrumé.

Quand elle parvint à articuler quelques mots et à lui donner son temps, Philippe applaudit sans faire de commentaire. Depuis quelque temps, il ne lui disait plus grand-chose.

Il n'empêche qu'il n'était jamais très loin, même quand elle venait courir seule et qu'il entraînait d'autres groupes.

— Mais j'imagine que cela ne te suffit pas…

Les yeux toujours fermés, Maëlle roula la tête.

— Peut-on savoir quel temps tu vises ?

Ne voulant pas passer pour une folle, elle admit juste vouloir descendre en dessous de la barre des quatorze minutes.

Philippe se contenta de siffler. Quand elle ouvrit les yeux, elle le vit lui tendre la main.

Une fois debout, elle se mit à grelotter.

— Dépêche-toi de rentrer, conseilla encore Philippe, avec ce temps, tu vas attraper froid.

Maëlle remarqua alors qu'avec la nuit un crachin glacial s'était mis à tomber. En se dirigeant vers les vestiaires à la lumière des projecteurs qui éclairaient le stade, elle repensa soudain au contrôle de mathématiques annoncé pour la fin de la semaine. Elle soupira. Elle avait intérêt à s'activer si elle voulait avoir le temps de réviser.

— J'ai le trac !

Lily se mit à rire.

— Le trac ? Mais on l'a sur scène ! Pas devant une porte !

Chiara secoua la tête et la retint par le bras.

— Tu ne comprends pas ! Imagine qu'ils me disent que je suis nulle ! Que je ne suis pas faite pour ça…

— Enfin, ils ne vont pas te dire ça simplement en te voyant ! Allons au moins jeter un coup d'œil !

Mais Chiara demeura intraitable.

— Non, pas aujourd'hui ! Il faut que je répète, que j'en parle à mon père…

— Pff ! Ton père, tu sais bien ce qu'il te dira… Tu te cherches juste des excuses !

Sans l'écouter, Chiara l'entraîna loin de la porte en se lançant dans des explications qui ne convainquirent Lily qu'à moitié. La seule chose dont elle était sûre, c'était qu'entre ses exercices de physique et le nouveau morceau de clarinette qu'elle devait répéter, elle n'était pas encore couchée !

« Ah ! les copines ! » pensa-t-elle en levant les yeux au ciel.

— Lisandro ? Non, je ne connais pas d'élève de ce nom-là !

— Pourtant je l'ai vu ! insista Mélisande.

En désespoir de cause, elle se lança dans une description précise et, elle l'espéra, assez objective du jeune homme. Elle avait bien essayé de rester posée et sereine, mais, en voyant le sourire peu discret se peindre sur le visage de la secrétaire au fur et à mesure qu'elle parlait, elle comprit qu'elle avait dû peindre un portrait plutôt flatteur du bel Espagnol.

Prenant un petit air entendu, l'employée se pencha en avant :

— C'est peut-être ma collègue qui a inscrit votre ami…

Avant de poursuivre sur le ton de la confidence :

– Je n'ai pas l'habitude de faire ça, mais je vois bien que c'est un cas de force majeure…

Soulignant ses propos d'un petit clin d'œil, la secrétaire fit comprendre à Mélisande qu'elle avait pleinement saisi l'intérêt que celle-ci portait à Lisandro.

L'adolescente sentit une rougeur envahir son visage. Jamais auparavant elle ne se serait abaissée à demander un service…

La secrétaire de la MDM pianota sur le clavier, entra le prénom, puis elle cliqua sur l'icône « rechercher » de la base de données.

– Non, personne avec ce prénom, fit la dame d'un ton désolé.

– Essayez encore, supplia Mélisande, peut-être y a-t-il une faute de frappe…

La secrétaire réfléchit une seconde avant d'annoncer :

– Je vais trier les prénoms par ordre alphabétique.

Mélisande retint sa respiration.

– Alban, Aurélien, Amir… Hélas non, ma belle ! Pas de Lisandro dans cette école !

Cette fois-ci, Mélisande n'insista pas. Il était évident que l'étudiant espagnol n'apparaissait pas dans les fichiers de la MDM.

Dépitée, elle remercia l'employée avant de tourner les talons.

Les perles en cristal qu'elle tenait serrées dans sa main lui prouvaient pourtant qu'elle n'avait pas rêvé…

Maëlle contempla avec lassitude le livre de maths ouvert devant elle. Elle était épuisée et incapable de se concentrer sur les équations du second degré qui dansaient devant ses yeux.

Sa mère était venue la chercher au stade, mais après la

douche et le repas du soir, quand elle avait finalement ouvert son agenda, elle avait été effarée de voir le nombre de choses qu'elle était censée étudier pour le lendemain. Dans le lot, elle avait opté en priorité pour l'anglais et les mathématiques. L'anglais parce que, au moins, elle aurait la satisfaction de voir l'incroyable « trop-beau-pour-être-vrai-et-encore-plus-pour-être-prof » M. Wolf lui adresser un de ses irrésistibles sourires (et par la même occasion celle de rendre Wendy folle de rage), et les mathématiques parce que c'était essentiel pour passer en première S.

Quant aux autres matières, elle improviserait…

Mais elle réalisa qu'elle avait puisé dans ses dernières réserves d'énergie pour faire ses devoirs d'anglais, et, depuis qu'elle était passée aux équations du second degré, son cerveau refusait de fonctionner, s'inscrivant obstinément aux abonnés absents. Refermant son cahier, Maëlle se déculpabilisa en pensant que cela ne servirait à rien de travailler dans son état.

Et puis le contrôle n'était pas pour tout de suite, elle avait encore le temps…

Quelques minutes plus tard, elle s'enfonçait avec délice sous la couette épaisse.

Demain, c'était promis, elle s'attellerait à la révision de ce fameux contrôle.

14

Jeudi 19 novembre, 10 h 25

– **M**ademoiselle de Saint-Sevrin, pourriez-vous, s'il vous plaît, faire au moins semblant de vous intéresser à mon cours ? Cela serait, j'en suis sûre, un exemple pour tous vos camarades !

En entendant son nom, Mélisande sursauta.

Mme Paillet lui adressait un sourire condescendant. Depuis que son élève lui avait posé cette question idiote au sujet des pays de l'Opep, elle tendait à la considérer comme une jolie poupée sans cervelle.

Mélisande, qui ne comptait pas l'histoire et la géographie au rang de ses matières favorites, lui renvoya un sourire un peu niais. Avec un soupir qui pouvait exprimer soit la résignation, soit la consternation, ou peut-être même les deux à la fois, Mme Paillet se retourna vers la carte projetée sur l'écran.

Aussitôt, Lily chuchota :

– Mais qu'est-ce que tu as en ce moment ? Je te trouve bizarre… Et puis tu n'arrêtes pas de t'attirer des remarques des profs. Un de ces jours, ça va mal se terminer !

Son amie la regarda un peu surprise, sensible au souci sincère qui émanait des paroles de Lily.

Elle hésita une seconde, puis, remarquant derrière elles

Adrien qui tendait l'oreille, elle mit un doigt sur sa bouche et murmura :

– Plus tard…

– Ce n'est que ça ? Tu es amoureuse ?

À la suite de l'absence de M. Grimaud qui avait contracté le virus de la grippe, les deux filles avaient trouvé refuge au CDI. Assise à une table face à Mélisande, Lily avait écouté avec attention le récit de son amie. Elle avait été heureusement surprise qu'elle ait enfin pu trouver un spécimen de la gent masculine susceptible de lui plaire mais se demandait bien pourquoi cela la mettait dans un tel état. Elle-même était sous le charme de Florian depuis des années sans que ses études en aient été affectées. Bien au contraire, elle avait travaillé deux fois plus pour être à sa hauteur et pouvoir l'impressionner les rares fois où ils avaient collaboré lors des travaux de groupe.

Mélisande, vexée que son amie résume son incroyable coup de foudre à si peu de chose, rétorqua :

– « Que ça ? »Tu ne parlerais pas ainsi si tu l'avais vu ! Et puis figure-toi que je ne suis pas comme certaines, qui tombent amoureuses à tout bout de champ… Moi, c'est du sérieux !

Lily la considéra un moment. C'est vrai, elle avait oublié à quel point elles étaient différentes. Lily, elle, n'avait jamais rien tenté pour que les choses changent, convaincue que Florian ne s'intéresserait jamais à elle. À l'inverse, Mélisande, tout auréolée de certitude et de beauté, ne se contenterait pas de vivre discrètement un amour clandestin. Elle rappelait à Lily les héroïnes de ces romans à l'eau de rose qu'elle dévorait de plus en plus souvent : jeune, belle, mince, avec un petit air inaccessible qui rendait fous tous les garçons. Avec tous ces atouts, nul doute que Lisandro finirait bien par succomber à son charme…

— Bon, eh bien, c'est super ! lui répondit-elle finalement. Si je comprends bien, ce n'est plus qu'une question de temps avant qu'il ne te tombe dans les bras !

— En fait, ce n'est pas si simple…

Se mordillant le coin de l'ongle, Mélisande avoua :

— Il a disparu.

— Disparu ? Comment ça, disparu ? On l'a enlevé ?

— Mais non ! Enfin, je ne crois pas…

Abandonnant son ongle pour se prendre la tête entre les mains, elle fit part en quelques mots à son amie de sa recherche infructueuse.

— C'est drôle, ça ! s'exclama Lily.

— Pas si drôle que ça, tu peux me croire…

— Oui, enfin, je ne voulais pas dire « drôle », je voulais plutôt dire « bizarre »…

— D'accord, j'avais compris, la coupa Mélisande avec un soupir impatient.

— En même temps, reprit Lily pensive, c'est méga romantique… Il ne t'aurait pas laissé une basket, par hasard ?

Mélisande écarquilla les yeux.

— Une basket ?

— Oui ! Reconnais quand même que ton histoire ressemble drôlem… heu, beaucoup à celle de Cendrillon : tu rencontres le prince charmant et, pfft, il disparaît !

— Il n'a laissé ni basket ni citrouille ! fit Mélisande exaspérée, et, avant que tu me le demandes, il n'y avait pas de crapaud non plus dans les parages.

— Parce que tu l'as embrassé ? s'écria Lily vivement intéressée.

— Mais non ! s'insurgea son amie, j'ai dit ça comme ça !

À ce moment-là, la responsable du CDI s'approcha d'elles :

— Moins fort, les filles, vous n'êtes pas dans un hall de gare ici !

Remarquant soudain les coups d'œil curieux que leur avait valus leur dernier échange, les deux adolescentes baissèrent le ton.

— Écoute, reprit Lily plus discrètement, je sais qui peut t'aider.

— Ah oui ? Qui ça ?

— Maëlle, bien sûr ! C'est la spécialiste de ce genre de situation. L'année dernière, j'ai perdu la clé du cadenas de mon casier et elle l'a retrouvée en moins de deux. Elle a un esprit logique redoutable et aime tout organiser. Elle doit tenir ça de son colonel de père, mais ne va surtout pas le lui répéter !

Mélisande fit la moue :

— Une clé, un garçon, ce n'est quand même pas tout à fait pareil.

— Mais si ! Tu verras, insista Lily confiante.

Son amie réattaqua un nouvel ongle et resta silencieuse quelques instants. Finalement, elle se résolut à avouer la vraie raison de ses réticences.

— J'ai peur qu'elle se moque de moi…

Lily secoua la tête d'un air dubitatif.

— Se moquer de toi ? Franchement, je n'y crois pas ! C'est vrai qu'elle a les idées bien arrêtées, mais tu oublies une chose : maintenant, tu es notre amie.

Le conseil de guerre, convoqué par Lily, eut finalement lieu le mardi suivant. Il avait bien fallu ce délai pour que Mélisande, après une nouvelle virée à la MDM, rende les armes et accepte de mettre tout le monde (et surtout Maëlle) dans la confidence.

— Quatre chocolats ? s'enquit le serveur habituel.

— Non, un Perrier pour moi, rectifia Lily.

Avec une grimace qui en disait long sur ce qu'elle pensait de cette façon de se priver des bonnes choses de la vie, Chiara, dès que le garçon fut parti, s'exclama :

— Tu es sûre que c'est efficace, ton régime ?

Lily rougit. Elle ne voulait pas avouer qu'elle avait encore pris un kilo depuis la rentrée. Ni qu'elle avait dévoré un paquet de biscuits au chocolat juste avant de les rejoindre.

— Laisse-la tranquille ! intervint Maëlle. De quoi tu te mêles ? Elle fait ce qu'elle veut ! Ce n'est pas comme si elle t'obligeait aussi à boire un Perrier !

Chiara se renfrogna et marmonna :

— « De quoi tu te mêles » toi-même !

Maëlle allait répliquer quand Lily s'exclama :

— Eh ! qu'est-ce que vous avez aujourd'hui ? Vous êtes vraiment à cran !

Maëlle fut la première à réagir. En s'affalant sur sa chaise, elle s'expliqua :

— Tu as raison, Lily... Je viens de rater un super méga contrôle de maths et je vais me faire massacrer si mon père l'apprend...

Puis, se tournant vers la jeune fille brune assise à sa gauche :

— Excuse-moi, Chiara, je n'aurais pas dû te parler comme ça !

Son amie soupira et dit à son tour :

— C'est oublié… Tu n'avais pas entièrement tort, c'est juste que…

Elle s'interrompit en jetant un coup d'œil légèrement inquiet à Lily. Puis, elle poursuivit :

— De toute façon, moi aussi je suis de mauvais poil : j'ai tenté de parler à mon père du cours de théâtre qui s'est ouvert, mais j'avais à peine prononcé le mot « théâtre » qu'il m'a envoyée balader en disant que, lui vivant, jamais je n'irais m'exhiber sur des planches… « M'exhiber » ! Vous vous rendez compte ? C'est le mot qu'il a employé !

Les autres filles restèrent un instant silencieuses. Mélisande fut la première à exprimer le fond de sa pensée :

— Eh bien, dis donc, il n'est pas commode, ton père !

— Il n'est pas toujours comme ça, le défendit cependant Chiara, d'habitude il serait même plutôt du genre papa poule. Mais, je ne sais pas pourquoi, il change complètement dès que l'on aborde ce sujet.

Elle fit un geste vague de la main et avec un sourire un peu forcé rappela :

— Mais on n'est pas là pour parler de mes petits soucis. Si j'ai bien compris, c'est plutôt Mélisande qui devrait être au centre des débats.

Cette dernière s'empourpra. Voyant son embarras, Lily prit le relais et expliqua, du mieux qu'elle put, la fabuleuse rencontre.

Avant que quiconque ait eu le temps de réagir, Mélisande ajouta précipitamment :

— Je sais que les garçons ne vous intéressent pas tant que ça, et moi non plus, enfin… ce que je veux dire, c'est que… la dernière fois que je suis sortie avec l'un d'eux, cela remonte à des lustres, et, quand j'ai compris qu'il me considérait surtout comme un trophée pour crâner devant ses copains, je me suis bien juré de ne plus recommencer…

Elle secoua la tête, encore écœurée par ce souvenir, puis elle termina avec flamme :

– Mais cette fois, c'est différent, vraiment ! Lui, il n'est pas comme les autres !

Tandis que Mélisande faisait son plaidoyer, Lily se plongea dans la contemplation des bulles de son Perrier que le serveur venait d'apporter, l'image de Florian dansant devant ses yeux. Maëlle, elle, s'apprêtait à lancer une des remarques acerbes dont elle avait le secret, quand la vision de Maxime remportant la course s'imposa soudain à elle. Troublée, elle préféra se taire.

Inconsciente des pensées qui agitaient ses amies, Chiara, ses soucis oubliés pour un temps, s'extasia :

– Trop cool ! Quelle chance tu as ! En plus, le Cid aussi était espagnol ! Il faudra que tu nous le présentes, ton Lisandro, que je puisse l'étudier pour m'inspirer de lui !

Mélisande eut un petit rire malheureux et laissa à Lily le soin de finir d'expliquer la situation.

– Justement, on n'est pas près de le rencontrer, son amoureux… Figurez-vous qu'il a disparu !

Maëlle se redressa vivement. Une disparition ? Voilà qui était intéressant !

Les coudes sur la table, elle posa son menton sur ses deux mains jointes avant de déclarer d'un ton déterminé :

– Allez, Mélisande, raconte-nous tout…

15

Vendredi 4 décembre, 19 h 30

— Pourrais-tu au moins te tenir correctement pour manger ! s'impatienta Mme Tadier, excédée de voir sa fille affalée sur la table.

Pour une fois, Maëlle se redressa sans râler. Ce n'était pas le moment d'énerver sa mère.

— Écoute, Maman, supplia-t-elle encore, toutes mes copines y seront ! De quoi j'aurai l'air si je suis la seule à ne pas y aller ?

— Maëlle, depuis le temps, tu devrais savoir que ce n'est pas un argument recevable…

Maëlle songea qu'il le serait encore moins si sa mère savait que « toutes ses copines » étaient justement en train de dire la même chose à leurs parents respectifs.

Depuis que Farouk avait envoyé quelques heures auparavant ce message sur MSN pour proposer à plusieurs copains du lycée d'aller ensemble assister à la Fête des lumières à Lyon, Maëlle insistait auprès de sa mère pour y aller. Cette dernière n'était en effet guère enthousiaste à l'idée de laisser sa fille sortir de nuit en centre-ville sans adulte, et l'adolescente savait que la bataille n'était pas gagnée. Elle changea d'angle d'attaque et, prenant bien soin de garder le dos droit, elle plaida :

— Quand même, je suis en seconde, maintenant, et la Fête des lumières, ce n'est qu'une fois par an !

— Tiens, puisque tu en parles, je trouve que, pour une jeune fille de seconde, tu ne travailles vraiment pas beaucoup. Tu rentres déjà tard la semaine à cause de ton entraînement, alors si tu te mets à sortir le week-end...

Étouffant sa conscience qui lui rappelait fort mal à propos les notes catastrophiques qu'elle collectionnait depuis quelque temps, Maëlle protesta avec aplomb :

— J'ai toujours été dans les premières, tu sais bien que tu peux me faire confiance.

Baignant encore dans l'ignorance, sa mère concéda :

— C'est vrai, mais je n'aime pas que tu sortes pendant que ton père est en mission. On ne sait jamais ce qui peut arriver...

Le barrage était en train de céder. Maëlle le sentit et, en grand stratège de la négociation, abattit son dernier atout :

— On ne sera pas seules, il y aura des garçons que tu connais avec nous, des anciens copains du collège. D'ailleurs, c'est Farouk qui organise la sortie ! Il a envoyé un message MSN à tout le monde en précisant bien qu'on ne rentrerait pas tard.

— C'est vrai qu'il est bien, ce garçon, ton père l'apprécie beaucoup... mais il est quand même un peu jeune. J'aurais préféré que le frère de Lily soit avec vous.

Ravie, Maëlle enfonça le clou :

— Eh bien, si ça peut te rassurer, il ne sera pas loin : il joue ce soir dans les rues du centre-ville avec son groupe de jazz. S'il y a un problème, nous irons le voir !

Ses trois amies battaient déjà le pavé lorsque sa mère la déposa quelques heures plus tard à la bouche de métro qui servait de lieu de rendez-vous.

Chiara et Lily vibraient d'excitation, aussi réjouies qu'elle de pouvoir assister sans leurs parents aux nombreux spectacles son et lumière organisés pendant les illuminations. Seule Mélisande affichait un air légèrement renfrogné mais, se souvenant des derniers événements, Maëlle n'en fut pas vraiment surprise.

Sans y prêter attention, elle lança :

— Salut, les filles !

Puis, plongeant la main dans sa poche, elle en ressortit un petit objet plat qu'elle exhiba fièrement en s'écriant :

— Regardez ce que j'ai là !

Chiara se mit à rire en sortant à son tour son téléphone portable.

— Mon père ne voulait pas que je vienne sans lui ! Et j'ai pour consigne de l'appeler au moindre souci !

Un sourire enchanté aux lèvres, elle conclut :

— C'est génial, cette sortie ! On fait d'une pierre deux coups.

— Ravie pour vous, intervint Mélisande, mais moi, ce que j'aimerais savoir, c'est quand il sera enfin possible de mettre le plan de Maëlle à exécution !

Une note de reproche dans la voix, elle ajouta :

— Ça fait deux fois qu'on annule et vous aviez pourtant promis de m'aider !

Les trois autres filles se regardèrent, embêtées.

Mélisande avait été tellement heureuse lorsque Maëlle, lors de leur réunion au café des Anges, après l'avoir écoutée attentivement et réfléchi un long moment, avait établi le plan de bataille suivant :

Puisque Lisandro étudiait les arts, Mélisande et Chiara se rendraient à l'école des Beaux-Arts pour mener l'enquête. Quant à Lily et elle, elles iraient se renseigner dans les autres cours de danse proches de la MDM. Peut-être retrouveraient-elles enfin ainsi la trace du mystérieux Espagnol.

Mais, entre les diverses occupations de chacune, elles avaient déjà dû remettre à plusieurs reprises leurs expéditions. Et Mélisande commençait à perdre patience...

Lily passa son bras sous le sien en promettant :

— La semaine prochaine, promis ! Maëlle et moi avons prévu d'aller enquêter mercredi.

— Et nous aussi, ajouta Chiara, cette fois, j'en ai fini et bien fini avec le dentiste !

Le sourire qui s'épanouissait déjà sur le visage de Mélisande se figea brusquement. Surprises, les autres filles suivirent la direction de son regard et aperçurent trois garçons qui se dirigeaient vers elles. Le plus grand et le plus mince, Farouk, était facilement reconnaissable à sa démarche chaloupée. À la lumière des lampadaires, elles le virent lever la main avec nonchalance pour les saluer.

— Dites-moi que je rêve, siffla Mélisande entre ses dents, dites-moi que ce n'est pas Adrien qui est avec lui.

— Mais si, fit Maëlle étonnée de sa réaction, et il y a Florian aussi. Ils sont amis depuis le collège. Farouk avait dit dans son message qu'ils viendraient ensemble.

— Sauf que Farouk, je ne le connais pas, et que donc, je ne l'ai pas eu, son message ! Moi, c'est Lily qui m'a prévenue !

Se tournant vers cette dernière, elle l'interrogea d'un ton exaspéré :

— D'ailleurs, pourquoi tu ne me l'as pas dit ? Si j'avais su qu'Adrien serait là, je ne serais jamais venue ! Il va encore me coller pendant toute la soirée !

— Mais non, dédramatisa Lily en rougissant d'embarras, depuis qu'il s'est fait piquer par Grimaud, il te fiche une paix royale.

Que pouvait-elle lui dire d'autre ? Elle ne pouvait quand même pas avouer qu'elle avait reçu, presque immédiatement après celui de Farouk, un message d'Adrien qui lui demandait expressément si Mélisande serait là et dire qu'elle avait eu peur que, en son absence, ce dernier ne fasse faux bond !

Or, si Adrien n'était pas venu, il y aurait eu fort à parier que Florian, son meilleur ami, s'abstienne également…

Lorsqu'ils atteignirent tous ensemble le centre de Lyon, quelque temps plus tard, la Fête des lumières battait déjà son plein. Les façades de la ville resplendissaient et, dans les squares, les lumières multicolores paraient les sculptures éphémères de voiles changeants, donnant à la foule qui les contemplait l'impression qu'une vie les habitait.

Quant aux milliers de petites bougies dont les Lyonnais avaient décoré leurs fenêtres, elles donnaient une chaleur et un charme incomparables à cette nuit glaciale de décembre.

Enchantée du spectacle qu'elle découvrait pour la première fois, Mélisande ne regrettait plus d'être venue. Adrien s'était jusqu'à présent bien comporté et comme elle, de son côté, avait tout fait pour l'éviter, les choses se passaient plutôt bien.

Compressée par la foule, elle admirait au côté de ses amis une performance de son et lumière qui semblait mettre à feu et à sang la façade de l'opéra.

Les effets étaient saisissants et son émerveillement total quand, soudain, comme mue par un sixième sens, elle détacha son regard de l'opéra et tourna la tête pour regarder derrière elle.

Il y avait là une autre attraction. Les portes de l'hôtel de ville, grandes ouvertes pour l'événement, permettaient d'apercevoir à la lueur de guirlandes illuminées de blanc la beauté des jardins intérieurs ruisselants de lumière argentée.

Mélisande souriait devant la beauté du spectacle quand une personne parmi celles qui gravissaient les marches menant aux jardins se retourna.

Le cœur de l'adolescente manqua un battement. Cette allure, cette tête brune, ce regard... Depuis plusieurs semaines, elle les gardait précieusement en mémoire.

– Lisandro ! murmura-t-elle.

Même à cette distance, elle sut que c'était lui.

Dans l'instant, tout son corps pivota et elle se mit à jouer des coudes pour essayer de le rejoindre. Poussant et s'excusant à peine, elle se fraya un passage avec la plus grande des difficultés. Le souffle court, mais le regard déterminé, elle s'acharna à remonter aussi vite que possible la foule à contre-courant, mais le trajet qui en temps habituel ne lui aurait pris qu'une minute se révéla ce soir beaucoup plus long. Lorsqu'elle parvint enfin à la hauteur des portes, Mélisande tapa du pied de frustration : elle eut beau tourner la tête dans tous les sens, plus de Lisandro ! Dépitée mais refusant de renoncer si près du but, elle relança ses forces dans la bataille et s'avança dans la grande cour. Cette fois, se trouvant dans le sens de la marche des promeneurs, l'avancée fut plus aisée... jusqu'à ce qu'elle se retrouve coincée à nouveau. Un voile de lumière d'une rare magnificence dansait d'une façade à l'autre de la cour intérieure, faisant concurrence à la voûte céleste, et attirant tous les regards. Un homme à la carrure de rugbyman, qui précédait Mélisande, à l'instar des autres personnes autour de lui, avait stoppé net pour l'admirer avec ravissement. Insensible à la beauté du spectacle, la jeune fille pesta tout bas. Repérant soudain sur sa droite l'une des nombreuses statues qui, tout illuminées de rouge, dominaient l'espace, elle parvint à la rejoindre et grimpa sur son socle. Grâce aux quelques centimètres ainsi gagnés, elle put promener un regard circulaire sur la foule. Mais, après de longues minutes de vaines recherches, elle dut se rendre à l'évidence. Le bel Espagnol avait à nouveau disparu.

Sur la place, le spectacle s'était achevé sous les applaudissements enthousiastes du public. Farouk, qui avait repéré sur le programme tout le parcours à suivre, entraînait déjà le petit groupe vers la rue de la République lorsqu'Adrien s'exclama :

— Eh ! Où est passée Mélisande ?

Chacun se mit à regarder autour de lui. Dans toutes les directions, des têtes blondes, brunes ou chapeautées allaient et venaient.

Mais de tête rousse, il n'y avait nulle trace.

— Je vais l'appeler, décida Maëlle.

— Heureusement qu'on a pris le temps de s'échanger nos numéros, fit Chiara.

Le portable collé à l'oreille, Maëlle entendit sonner à plusieurs reprises, mais personne ne décrocha. Elle lui laissa un message sur le répondeur. Elle lui fixait rendez-vous dans un quart d'heure devant le bistrot qui se trouvait au coin de la place.

— Mais imaginez qu'elle ait eu un problème, suggéra Lily inquiète, et qu'elle ne puisse pas répondre. On ne peut pas rester là sans rien faire !

— Relax, intervint Farouk, on ne va pas déjà paniquer !

— Moi, je suis d'accord avec Lily, dit alors Florian. Ce n'est pas normal qu'elle ne réponde pas. Je crois qu'il vaudrait mieux que l'on aille à sa recherche.

La jeune fille, encouragée par ce soutien, proposa :

— On n'a qu'à se séparer, ainsi on aura plus de chances de la retrouver. Et, de toute façon, rendez-vous dans un quart d'heure au bistrot !

Déçue, Mélisande redescendit lentement de son perchoir. À présent, il lui fallait rejoindre ses amis. Mais elle n'avait plus la force de réitérer son exploit et, passive, se laissa porter par le mouvement de la foule qui l'entraînait vers la sortie de derrière. C'est en débouchant dans une rue inconnue qu'elle réalisa qu'elle se retrouvait maintenant vraiment loin du groupe. Soudain inquiète, entourée d'inconnus, elle décida d'appeler Lily. Elle attrapa son petit sac à dos de cuir noir. En découvrant qu'il était ouvert, elle eut un choc. Avec fébrilité, elle plongea la main à l'intérieur, mais elle eut beau chercher, son portable et son porte-monnaie avaient disparu.

Tremblante, elle s'adossa contre le mur qui se trouvait derrière elle. Submergée par un flot d'émotions, elle pressa ses paupières pour retenir les larmes qu'elle sentait venir.

Lorsque Lily arriva à l'heure dite sur le lieu de rendez-vous, Chiara et Farouk étaient déjà sur place. Bien qu'elle sût d'avance la réponse à sa question, elle demanda :

– Alors ?

– Alors, rien ! fit Chiara en écartant les bras.

– Heu, attends, fit Farouk en faisant mine de fouiller dans sa poche.

Puis, avec un sourire jusqu'aux oreilles, il conclut :

– Ben non ! Elle n'est pas là non plus !

– Idiot, fit Lily, je croyais que ton portable sonnait ! Je crois que je ferais mieux d'aller prévenir mon frère…

– Eh, cool ! Je suis sûr que tout va bien…

Lily haussa les épaules. La Terre aurait pu s'arrêter de tourner que Farouk aurait encore estimé que tout allait bien.

Adrien arriva sur ces entrefaites, aussi bredouille que les autres, mais bien plus inquiet que Farouk. Lily pensa qu'il était quand même dommage que Mélisande poursuive un fantôme alors que le plus beau garçon du lycée était visiblement amoureux d'elle.

Soudain, débouchant du coin de la rue, Florian apparut.

Et, accrochée à son bras comme une naufragée à son radeau, celle que tout le monde cherchait depuis un bon quart d'heure.

– Mélisande ! Mais où étais-tu passée ? demanda Adrien tout en jetant un coup d'œil soupçonneux à son copain.

Florian haussa les épaules en signe d'impuissance. Mais il fut encore bien plus embarrassé lorsque Mélisande, en geste de gratitude, lui déposa un baiser sur la joue.

Lily, elle, ne vit même pas Adrien froncer les sourcils… bien trop occupée à essayer d'avaler la grosse boule qui s'était soudain formée dans sa gorge.

Quand Mélisande eut fini de leur narrer une version légèrement expurgée de ses mésaventures (pas question de faire allusion à Lisandro), Farouk, inconscient de la tension qui s'était installée, laissa tomber :

– Ben, je vous l'avais bien dit qu'il ne fallait pas…

– Et Maëlle ? l'interrompit soudainement Chiara, elle est en retard ! Ce n'est pas normal, d'habitude elle est plus fiable qu'une horloge suisse…

– On n'a qu'à demander à Florian d'aller à sa recherche ! fit Adrien, mi-figue mi-raisin. Il semblerait qu'il soit champion pour secourir les demoiselles en détresse.

Florian rougit et se passa une main dans les cheveux. Faisant alors mine de chercher quelque chose dans sa poche, il se débrouilla pour s'écarter discrètement de Mélisande.

Tout à leur discussion, les six adolescents ne remarquèrent pas Maëlle approcher. Comme un seul homme, ils sursautèrent en l'entendant s'écrier :

– Super, vous avez retrouvé Mélisande !

Puis, sans leur laisser le temps de se remettre de leur surprise, elle s'écarta nerveusement et ils s'aperçurent alors qu'elle était accompagnée. Avec un drôle d'air, elle annonça :

— Moi aussi, j'ai trouvé quelqu'un !

— Eh ! Maxime ! s'exclama Farouk en découvrant le nouveau venu, comment ça va, mec ?

— Maxime ? « Le » Maxime ? souffla Lily d'une voix à peine audible à l'oreille de Chiara.

Sur le même ton, cette dernière murmura, moqueuse :

— Plutôt mignon, l'ennemi public numéro 1…

Maëlle, qui n'avait rien perdu de l'échange, rougit légèrement et, profitant du fait que Farouk faisait les présentations, chuchota :

— Il était venu tout seul pour voir les illuminations, je l'ai rencontré par hasard alors que je cherchais Mélisande. Je ne pouvais quand même pas lui refuser de se joindre à nous !

Puis, comme si elle tenait vraiment à se justifier, elle ajouta en haussant les épaules d'un air dégagé :

— Après tout, c'est un pote de Farouk !

— Ah ! bien sûr, si c'est un pote de Farouk…

— Tout s'explique !

Lily et Chiara gardèrent leur sérieux en énonçant ces paroles, mais à peine Maëlle eut-elle tourné le dos qu'elle les entendit pouffer. Serrant les poings et relevant le menton, elle se retourna pour leur lancer une œillade assassine.

À son grand dépit, cela ne servit qu'à faire redoubler leurs rires…

16

Mardi 8 décembre, 19 h 15

– **P**apa ! J'ai eu vingt en français !

Chiara trépignait dans l'appartement depuis une bonne heure, brûlant d'impatience d'annoncer enfin à son père cette nouvelle prodigieuse.

Tout en ôtant son manteau, ce dernier répéta, étonné :

– Vingt ? Vraiment ?

Puis il ajouta avec sincérité :

– Bravo, je te félicite.

Chiara était aux anges. Bien sûr, elle aurait aimé un peu plus d'enthousiasme et de folie de sa part. Elle aurait adoré qu'il s'exclame : « Mais c'est fantastique, ma fille ! » en la faisant valser à travers le petit salon… Malheureusement, ce n'était vraiment pas son genre. Dans son monde bien trop raisonnable, tout était mesure et pondération.

Néanmoins, elle le savait, cette note le réjouissait profondément.

– Montre-moi donc ce devoir, demanda-t-il.

– Juste une petite minute, alors, répondit Chiara en se dirigeant vers sa chambre.

Lorsqu'elle en ressortit quelques minutes plus tard, elle était presque méconnaissable : un profond abattement marquait ses traits et ses épaules ployaient sous le poids d'une souffrance insoutenable.

Devant son père stupéfait, elle se mit à déclamer :

« *Ô rage ! ô désespoir ! ô vieillesse ennemie !*
N'ai-je donc tant vécu que pour cette infamie ?
Et ne suis-je blanchi dans les travaux guerriers
Que pour voir en un jour flétrir tant de lauriers ?
Mon bras qu'avec respect toute l'Espagne admire,
Mon bras, qui tant de fois a sauvé cet empire,
Tant de fois affermi le trône de son roi,
Trahit donc ma querelle, et ne fait rien pour moi ?
Ô cruel souvenir...[1] »

— En voilà assez ! coupa soudain son père, retrouvant enfin l'usage de la parole, qu'est-ce que c'est que cette mascarade ?

Brutalement ramenée à la réalité, Chiara s'arracha à la peau de son personnage pour s'insurger :

— Cette mascarade, comme tu dis, c'est mon devoir de français que tu as toi-même demandé à voir ! Et qui, soit dit en passant, m'a valu la meilleure note de tout le lycée !

— C'est ridicule ! rétorqua son père froidement, on se demande à quoi pensent vos enseignants... Ils feraient mieux de vous apprendre des choses utiles plutôt que de vous faire faire les clowns.

Chiara sentit son sang se glacer. Chaque mot l'atteignait comme un coup de poignard. Elle avait été si heureuse quand Mme Docile l'avait félicitée devant toute la classe et avait souligné le choix audacieux du rôle qu'elle avait interprété. « Pour qu'une jeune fille se rende crédible dans la peau d'un vieux noble espagnol, il lui faut une belle dose de talent ! » avait-elle déclaré. Elle avait conclu en affirmant qu'elle avait un vrai don. Et l'adolescente avait tant souhaité que son père,

---

1. Tirade de Don Diègue. Extrait du *Cid* de Pierre Corneille.

à son tour, le reconnaisse. Mais voilà qu'il gâchait tout avec ses petites phrases assassines et son esprit étriqué !

Dire qu'elle avait espéré qu'après cette prestation il se rendrait enfin à l'évidence et l'encouragerait à suivre des cours de théâtre !

Quelle idiote, non mais quelle idiote elle faisait !

Puisant dans la colère qui bouillonnait en elle pour ne pas s'effondrer, elle ravala ses larmes et lui cria au visage :

– C'est toi qui es ridicule avec ton éternel costume gris et ta petite vie « métro, boulot, dodo » !

Puis, submergée par l'émotion, elle courut se réfugier dans sa chambre. Claquant la porte, elle la ferma à clé avant d'aller s'effondrer en pleurs sur son lit.

Pour une fois, Maëlle était rentrée directement à la maison. Même les vitrines, qui rivalisaient pourtant de décorations de Noël, n'avaient pu la détourner de sa route.

Ce soir-là, elle était assez impatiente d'aller à son entraînement. Elle reverrait Maxime pour la première fois depuis la Fête des lumières et en profiterait pour essayer de mettre un peu d'ordre dans sa tête. Depuis cette sortie, elle se posait beaucoup de questions. Ses fortes convictions avaient été ébranlées et elle ne savait plus quoi penser.

Dans une ambiance décontractée où chronomètre et chaussures de sport n'avaient pas leur place, Maëlle avait été étonnée de découvrir celui qu'elle considérait comme « l'homme à abattre » sous un jour nouveau. Car, avec sa bonne humeur et son sens de l'humour, l'invité surprise s'était intégré avec succès et rapidité à leur petit groupe. Ses amies, qui s'attendaient à découvrir en Maxime le plus insupportable des garçons, n'avaient pas manqué, au retour, de se moquer d'elle de nouveau. Mais elle ne leur en voulait pas : elle ne se rappelait que trop l'affreux portrait qu'elle leur en avait dressé. Aujourd'hui, la tête froide, elle reconnaissait s'être « un peu » laissé aveugler par son esprit de compétition.

En arrivant dans sa rue, Maëlle remarqua immédiatement la voiture de son père garée dans l'allée. Tiens, il était donc revenu un jour plus tôt que prévu…

Mais au plaisir de le revoir après cette longue absence se mêla une gêne diffuse, qui mit l'adolescente mal à l'aise.

Elle venait, cet après-midi encore, de recevoir une note catastrophique en cours de français : cinq sur vingt ! La honte ! Sans compter que cela s'était passé devant les élèves de seconde B et E, Mme Docile ayant réuni ses deux classes pour le test d'expression orale du premier trimestre.

– C'est nul, mademoiselle Tadier, avait-elle lâché, sans une once de pitié, après sa prestation. Et je ne parle pas de vos qualités de tragédienne ! Comment voulez-vous interpréter un texte que vous ne connaissez même pas ? Vous venez de nous faire une Chimène bredouillante et velléitaire qui aurait fait fuir en courant le beau Rodrigue. Quant à ce pauvre M. Corneille, nul doute qu'il a dû se retourner dans sa tombe.

En plus, par manque de chance, elle était passée juste après Chiara, qui avait incarné un Don Diègue plus vrai que nature. Si elle était passée après Farouk, assez comique dans la peau d'un Rodrigue bien trop cool pour avoir envie d'aller passer au fil de l'épée le père de sa dulcinée, nul doute que sa nullité aurait été moins frappante !

Ralentissant le pas, Maëlle sentit l'inquiétude l'envahir. Si elle arrivait assez bien à leurrer sa mère, il en allait autrement avec son père. Il avait une façon bien à lui de la regarder. Elle avait même parfois la désagréable impression d'être transparente. Arrivée devant la porte, elle sentit son cœur s'accélérer.

Elle respira à fond, essayant de se composer une attitude naturelle, puis, le menton relevé, elle poussa le battant.

Mercredi 9 décembre, 13 h 55

Il était près de deux heures, l'après-midi suivant, quand une sonnerie stridente résonna soudain dans la chambre de Lily. La jeune fille, qui avait kidnappé un peu plus tôt le combiné mobile du téléphone familial (l'infâme punition ayant enfin été levée) pour essayer de consoler Chiara de sa terrible déconvenue de la veille, sauta sur l'appareil qui avait glissé dans un pli du pouf gigantesque qui occupait tout un coin de la pièce. Cherchant à s'installer confortablement, elle roula sur le dos, cala sa tête sur le siège et appuya ses pieds contre le haut de la bibliothèque avant de décrocher.

— Allô ?

— Lily, coucou, c'est Maëlle ! Écoute, je t'ai manquée ce matin au lycée, mais il faut absolument que je te parle : je ne pourrai pas venir avec toi cet après-midi.

Conformément à leur promesse, les deux filles s'étaient donné rendez-vous à proximité de la MDM pour explorer, ce mercredi-là, les écoles de danse et de musique des alentours.

— Tu plaisantes, j'espère ? Mélisande va être dingue !

— Ma mère a rencontré celle de Wendy en faisant les courses hier après-midi, expliqua alors son amie, et figure-toi que cette commère lui a demandé si j'allais bien car elle s'inquiétait pour moi à cause de toutes les mauvaises notes que j'avais accumulées ces derniers temps ! Aller sortir ça à ma mère, tu te rends compte ? Je te jure, elle ne vaut pas mieux que Wendy !

— Tu sais ce qu'on dit, « telle mère, telle fille » ! Elle a toujours été jalouse que sa fille réussisse moins bien que toi, alors pour une fois qu'elle peut faire rager ta mère, elle ne va pas s'en priver !

– En plus, mon père était rentré, et là, il a fallu tout déballer. Résultat : j'ai passé un sale quart d'heure et je suis consignée à la maison jusqu'à nouvel ordre. Je n'ai même plus le droit d'aller à l'entraînement ! Mon père m'a dit qu'il me donnait jusqu'à fin janvier pour rattraper mon retard.

– Flûte ! C'est vraiment pas drôle… Et pour moi non plus : maintenant je dois me taper toute seule la tournée des écoles !

– Je suis vraiment désolée, s'excusa Maëlle, Mais là, je n'ai vraiment pas le choix !

En raccrochant, Lily poussa un profond soupir. Elle qui avait horreur de parler à des inconnus avait compté sur Maëlle pour mener l'enquête… mais elle allait désormais devoir prendre les choses en mains elle-même !

Sans enthousiasme, elle s'apprêtait à poser le téléphone par terre pour attraper un livre quand il se remit à sonner. Pleine d'espoir, elle décrocha vivement et lança :

– Alors tu as changé d'avis ?

– Pardon ? fit une voix masculine hésitante.

Lily resta un instant silencieuse, cherchant à identifier son interlocuteur.

– Lily ? demanda la voix, encore plus hésitante.

– Oui, c'est moi, finit par répondre la jeune fille en se redressant, en alerte. Cette voix lui disait quelque chose…

– C'est Florian. Je voulais savoir si tu étais libre cet après-midi pour aller boire un café…

Il avait débité ces deux phrases d'un seul trait, et le cerveau de Lily devenu soudain très lent essayait désespérément d'enregistrer les informations.

– Lily ? répéta encore le garçon de nouveau hésitant, tu es là ?

– Heu, oui, je suis là, répondit fébrilement la jeune fille dont la tête s'était soudain remise à fonctionner, et heu oui, je veux bien.

– Alors à quinze heure trente, ça te va ?

– Oui, oui, ça me va !

Ce n'était pas vrai, cela ne lui allait pas du tout. Avec ce rendez-vous au milieu de l'après-midi, la tournée des écoles était fichue !

D'une oreille, elle enregistra le lieu du rendez-vous, évidemment à des années-lumière de la MDM, et raccrocha une nouvelle fois.

Se laissant aller contre le mur, Lily, bien qu'encore dans un état second, sentit sourdre en elle une pointe de culpabilité. Elle venait une nouvelle fois de faire faux bond à Mélisande, mais elle repoussa vite ce sentiment désagréable. Après tout, il y aurait d'autres occasions de mener l'enquête.

En revanche, c'était la première fois que Florian l'appelait ! Et ça, c'était un événement historique ! Pas question de manquer le premier rendez-vous qu'il daignait enfin lui accorder ! On ne méprisait pas ainsi le cadeau enfin envoyé par les dieux !

Quand elle l'expliquerait à Mélisande, celle-ci comprendrait, forcément.

La tête dans les étoiles, Lily fixa le radio-réveil qui affichait quatorze heures quinze. Comme les minutes allaient lui paraître longues…

17

Mercredi 9 décembre 15 h 20

Lily arriva en avance au café attenant à un joli petit parc. Elle avait pourtant tout fait pour ne pas se précipiter, mais ses pieds n'en firent qu'à leur tête et ils la conduisirent bien trop vite jusqu'au rutilant comptoir en zinc qui trônait face à la porte d'entrée. Hésitant sur la conduite à tenir maintenant qu'elle se trouvait sur place, elle regarda instinctivement autour d'elle en essayant d'arborer le même air nonchalant et détaché qu'elle avait si souvent vu chez Mélisande. C'est alors que son traître de cœur, réduisant tous ses efforts à néant, fit un bond en voyant que Florian était déjà là, attablé devant un verre au fond de la salle.

Peut-être que lui aussi avait été impatient d'aller à ce rendez-vous…

Impatient et nerveux : en l'apercevant, il se leva brusquement, manquant de renverser son verre.

La jeune fille estima que c'était plutôt bon signe. D'ordinaire, quand ils se voyaient, Florian était calme et détendu. Ils se connaissaient depuis longtemps, ils avaient eu l'occasion à plusieurs reprises de travailler ensemble sur des exposés ou des expériences de physique et elle n'avait pas souvenir qu'il ait semblé embarrassé en sa présence.

Se passant une main dans les cheveux pour chasser les boucles serrées qui lui retombaient devant les yeux, Lily s'autorisa enfin à espérer. Jusqu'à présent, elle se l'était interdit. Enfin, elle avait essayé...

Quelques secondes plus tard, Florian lui fit la bise et lui demanda ce qu'elle souhaitait boire. Elle jeta un coup d'œil à son verre :

— Un Coca...

Elle s'interrompit juste à temps. Elle avait failli ajouter « light », mais au dernier moment elle pensa que ce n'était pas une bonne idée. Mieux valait éviter toute allusion à ces kilos en trop qu'elle avait essayé de dissimuler avec un pantalon et un pull noirs.

— Oui, un Coca, comme toi, ce sera parfait, reprit-elle d'une voix plus ferme.

Après que Florian eut passé sa commande, un silence embarrassé s'installa. Lily, compatissante, se dit qu'elle devrait lancer un sujet de conversation anodin qui permettrait de dissiper la gêne. Ensuite, quand Florian aurait surmonté sa timidité, il serait temps de passer aux choses sérieuses.

— Et comment ça avance, le blog du lycée ?

Comme à son habitude, Lily avait trouvé le thème idéal. Le visage de Florian s'éclaira aussitôt et il se mit à décrire avec enthousiasme les modifications que le club d'informatique, dont il était un membre actif, avait prévu pour améliorer le blog devenu obsolète.

Mais quand le serveur apporta la boisson de la jeune fille, il se tut brusquement.

« Ça y est ! pensa Lily dont le cœur s'était remis à battre la chamade, il va se lancer. »

La tension était presque palpable.

Cependant Florian, devenu soudain muet comme une carpe, ne semblait pas près de se décider. Prête à tout pour que son cœur cesse enfin de danser la frénétique samba qui menaçait de le faire exploser, Lily prit son courage à deux mains et lui tendit une perche :

– Je… Tu… Tu avais quelque chose à me dire ?

Avec autant d'enthousiasme qu'un chat qui se jette à l'eau, le garçon, terriblement mal à l'aise, commença à parler.

– En fait, Adrien m'a demandé de te parler…

Devant la mine interloquée de Lily, Florian baissa les yeux et dit très vite :

– Depuis ce qui s'est passé avec Grimaud, il ne sait plus vraiment comment s'y prendre avec Mélisande. D'habitude, pour lui, les filles, c'est facile de les faire craquer, mais là, ça ne marche pas. Il l'aime vraiment, tu sais, ce n'est pas comme les autres fois. Il voudrait savoir si tu ne pourrais pas convaincre Mélisande que c'est du sérieux.

En état de choc, Lily ne trouva d'abord rien à répondre. Puis, comprenant que Florian attendait une réponse, elle s'étonna :

– Et pourquoi Adrien ne m'en a pas parlé lui-même ?

– Il sait qu'on s'entend plutôt bien, et puis, après la sortie de la Fête des lumières, il m'a dit que je lui devais bien ça…

Quand son cerveau se remit à fonctionner normalement, Lily faillit lui répondre qu'Adrien n'avait qu'à faire ses commissions lui-même et que de toute façon il n'avait aucune chance. Puis elle se rappela qu'il ignorait tout de ses sentiments pour Florian et sa nature généreuse l'incita plutôt à la compréhension. Les amours non payées de retour, c'était un autre des sujets qu'elle maîtrisait.

Finalement, elle déclara d'une voix sourde :

– J'essaierai… mais qu'il ne se fasse pas trop d'idées.

Le sourire soulagé que Florian lui adressa alors acheva de lui briser le cœur.

— Quoi ? Tu n'y es même pas allée ?

Les yeux fermés, une main sur le front pour essayer de soulager la migraine qui ne faisait qu'empirer depuis qu'elle était rentrée, Lily se disait qu'elle aurait dû prendre une aspirine. Au lieu de cela, elle se prépara à essuyer les foudres de Mélisande.

Sur le chemin du retour, elle avait prié avec ferveur pour que l'expédition que ses deux amies devaient mener aux Beaux-Arts soit un succès, mais en apprenant qu'elles n'avaient trouvé aucune piste, la jeune fille s'était bien doutée que la conversation allait s'envenimer.

— Écoute, murmura Lily d'un ton las.

— Maëlle, elle, elle n'a pas eu le choix, la coupa Mélisande furieuse, mais toi, ne me dis pas que tes parents t'ont punie, je ne le croirai pas ! Tu as toujours de bonnes notes et les bêtises, tu ne connais pas !

Lily se demanda pourquoi ces dernières phrases sonnaient presque comme un reproche. En plus, ce n'était pas vraiment exact : en début d'année, elle s'était fait surprendre en flagrant délit d'escapade nocturne chez Maëlle.

La jeune fille ouvrit la bouche, sur le point de s'expliquer, mais la referma aussitôt. Elle était coincée. Elle ne pouvait ni ne voulait avouer à Mélisande les vraies raisons de sa défaillance. Elle n'avait pas osé avant, elle oserait encore moins maintenant : elle se trouvait si ridicule d'avoir pu imaginer que Florian pourrait s'intéresser à une fille comme elle.

Finalement, se sentant horriblement coupable, elle finit par dire :

— J'ai oublié, mais j'irai la semaine prochaine, je te le jure.

— Tu parles ! Laisse tomber, cracha Mélisande d'un ton méchant, on peut autant te faire confiance qu'à une planche pourrie !

Et elle coupa la communication.

Lily tint encore le récepteur dans sa main quelques instants, puis elle le laissa tomber sur la couette. Sa migraine venait d'empirer d'un coup, mais elle n'avait plus le courage d'aller chercher un cachet. Roulant sur le ventre, elle se mit son oreiller sur la tête, et se prit à rêver que cet abominable après-midi n'avait été qu'un affreux cauchemar.

18

Lundi 14 décembre, 14 h 00

Au lycée Balzac, le tournoi interclasses de hand-ball féminin qui clôturait traditionnellement les séances d'entraînement du premier trimestre était devenu, au fil des ans, une institution. Toutes les filles de seconde se devaient d'y participer, que cela leur plaise ou non, et, à moins d'avoir le certificat officiel d'un médecin pour vous en dispenser, il n'y avait pas moyen d'y échapper.

Chiara, dont la classe avait déjà investi un coin du gymnase, faisait partie de celles qui auraient préféré être ailleurs. Malgré sa grande taille (un plus non négligeable dans ce sport d'après l'experte Maëlle), elle avait horreur du hand. Ne se trouvant jamais à la place qu'il fallait, plus embarrassée qu'avantagée par ses longues jambes, elle avait souvent l'impression d'être aussi utile à son équipe qu'un poteau indicateur.

Mais ses pensées se détournèrent de ce calvaire imminent lorsque les élèves de seconde D firent leur entrée. Lily se tenait d'un côté du groupe et Mélisande se dirigeait ostensiblement dans la direction opposée. Chiara soupira. Les choses ne s'étaient visiblement pas arrangées entre elles. Elle trouvait cela désolant, alors qu'elle adorait les drames.

Désormais, il fallait choisir avec qui manger au réfectoire. Maëlle et elle jonglaient pour faire en sorte que ni Lily ni

Mélisande ne se sentent abandonnées. C'en était fini des bons moments à quatre, et tout ça pourquoi ? Pour les beaux yeux d'un garçon qui avait disparu dans la nature et qui aurait certainement bien ri en apprenant les remous qu'il avait bien involontairement provoqués !

Chiara se demandait laquelle des deux elle devrait saluer en premier pour ne vexer personne quand la classe de seconde B entra à son tour dans le gymnase. En voyant Maëlle se diriger vers Lily, la brunette se décida alors pour Mélisande.

Dès son entrée dans le gymnase, Maëlle pressentit qu'il allait se passer quelque chose de terrible. Déjà alertée dans les vestiaires par les gloussements de gallinacé de Sophie en réponse aux murmures de Wendy à son oreille, elle frémit malgré elle en découvrant sur le visage de cette dernière l'air sournois qu'elle affichait toujours quand elle préparait un mauvais coup. Relevant le menton, elle se prépara à faire face. De toute façon, depuis qu'elle avait craché son venin au réfectoire, Maëlle avait bien compris que cette dernière essaierait par tous les moyens de lui faire payer l'épisode du plateau renversé...

Elle se tenait prête à contre-attaquer quand elle vit l'horrible peste lui passer devant comme si elle n'existait pas et se diriger droit sur Lily. Perplexe, mais restant sur ses gardes, elle la regarda se planter juste devant son amie.

Wendy, consciente des regards qui convergeaient vers elle, rejeta d'un coup de tête ses cheveux raides en arrière et plaqua un sourire faussement innocent sur ses lèvres minces. Elle prit encore le temps de jauger des pieds à la tête la timide adolescente qui commençait à se sentir mal à l'aise avant de l'apostropher d'une voix doucereuse :

– Eh ! Mais dis-moi, tu ne vois pas que tu t'es trompée de tournoi ?

Médusée, la douce Lily continua à la fixer sans rien dire. La terrible blonde s'exclama alors avec une feinte naïveté :

— Ben oui ! Les tournois de sumo, ça se passe au Japon, pas à Balzac !

Maëlle eut un haut-le-cœur. Connaissant la sensibilité de son amie, elle mesura immédiatement l'impact destructeur de ces paroles mauvaises et stupides.

Cela lui fit mal. Bien plus mal en fait que n'importe quel mot mesquin ou assassin dirigé contre elle.

Au regard victorieux que Wendy lui envoya par-dessus son épaule, elle réalisa alors que c'était exactement le but poursuivi par son ennemie.

— Garce ! siffla-t-elle, les poings serrés.

L'injure déclencha le rire de Wendy.

Une colère fulgurante s'empara de Maëlle. Elle chercha en vain d'autres insultes à lui lancer au visage. Les mots lui manquaient.

Dans un coin de son champ de vision, elle vit Chiara se précipiter vers Lily. Cette dernière, tétanisée, était devenue livide.

Et le rire de Wendy, indécent, qui résonnait toujours.

Ce fut plus que Maëlle ne put en supporter. Emportée par une vague de rage qui lui fit tout oublier, elle se retrouva en quelques enjambées face à son ennemie jurée. Celle-ci rit encore, la défiant du regard.

Alors, du geste net et précis d'une lanceuse de disque, Maëlle lui administra une gifle magistrale.

Pendant un instant, le temps parut se figer dans le gymnase. Le rire de Wendy se tut au moment même où retentit le bruit sonore de la claque. Le premier choc passé, la fureur déforma les traits de la jeune fille. La main levée, elle s'apprêtait à retourner le coup lorsque, de l'autre bout du gymnase, l'un des professeurs d'EPS s'écria :

– Mlle Tadier ! Vous avez perdu la tête ? Dans le bureau du proviseur, immédiatement !

Suspendant son geste, Wendy arbora un sourire vainqueur.

– Pauvre fille ! murmura Maëlle avec mépris.

Et tournant les talons sans chercher à se justifier, elle sortit la tête haute.

Juste avant de refermer la porte du gymnase, elle aperçut Lily, toujours immobile. Elle avait baissé la tête et semblait s'être recroquevillée. Elle laissa échapper un soupir. Elle avait essayé de réparer les torts causés par ces petites phrases destructrices, mais le mal était fait.

Sa seule satisfaction : les cinq doigts de sa main qui se dessinaient en rouge carmin sur la joue pâle de l'odieuse Wendy.

19

Lundi 14 décembre, 19 h 27

Dans l'ascenseur qui la conduisait au troisième étage, Chiara ne put s'empêcher de se remémorer les terribles événements de cette journée. On se serait vraiment cru en pleine tragédie !

Maëlle, après son acte chevaleresque, s'était refusée à expliquer son geste au proviseur, de peur que Lily ne se sente davantage humiliée. Elle avait donc écopé de quatre heures de retenue, d'un avertissement et, pour couronner le tout, d'une convocation des parents. Quel joyeux Noël elle allait passer !

Ensuite, il avait fallu essayer de remonter le moral à Lily. Maëlle n'ayant pas pu rester après les cours et Mélisande ayant l'air aussi à l'aise qu'un éléphant dans un magasin de porcelaine, c'était elle, Chiara, qui avait fait de son mieux pour apaiser le chagrin de son amie. Elle n'était pas convaincue d'y être arrivée, même si Lily semblait aller un peu mieux lorsqu'elles s'étaient quittées en fin d'après-midi. Ah ! Dans le cas contraire, son amie, elle, aurait su y faire. Depuis qu'elles étaient petites, Lily trouvait toujours les mots qui consolent et réchauffent le cœur.

Introduisant la clé dans la serrure, la jeune fille remarqua qu'elle n'était pas verrouillée. Jetant un coup d'œil à sa montre, elle vit qu'il était près de dix-neuf heures trente.

Mince ! Son père allait être furieux !

Tâchant de se faire aussi discrète que possible, elle se glissa à l'intérieur de l'appartement. En entendant un bruit de voix qui provenait du bureau, elle s'immobilisa, surprise. Son père était au téléphone.

Ce devait être sa grand-mère, qui appelait pour discuter de l'organisation des fêtes de fin d'année... Elle avait la fâcheuse habitude de téléphoner au moment des repas.

Curieuse, elle s'approcha et se mit à écouter.

– Oui, oui, j'en suis conscient... Mais il faut être patient.

– ...

– Je sais, je sais, bientôt je te le promets.

Sentant soudain une présence dans son dos, son père se retourna brusquement et eut un sursaut en apercevant sa fille par la porte entrouverte.

– Il faut que je raccroche, dit-il alors précipitamment.

Et joignant le geste à la parole, il reposa aussitôt le combiné sur son socle.

– Depuis quand tu écoutes aux portes ? s'écria-il, en colère.

Surprise, Chiara balbutia :

– Je croyais que c'était Mamée...

Sans l'écouter, son père se dirigea vers la cuisine. Jetant un coup d'œil à l'horloge de la cuisine, il s'exclama :

– Où étais-tu passée ? Tu as vu l'heure qu'il est ?

– Lily avait un problème, répondit vaguement Chiara, j'ai dû rester pour lui filer un coup de main.

Au fur et à mesure que son père s'affairait à préparer le dîner, il paraissait moins tendu. Néanmoins, il la sermonna :

– Je n'aime pas te savoir seule dehors à des heures pareilles, c'est dangereux.

– Mais c'était pour une bonne cause, se défendit-elle.

Tout en ouvrant un bocal de sauce tomate qu'il avait placé sur la table, Chiara revint au sujet qui la préoccupait :

– Et si ce n'était pas Mamée, c'était qui ?

Le couteau que son père tenait pour éplucher l'oignon dérapa.

– Pardon ?

– Au téléphone, tout à l'heure, avec qui parlais-tu ?

– Oh ! un de mes collègues a appelé, il avait besoin d'un renseignement.

– Il travaille tard, non ?

– Tu sais, en fin d'année, avec les comptes à boucler, c'est parfois la course…

Chiara cessa de poser des questions. Son père mentait et, comme tous ceux qui n'en avaient pas l'habitude, il le faisait mal. Il était visiblement prêt à dire tout sauf la vérité et elle se demandait bien pourquoi. Elle ne se rappelait pas qu'un collègue de son père ait jamais appelé à la maison. Et le soir !

Après le repas qui se déroula dans un silence embarrassé, Chiara trouva refuge dans sa chambre. Depuis leur dispute au sujet du théâtre, les relations avec son père étaient tendues, mais ce coup de téléphone mystérieux faisait peser encore davantage le couvercle de plomb qui semblait s'être installé au-dessus de leurs têtes.

N'y tenant plus, elle alluma son portable et composa un numéro :

– Mélisande ? C'est moi !

Et Chiara raconta à son amie ce qui s'était passé.

– Tu comprends, il y a quelque chose de louche là-dessous, et je n'aime pas ça.

– Je pense que tu vois trop les choses en noir ! conclut Mélisande. Il faut dire que, avec la journée qu'on a eue, tu as des circonstances atténuantes… Mais je ne vois vraiment pas grand-chose d'inquiétant dans ce que tu me racontes ! Ton père a un petit secret, voilà tout… Peut-être même qu'il s'est trouvé une copine !

En entendant ça, Chiara faillit s'étouffer :

– Une copine ? Tu rigoles ! On voit bien que tu ne le connais pas ! Depuis que ma mère est morte, il n'a jamais regardé une autre femme. Elle était super belle, pas du tout comme moi d'ailleurs, et il en était fou amoureux.

– Les choses changent, tu sais, les parents ne sont pas toujours ceux qu'on croit… Et puis pourquoi dis-tu « Pas du tout comme moi », tu es très belle toi aussi !

Chiara se mit à rire. Donnant à sa voix rauque des accents aigus, elle s'exclama :

– Mais oui, bien sûr ! Mesdames et messieurs, votre attention s'il vous plaît, voici Chiara Palermo, la prochaine miss Monde ! Amateurs de grands tas d'os et de nez busqués, n'hésitez pas à voter ! Cela ne vous coûtera que trois euros plus le prix d'un SMS… Nous attendons vos appels !

Riant aussi, Mélisande s'écria :

– Tu es folle ! Et tu as vraiment besoin de lunettes ! Mais je ne dis plus rien, tant pis pour toi !

Reprenant son sérieux, Chiara poursuivit :

– À propos de mon père, je penche plutôt pour un problème d'argent. Tu sais, chez nous, on n'a jamais roulé sur l'or, mais, ces derniers temps, je trouve que mon père fait encore plus attention à chaque achat. Tiens, je me demande même si ce n'est pas pour ça qu'il ne veut pas que je prenne des cours de théâtre !

– Pff ! Alors là, je ne sais plus quoi te dire. Chez nous, quand on parle d'argent, c'est généralement pour évoquer le cours de la Bourse…

Les deux filles bavardèrent encore un peu avant de raccrocher. Chiara aurait aimé appeler Maëlle et Lily, mais elle se dit qu'elles avaient eu assez de soucis comme ça pour la journée.

Demain, quand elle les verrait, elle leur en parlerait. Elles avaient un avantage sur Mélisande : celui de mieux connaître son père, cela pourrait aider.

Mercredi 16 décembre, 15 h 00

Sans rien dire à personne et malgré la pluie froide et pénétrante qui tombait depuis deux jours sur Lyon, Lily monta dans un bus qui la conduisit vers la station de métro la plus proche. C'était le dernier mercredi avant les vacances de Noël et pour elle la dernière chance de tenir sa parole. Cette fois, il n'avait pas été question de demander à Maëlle de l'accompagner. La pauvre était consignée dans sa chambre pour un bon bout de temps ! En repensant à la gifle sonore que son impétueuse amie avait administrée à Wendy, la jeune fille ne put s'empêcher de sourire. Elle désapprouvait généralement toute forme de violence, mais elle était consciente qu'il fallait voir dans cette claque beaucoup plus que de la brutalité gratuite. Avant tout, c'était la manifestation de la profonde amitié que Maëlle lui portait. Avec son tempérament explosif, cette dernière avait réagi avec passion, cherchant avant toute chose à voler au secours de son amie.

Et comme d'habitude sans réfléchir aux conséquences.

Avec ses manières parfois brusques et dépourvues de tact, Chiara avait également fait de son mieux pour consoler son amie. Malgré le peu d'argent de poche dont elle disposait, elle l'avait forcée à venir boire quelque chose au café des Anges, insistant sur le fait que c'était à son tour d'offrir une tournée. Avec maladresse, son amie avait passé son bras autour de ses épaules et lui avait rappelé que personne ne s'était joint au rire méchant de Wendy, si ce n'était cette dinde de Sophie. Pour elle, c'était bien la preuve que tout le monde l'aimait et avait été choqué par la méchanceté des deux complices.

Quant à Mélisande, qui les avait quand même accompagnées dans leur café préféré, elle avait traité Wendy de tous les noms d'oiseaux de sa connaissance et Lily s'était bien rendu compte qu'elle avait fait de gros efforts pour être plus gentille sur le moment. Néanmoins, les jours suivants, la gêne persistante qui s'était installée entre elles depuis leur dispute était revenue et Lily comptait bien sur cette sortie pour dissiper ces nuages noirs qui gâchaient leur amitié.

Une fois qu'elle fut assise dans le métro, elle sortit de la poche de son manteau la petite liste qu'elle avait préparée. Trois écoles de musique et de danse étaient situées dans les parages de la MDM, mais, ne voulant laisser aucune piste de côté, elle avait noté l'adresse de deux autres encore, bien que plus éloignées.

Arrivée à destination, Lily prit les escalators puis, une fois dehors, ouvrit son parapluie pour se protéger des trombes d'eau qui s'étaient remises à tomber. Évitant les flaques et les bords des trottoirs à cause des voitures qui projetaient des gerbes d'eau, elle arriva devant la porte de Fa-Si-La Jouer, la première école de sa liste. Prenant son courage à deux mains et muselant sa timidité, elle gravit les quelques marches qui la séparaient de l'entrée.

20

Mercredi 16 décembre, 17 h 15

Assise à son grand bureau blanc placé devant la fenêtre de sa chambre, Mélisande, tête penchée, était très affairée à la réalisation du dernier bijou de sa création. Il s'agissait d'un pendentif en forme de cœur au centre duquel elle entrelaçait, à l'aide d'une petite pince, un fil de laiton sur lequel elle avait minutieusement enfilé des perles rouge sang. Elles imitaient les rubis à la perfection et, l'ouvrage une fois terminé, formeraient la lettre « L ».

— Wahou ! C'est chouette !

Surprise, Mélisande laissa échapper sa pince.

— Combien de fois t'ai-je dit de ne pas me faire peur comme ça quand je travaille ? s'exclama-t-elle, agacée, à l'adresse de Pauline.

— Ce n'est pas ma faute, se défendit cette dernière, si les tapis étouffent le bruit des pas. Tu ne veux quand même pas que je m'annonce en jouant du clairon ?

— Non, mais tu pourrais frapper comme tout le monde !

Sans tenir compte de la remarque, sa sœur demanda d'un ton suppliant :

— Dis, tu m'en feras un ?

— On verra, répondit Mélisande. Il faudrait d'abord que tu me laisses finir celui-ci !

Pauline allait revenir à la charge quand à cet instant précis l'interphone sonna.

– J'y vais ! s'écria-t-elle en bondissant.

Quelques minutes plus tard, elle revint et frappa de toutes ses forces contre la porte de la chambre de sa sœur.

Sursautant à nouveau, Mélisande s'écria :

– Tu es dingue ?

– Oh ! Faudrait savoir ce que tu veux… Au fait, si ça t'intéresse, il y a quelqu'un pour toi. Mais t'inquiète, je lui ai dit que tu étais occupée !

– Quoi ?

Furieuse, Mélisande se redressa. Il était très rare qu'elle reçoive des visites et voilà que cette idiote de Pauline se permettait de…

– C'est une blague ! se récria alors sa sœur devant son aînée sur le point de lui sauter à la gorge. Mais j'en ai assez que tu ne me parles plus !

Elle haussa les épaules.

– Tu n'es plus comme avant, ce n'est vraiment pas drôle…

Sans écouter ses récriminations, Mélisande interrogea sèchement :

– C'est qui ?

– Je n'ai pas bien compris, l'interphone grésille depuis que je l'ai laissé tomber contre le mur. Il me semble que c'était « Li » quelque chose, enfin tu verras bien, finit-elle.

Mais elle parlait dans le vide, sa sœur s'étant déjà précipitée dans le couloir.

« Li » ? Non, cela ne pouvait pas… Et s'il l'avait cherchée lui aussi ?… Après tout… Mais non, elle était folle, cela n'était pas possible !

Ouvrant la porte à toute volée avant même que la sonnerie ne retentisse, elle se retrouva face à une Lily dégoulinante de pluie.

La main en l'air, prête à appuyer sur le timbre, celle-ci dévisagea son amie, étonnée.

— Ah, c'est toi… finit par dire Mélisande, horriblement déçue.

Lily rougit. Elle devait ressembler à un vilain chat mouillé.

— J'ai perdu mon parapluie, murmura Lily avec timidité.

— Et tu pensais le retrouver ici ? répliqua Mélisande d'une voix hautaine.

— Non, non, bien sûr, je passais juste pour te dire…

La voyant frissonner, Mélisande eut un remords et l'interrompit :

— Entre, il fait froid sur le palier.

Lily jeta un rapide coup d'œil par-dessus l'épaule de la jeune fille. Même d'où elle se tenait, l'appartement paraissait immense. Quelques marches menaient au salon où des canapés de cuir ivoire se faisaient face, séparés par une table en verre aux pieds de pierre sculptée. À travers les baies vitrées, Lily pouvait apercevoir la ville illuminée.

Sentant ses cheveux goutter sur ses épaules, elle répondit :

— Non, ça va, je ne veux pas te déranger… Je passais dans le coin et je voulais juste que tu saches que je suis allée dans toutes les écoles de danse ou de musique qui sont près de la MDM.

Une lueur d'intérêt s'alluma dans les yeux de Mélisande :

— Et alors ?

— Et alors rien ! Je suis désolée, il n'est inscrit nulle part.

La lueur d'intérêt s'éteignit aussitôt et Mélisande fit une moue :

— Mouais, toute façon, maintenant, c'est un peu tard. Les experts ne mènent pas l'enquête deux mois après le crime.

Lily allait répondre quand une voix impertinente venant de l'intérieur commenta :

— Mais dans *Cold Case*, si !

– La ferme, Pauline ! cria sa sœur en tournant la tête. Occupe-toi de tes oignons, tu veux !

Quand elle pivota de nouveau vers Lily pour s'adresser à elle, les mots qu'elle s'apprêtait à prononcer moururent sur ses lèvres.

En face d'elle, le couloir était désert.

Vendredi 18 décembre, 16 h 25

– Alors tu es sûre, tu ne pourras pas venir ? Tu ne pourrais pas essayer de négocier un peu ? Ce sera le réveillon du nouvel an quand même !

– Laisse tomber, Farouk ! Même si l'Otan s'y mettait, mon père ne faiblirait pas !

Maëlle compta sur ses doigts en énumérant :

– Dans l'ordre, je suis privée : d'entraînement, de sortie, de portable, de télé et d'ordinateur. À part le couvent, je ne vois pas grand-chose de pire… Mes parents sont furieux et ce n'est vraiment pas le moment de demander l'autorisation d'aller fêter la fin de l'année !

De toute façon, après la dernière entrevue qu'elle avait eue avec son père, elle n'aurait pas eu le cran d'aller lui demander une telle chose. Pour la première fois, elle avait lu de la déception dans son regard.

Et cela lui avait fait un choc.

Ils n'en étaient pourtant pas à leur baptême du feu en matière de conflits. Avec leurs caractères volcaniques, les affrontements avaient été nombreux. La colère, l'énervement, elle avait l'habitude, et elle-même, contrairement à sa mère qui préférait rester en retrait, n'hésitait pas à tenir tête au colonel. Mais quand elle avait vu le regard que son père lui avait lancé chez le proviseur, elle avait eu honte. Pour un homme comme lui, cette convocation avait été terriblement humiliante. Elle avait failli tout expliquer, mais sa fierté l'avait retenue. Après tout, il la connaissait. Il aurait dû comprendre qu'elle n'avait pas giflé Wendy sans raison valable.

– C'est dommage ! On va faire une teuf d'enfer, il y aura presque tout le club d'athlé !

– C'est bon, Farouk ! Pas la peine de remuer le couteau dans la plaie…

– OK, c'est vrai que j'insiste un peu sur ce coup, mais c'est parce que tu nous manques trop ! L'autre jour, Philippe était désespéré : la meilleure des filles est arrivée onzième au cross des Papillotes. Heureusement, Maxime a sauvé l'honneur du club. Il est arrivé premier et il a encore battu un record de vitesse !

Maëlle baissa les yeux et haussa les épaules sans répondre. Bien qu'elle ne doutât pas de ses bonnes intentions, elle aurait donné cher pour que Farouk se taise enfin !

Quand la sonnerie de dix-sept heures retentit ce vendredi soir-là, Chiara sentit une joie profonde l'envahir.

Les vacances, enfin ! Que le temps lui avait paru long !

Elle rangea toutes ses affaires dans son sac avec précipitation et fut la première à passer la porte de la classe. Elle n'avait pas de temps à perdre si elle voulait attraper le TGV de dix-huit heures cinquante-six.

Elle avait déjà souhaité de bonnes vacances à ses amies… même si les leurs se présentaient mal.

Alors qu'elle courait vers l'arrêt de bus, elle faillit déraper sur une plaque de verglas et pesta contre le froid qui s'était brutalement installé dans la ville. Au moins, en Provence, le temps serait plus clément. Ses origines méridionales la poussaient à préférer en toute saison le climat méditerranéen. Et puis, pour être sincère, elle attendait cette pause loin de tous ses soucis comme une bouffée d'oxygène. Elle n'avait toujours pas identifié le mystérieux correspondant téléphonique de son père et, bien que ses amies se soient toutes entendues pour dire qu'elle dramatisait trop, elle restait convaincue qu'il y avait là un mystère qui méritait qu'on s'y attarde.

Grâce à son sprint, elle arriva juste à temps pour monter dans le bus qui partait. Seule lycéenne à avoir réussi cet exploit, elle décida que c'était un heureux présage : ses vacances seraient réussies ! Trouvant par miracle une place assise, elle se laissa tomber sur le siège vert pomme.

Depuis la Fête des lumières, Lyon était parée de décorations et d'illuminations, mais à voir déambuler dans les rues des gens pressés, aux bras chargés de paquets, on sentait désormais l'imminence des fêtes de fin d'année. Malgré l'absence de sa mère, particulièrement douloureuse en cette période, Chiara aimait beaucoup Noël.

Depuis toujours sa grand-mère avait veillé à ce que les choses se fassent dans le plus grand respect de la tradition provençale. La messe de minuit et la crèche vivante faisaient bien sûr partie du lot et elle se rappelait avec précision de son émerveillement quand, enfant, ses grands-parents l'emmenaient contempler cette commémoration pittoresque de la nativité. Mamée cherchait toujours alors à lui faire admirer le nouveau-né tout en lui racontant l'histoire de la sainte naissance. Mais ce qu'elle préférait, sans jamais oser le lui avouer, c'étaient les paisibles moutons dociles et tranquilles auprès de leur berger pendant toute la messe.

Cela ne l'empêchait pas de trouver l'office toujours trop long, car ses pensées se tournaient vite vers le délicieux repas que l'on dégusterait en rentrant, et elle attendait avec une impatience toujours grandissante l'arrivée des traditionnels treize desserts provençaux.

S'adossant au siège, Chiara poussa un soupir de satisfaction et de frustration mêlées : tous ces souvenirs lui avaient donné faim. Heureusement, plus que quelques heures et elle replongerait avec délice dans le chaleureux cocon tissé par l'affection de ses grands-parents.

Et sans aucun doute, il y aurait de bonnes choses à grignoter…

VACANCES DE NOËL

21

Lundi 21 décembre, 11 h 02

— Maëlle, une lettre pour toi !

La jeune fille releva le nez qu'elle tenait jusqu'alors plongé dans une version commentée du *Cid*.

Une lettre ? Pour elle ? Voilà qui était surprenant ! Qui donc pouvait bien lui écrire ?

Ce devait être Joan, son ancienne correspondante anglaise qui lui envoyait son habituelle carte de vœux. Rien de très passionnant.

Elle n'en fit pas moins voltiger le rébarbatif petit recueil avec un plaisir non dissimulé et bondit de sa chaise.

En bas des escaliers, sa mère lui tendit une belle enveloppe rouge vif. Sa première surprise fut d'y découvrir, collé dans l'angle en haut à droite, un timbre français. La seconde, d'y lire en toutes lettres son nom tracé par une main inconnue.

Cette fois, l'intérêt de Maëlle devint réel.

Sans faire de commentaire, elle opéra un demi-tour rapide et regagna sa chambre.

D'un coup de pied habile, elle referma la porte et se jeta à plat ventre sur le couvre-lit aux couleurs vives. Pendant quelques secondes, elle fit tourner l'enveloppe entre ses doigts à la recherche d'un indice quelconque. Mais elle ne vit nulle part mention du nom de son mystérieux correspondant et,

153

hormis le fait que le courrier avait été expédié de Lyon, elle ne put rien en tirer.

– Triple zut ! ronchonna-t-elle, Sherlock Holmes, lui, aurait déjà trouvé la pointure et l'âge de l'expéditeur…

Abandonnant là ses velléités d'enquête, elle décacheta l'enveloppe d'un geste vif.

À l'intérieur, elle y trouva une carte sur laquelle le père Noël, entouré de cadeaux, se retrouvait assis sur les fesses après un atterrissage un peu brutal dans le foyer d'une cheminée. À ses pieds, on pouvait lire en caractère gras : « Joyeux Noël quand même ! »

Cela fit naître un fugitif sourire sur le visage de Maëlle, mais dévorée par la curiosité, elle ne s'attarda pas sur l'image. Impatiemment, elle ouvrit la carte et découvrit les quelques mots qui y avaient été écrits d'une main ferme :

« Pour les gaffes, il paraît que tu n'as rien à lui envier. Pour les cadeaux, laisse donc faire le père Noël ! »

Et c'était signé : « Maxime. »

Juste en dessous, en tout petit, il avait encore écrit : « Tu nous manques. »

Maëlle resta un long moment immobile, ce qui ne lui était pas du tout habituel, à lire et relire ces courtes phrases.

Enfin elle referma la carte. Au dos de celle-ci, elle vit alors, inscrit en tout petit, ce qu'elle avait espéré y trouver :

« Maxime Trémazan, 25 allée des Marronniers, 69320 Ponieux ».

Dans sa position de lecture favorite, assise sur son pouf, les genoux ramenés contre elle, Lily était plongée dans son livre préféré du moment, *Autant en emporte le vent*, et s'extasiait à chaque page devant la force, le courage et la beauté de la jeune Scarlett O'Hara. En entendant frapper à sa porte, elle répondit d'une voix distraite. Le battant s'ouvrit doucement et par l'entrebâillement apparut le visage de sa mère.

– Hello, ma chérie. Dis-moi, pour Noël, est-ce que cela te dirait de m'aider à préparer des truffes au chocolat pour tout le monde ?

Lily la regarda un instant sans rien dire. Puis, inexplicablement, comme si une dernière digue venait de craquer, elle sentit une larme couler sur sa joue, bientôt suivie d'une autre, et d'une autre encore.

– Oh ! fit sa mère, que se passe-t-il, mon ange ?

Traversant la pièce, elle vint s'asseoir à côté de sa fille et lui passa le bras autour des épaules. Lily laissa sa tête rouler dans le creux de son épaule et continua à pleurer.

Elle s'en voulait, mais elle ne pouvait plus s'arrêter. Elle n'avait pas pleuré quand Florian avait en quelques secondes réduit ses espoirs à néant. Elle n'avait pas pleuré non plus quand Wendy l'avait humiliée devant tout le monde. Et pas davantage quand Mélisande l'avait traitée de planche pourrie. Or voilà que, pour une bête histoire de truffes au chocolat, elle se transformait en fontaine.

Sa mère ne lui posa pas de questions, se contentant de répéter par instants :

– Ma petite chérie…

Lily aurait voulu parcourir le temps en sens inverse, revenir à des moments où la vie était simple et où préparer des truffes au chocolat était synonyme de plaisir et non de torture.

Soudain, elle murmura, comme on avoue un secret honteux :

– Je n'en peux plus de ressembler à un boudin.

Puis, comme si ce premier aveu en libérait d'autres, elle dit un peu plus fort :

– Je suis trop « tout » ! Trop grosse, trop petite, trop moche !

— Eh bien ! fit sa mère.

— Même Hugo dit que je suis une erreur génétique, ajouta Lily en pleurs. Vous êtes tous grands, je suis la seule à ne pas dépasser le mètre soixante ! Ce n'est vraiment pas juste...

Mme Berry leva les yeux au ciel en soupirant :

— Ton frère dit de ces idioties, parfois ! Tu ne vas quand même pas t'arrêter à ça ? Mais tu as raison, la vie n'est pas juste. Tiens, regarde-toi : tu es intelligente, tu fais des études brillantes et tu as des parents qui t'aiment. Beaucoup de gens trouveraient ça franchement injuste...

Lily eut une moue dubitative. Même si sa mère n'avait peut-être pas complètement tort, elle ne voyait pas ce qu'il y avait d'enviable à être comparée à un lutteur de sumo.

— Tu ne comprends pas, moi, je voudrais ressembler à quelqu'un d'autre...

— Quelqu'un comme Mélisande, par exemple ?

Devant le regard surpris de sa fille, Mme Berry sourit.

— Oh ! tu sais, j'ai bien remarqué que tu l'admires beaucoup, et il est vrai qu'elle est très jolie... même si elle ne m'a pas paru si heureuse que ça lorsque je l'ai rencontrée, ajouta-t-elle un peu plus bas.

Puis, après une courte pause, elle reprit :

— Vois-tu, je crois qu'une des choses les plus fantastiques au monde est que nous sommes tous différents, tous uniques en notre genre. Si tu devenais une seconde Mélisande, que deviendrait la fille formidable qu'est Lily ? Tous ces dons que tu as déjà et ceux que tu ne soupçonnes peut-être même pas encore, mais qui un jour se révéleront ? Tu as une personnalité tellement riche, tellement précieuse ! Tu es unique !

Lily écoutait sans rien dire.

Mme Berry serra la main de sa fille et, consciente qu'il en

faudrait plus pour lui remonter le moral, poursuivit d'un ton faussement fâché :

— Et pour en revenir au début de notre conversation, je ne vais certainement pas te laisser dire que ma fille est moche !

Puis avec un doux sourire, elle ajouta :

— Tu es tellement jolie, Lily. Et tes cheveux ! Ils sont magnifiques ! As-tu seulement idée des milliers de femmes qui rêveraient d'avoir des boucles semblables aux tiennes ? Des fortunes qu'elles dépensent pour les obtenir ? Je suis même prête à parier qu'il n'existe pas une seule permanente qui fasse de boucles aussi souples et aussi serrées !

— Ça, j'en suis bien sûre, maugréa Lily d'un ton boudeur.

Sans tenir compte de son intervention, sa mère lui tendit la main, la fit lever et se plaça face à elle.

— Quant à tes yeux... Bon, j'admets, pour l'instant ils sont plutôt rouges, concéda-t-elle avec une mimique comique qui parvint à arracher un demi-sourire à sa fille, mais en temps normal ils sont...

— Marron, yeux de cochon, la coupa Lily avec un mouvement d'épaules fataliste.

Sa mère soupira bruyamment :

— Pourquoi faut-il donc que l'adolescence vous rendent aveugles ?

Puis elle déclara avec fermeté :

— Regarde-toi quand tu auras séché tes larmes. Tu as des yeux noisette tout pailletés d'or et, quand tu es émue, ils sont presque verts !

Prenant le visage de Lily entre ses mains, elle plongea son regard dans le sien :

— Quelle importance si tu ne ressembles pas aux filles posant dans les magazines ? Tu es naturelle, pleine de charme, drôle... Et je te fais grâce de mon chapitre habituel sur la

157

beauté intérieure bien que je sois persuadée que c'est une des choses les plus importantes chez…

— Maman, coupa Lily avec une note de reproche dans la voix, tu viens de dire…

Mme Berry eut un rire léger et lui fit un clin d'œil :

— OK, OK ! Mais tu ne m'empêcheras pas de le penser !

Lily eut un pauvre sourire avant de déclarer :

— De toute façon, même si ce que tu dis est vrai, tout est gâché par ça !

Tout en prononçant ces mots, Lily s'était dégagée et pinçait avec amertume un bourrelet disgracieux au niveau de sa taille.

— Et ne me dis pas que ce n'est pas vrai, insista-t-elle sur un air de défi, parce qu'on se moque de moi au lycée !

Pensive, sa mère admit :

— C'est vrai, tu es un peu ronde. Il n'y a pas de quoi en faire un drame, mais je me doute que c'est suffisant pour que certaines mauvaises langues s'en donnent à cœur joie. Ce qui m'étonne et m'inquiète le plus dans tout ça, c'est que tu ne manges presque rien…

Lily ne répondit pas et elle détourna le regard. Elle fit quelques pas en direction de la fenêtre, puis, quand le silence devint pesant, elle commença à parler :

— En fait, je mange quelques trucs entre les repas… Des gâteaux, des chips parfois, du chocolat… N'importe quoi pourvu que ce soit gras ou sucré ! C'est bizarre, quand je suis avec des copines, je m'interdis d'avaler la moindre chose devant elles… mais quand je suis toute seule, j'ai faim et je craque. C'est comme si ce que je mangeais quand on ne me voyait pas n'existait pas vraiment, comme si ça ne me faisait pas grossir…

Sa mère resta un instant sans rien dire, préoccupée. Au bout de quelques minutes, elle proposa :

— Écoute, si tu es d'accord, je te propose qu'on essaie

ensemble de remettre un peu d'ordre dans tout ça. Je sais que ce n'est pas facile… Je suis passée par là, moi aussi !

— Toi ? Mais tu es toute mince !

— Maintenant, acquiesça sa mère en riant, mais quand j'ai rencontré ton père, je faisais dix kilos de plus !

Sidérée, Lily regarda sa mère d'un œil nouveau.

— Mais comment as-tu fait pour maigrir ?

— Je suis allée voir une diététicienne qui m'a aidée à mieux équilibrer mes repas, mais surtout, je suivais ton père ! Tu sais comme il est, toujours débordant d'énergie alors, entre deux concerts, on faisait de longues balades à pied ou à vélo. Et j'ai perdu tous mes kilos superflus.

— Wahou ! soupira Lily, si seulement il pouvait m'arriver la même chose !

— On peut profiter des vacances pour commencer à changer quelques mauvaises habitudes…

Lily hocha lentement la tête, une lueur d'espoir au fond des yeux.

S'approchant d'elle, sa mère passa alors son bras sous le sien et s'exclama d'un ton léger :

— Bien. Alors, cette fois, tu viens ?

— Faire des truffes au chocolat ?

— Non, corrigea Mme Berry en riant, je pense qu'on va plutôt s'orienter vers une salade de fruits. J'ai justement acheté des mangues et de l'ananas frais !

— Génial ! s'exclama Lily, j'adore ça !

Mardi 22 décembre, 11 h 06

— Maëlle, encore une lettre pour toi !

Dévorée par la curiosité, la jeune fille descendit les escaliers à la vitesse de l'éclair. Elle avait envoyé hier après-midi un

159

petit mot à Maxime. Il le recevrait peut-être aujourd'hui, donc cela ne pouvait pas déjà être sa réponse !

Cette fois, l'enveloppe était vert sapin. Mais du premier coup d'œil, elle reconnut l'écriture dynamique de l'expéditeur. Deux cartes en deux jours, wahou !

Elle grommela un vague merci et remonta aussi vite qu'elle était descendue, laissant derrière elle sa mère, légèrement perplexe.

Cette fois-ci, plus question de jouer au détective. D'un geste sec, elle déchira l'enveloppe et en extirpa une nouvelle carte.

Sur celle-ci, un gros berger allemand et un somptueux chat angora dormaient côte à côte sous un sapin décoré de mille guirlandes. Sous la photo on pouvait lire : « Paix sur la Terre aux hommes de bonne volonté. »

À l'intérieur, Maxime avait écrit :

« Tu vois, à Noël, même eux arrivent à faire la paix ! »

Maëlle rit de bon cœur et se sentit envahie d'un sentiment nouveau, agréable, aussi léger et pétillant qu'une bulle de champagne.

Repoussant du revers de la main les livres et les cahiers qui envahissaient le dessus de son bureau, elle sortit son bloc de papier à lettres. C'était un vieux cadeau de sa marraine qu'elle avait trouvé sur le moment complètement décalé. À l'ère des téléphones mobiles et des ordinateurs, à quoi donc cela pouvait-il bien servir ? Dire qu'elle commençait maintenant à se demander si elle aurait assez de feuillets pour tenir jusqu'à sa prochaine sortie !

Son petit doigt lui soufflait en effet que cette deuxième carte ne serait certainement pas la dernière…

Dans les jours qui suivirent leur conversation, Lily et sa mère passèrent beaucoup de temps ensemble. Il y eut les courses de dernière minute à faire, les cadeaux à emballer, et, quand le temps fut clément, elles partirent en balade avec Saxo, le labrador de la famille, dans le petit bois qui jouxtait le lotissement.

Noël se passa, comme toutes les années impaires, sous le signe de la musique. Les années paires, la famille de Lily partait en Ardèche, chez ses grands-parents maternels. Mais le Noël suivant, c'était chez eux que ses parents recevaient la famille, du côté paternel. Depuis la disparition de Mamivonne, celle-ci se résumait à son grand-père Marcel, son oncle Paul, sa tante Christine et leurs jumeaux, Gabin et Emmanuel. Ces derniers avaient l'âge d'Hugo et, mis à part le traditionnel morceau de musique que tous les cousins préparaient ensemble pour l'occasion, ils ne présentaient guère d'intérêt aux yeux de Lily. La journée fut pourtant un succès : elle profita sans remords du repas, à la fois gastronomique et diététique, et découvrit parmi ses cadeaux le mp3 de ses rêves.

Quelques jours plus tard, elle en vantait justement les mérites à son père, un peu dépassé par cette technologie dernier cri, lorsque Thomas arriva en trombe dans le salon :

— Dis, Maman, tu te souviens que je joue au Blue Note ce soir avec mon groupe ! Je n'aurai pas le temps de manger avec vous. Je vais aller me préparer un sandwich !

Lily s'exclama :

— Au Blue Note ? Oh ! tu as trop de chance, j'adore cet endroit !

Le Blue Note était un petit club de jazz situé sur les quais du Rhône. Avec son décor des années vingt, c'était un endroit très prisé des amateurs du genre. Lily s'y était déjà rendue une fois lorsque ses parents et elle étaient allés écouter la toute première prestation du Louis' Band, le groupe formé par Thomas et ses amis.

Et elle avait adoré.

Son frère posa son regard sur elle et dit soudain :

– Ça te dirait de venir ?

Lily faillit en laisser tomber son précieux lecteur et ouvrit de grands yeux.

– Si ça me dirait ? Tu as de ces questions !

– Alors affaire conclue, si les parents sont d'accord, bien sûr. Mais dépêche, on décolle dans un quart d'heure !

L'accord parental ayant été obtenu avec facilité, Lily bondit du canapé pour sauter au cou de son frère. Thomas était comme ça : parfois exaspérant avec sa tendance à vouloir toujours donner des leçons, et parfois absolument génial quand il se décidait, comme ce soir, à jouer le grand frère généreux.

– Et moi ? Je peux venir aussi ? quémanda Hugo, jaillissant de nulle part.

– Ah non ! Un môme à la fois, ça me suffit ! trancha Thomas.

Et malgré les récriminations d'Hugo, Thomas resta intraitable. Lily était aux anges. Quelle classe ! Elle allait passer la soirée dans le plus branché des clubs de jazz et, qui plus est, escortée par les quatre beaux garçons qui y tiendraient ce soir-là la vedette !

22

Mercredi 30 décembre, 18 h 30

Les murs du Blue Note étaient tendus d'un velours riche et noir comme la nuit, mais les tables, chaises et autres meubles se déclinaient, comme en écho au nom du club, dans un chatoyant camaïeu de bleu. Les lumières tamisées achevaient de créer une ambiance détendue et confortable, teintée d'un brin de nostalgie.

Malgré ce décor propice à la décontraction, Lily était inquiète. Assise à une petite table ronde à l'extrême droite de la scène en demi-lune, elle ne pouvait s'empêcher d'être affectée par la tension communicative de son frère. Alex, le pianiste, déjà assis sur son tabouret, égrenait quelques notes les yeux dans le vague et, perdu dans son monde à lui, il ne semblait pas se soucier de l'absence des deux autres musiciens du groupe. Thomas, en revanche, le portable collé à l'oreille, essayait de joindre Dan, le contrebassiste, tout en arpentant la salle encore déserte. N'arrivant pas à obtenir la communication, il pesta et composa nerveusement le numéro de Benjamin, le batteur, qui était aussi en retard.

Avec un grognement de frustration, il referma son téléphone.

— Mais qu'est-ce qu'ils font ? On devrait déjà être en train de répéter et je tombe à chaque fois sur leur messagerie !

À cet instant, les lourdes portes noires à double battant de

163

l'entrée s'ouvrirent dans un bruissement assourdi par les tentures et la voix de Dan résonna dans la pénombre :

– Désolé, les gars, Benjamin a eu un problème. Il s'est coincé les doigts dans un tiroir juste avant de venir et il est bien incapable de tenir une baguette ce soir.

Son énorme instrument sur le dos, il avançait précautionneusement dans le couloir étroit qui séparait les tables.

– Heureusement, continua-t-il, quand il m'a prévenu, j'ai tout de suite pensé à un gars de ma classe qui joue comme un dieu !

Arrivé devant l'estrade, il se retourna et désigna un grand jeune homme brun.

« Wahou ! pensa Lily, il est canon ! »

Souriant, celui-ci tendit la main et, avec un charmant accent étranger, se présenta :

– Bonjour, je m'appelle Lisandro Cortès. Si je peux vous aider, j'en serai ravi. En Espagne, je joue aussi dans un quartet.

Les autres membres du groupe l'accueillirent chaleureusement. Sans tarder davantage, Thomas leur donna les dernières consignes et la répétition commença.

Dans la précipitation, nul n'avait songé à présenter Lily au nouveau venu, mais elle ne l'en dévorait pas moins des yeux. Non qu'il l'intéressât pour son propre compte ! En effet, il n'était pas trop son style. Elle le trouvait trop vieux, trop « viril »… On devinait même par le col de sa chemise blanche entrouverte une toison de poils sombres qui recouvrait sa poitrine !

Mais bon, il aurait fallu avoir le cerveau vraiment ramolli pour ne pas faire le rapprochement qui s'imposait. Dire qu'elle avait passé des heures à rechercher en vain un Lisandro qui fasse de la danse ou de la musique et que, ce soir, on lui en servait un sur un plateau !

« Ne t'emballe pas ma fille, se dit-elle pourtant, il y a quand même un truc qui ne colle pas. »

Effectivement, si ses souvenirs étaient exacts, Dan suivait des études d'ingénieur. Ce qui n'avait rien à voir avec les Beaux-Arts. Or, il avait dit que le batteur était dans sa classe…

Lisandro aurait-il menti à Mélisande ? Mais pourquoi aurait-il fait une chose pareille ? Certes, de son côté la jeune fille avait prétendu être en fac de sciences, mais cela n'avait été que pour être prise au sérieux et ne pas risquer de passer pour une gamine aux yeux de Lisandro.

Pendant toute la soirée, la question resta en suspens, ce qui n'empêcha pas l'adolescente de profiter à fond du concert.

Au départ, il y eut quelques ratés, les garçons n'ayant pas l'habitude de jouer ensemble mais, après quelques calages, comme s'il les connaissait depuis toujours, Lisandro s'était adapté avec brio au jeu des trois autres musiciens du Louis' Band.

Thomas, qui hésitait au début à se lancer dans les improvisations folles dont il avait le secret, retrouva sa confiance au fur et à mesure que la soirée avançait, et il poussa son saxophone dans l'exploration d'un univers musical riche et osé, cherchant, sans jamais vraiment l'atteindre, la *blue note*[1] tant convoitée par les musiciens de jazz.

Lorsque le club ferma ses portes, la nuit était bien avancée. Les musiciens s'étaient retirés dans les coulisses sous les applaudissements enthousiastes d'un public connaisseur. N'osant les rejoindre, Lily attendit son frère dans la salle.

---

1. La note parfaite, mythique chez les musiciens de jazz et de blues.

Quand il vint la chercher quelques minutes plus tard, il transpirait encore. Le jazz, c'était à la fois de l'art et du sport...

– Alors, tu as aimé ?

– C'était génial ! Et votre interprétation de « Summertime » absolument sublime. Merci mille fois encore de m'avoir emmenée !

– Super, c'est cool que ça t'ait plu. Nous, on va aller finir la soirée chez Alex, donc, je dois te ramener maintenant ! Au dodo les petites filles !

– Eh ! J'ai quinze ans ! Ça fait longtemps que je ne suis plus une petite fille !

Thomas se mit à rire :

– Quinze ans ? C'est bien ce que je dis, tu es une gamine !

En entendant ces paroles, Lily comprit pourquoi Mélisande avait tant voulu se faire passer pour plus âgée qu'elle n'était. Heureusement qu'avec son physique le mensonge était plus que crédible.

Bien qu'exaspérée par son frère, Lily n'insista pas. Elle n'allait pas se disputer avec Thomas maintenant. Malgré ses défauts, elle lui était trop reconnaissante. Et puis, elle avait encore besoin de lui soutirer quelques informations !

Dans la voiture qui les ramenait à la maison, Lily demanda, mine de rien :

– C'est vrai qu'il fait les Beaux-Arts, Dan ?

Thomas éclata de rire.

– Où es-tu allée pêcher ça ? Dan, les Beaux-Arts ? Dans la section « Horreur et chair de poule » alors ! Un gamin de cinq ans dessine mieux que lui !

– Ah bon, j'ai dû me tromper !

– Un peu, oui ! Il est à l'Ecam.

– Les cames ?

– L'École catholique des arts et métiers, expliqua Thomas,

166

mais ça n'a rien à voir avec les Beaux-Arts, c'est une école d'ingénieurs !

— Ah ! fit Lily.

Elle n'ajouta rien de plus, mais un grand sourire s'étirait sur ses lèvres.

Jeudi 31 décembre, 20 h 00

Debout devant son miroir, Maëlle observait son reflet sans vraiment le voir. Elle portait une superbe tunique aux couleurs chatoyantes resserrée sous la poitrine avec des leggings noirs semi-opaques. Elle avait passé beaucoup de temps à remonter ses cheveux à l'aide d'une multitude de petites barrettes et avait trouvé, au moment de sa confection, cette coiffure plutôt réussie.

Cette tenue très tendance était un cadeau de sa cousine et lui allait magnifiquement bien. Les leggings mettaient en valeur la finesse de ses jambes et la tunique le bleu clair de ses yeux. Bleu qui, à cet instant précis, prenait cependant toutes les nuances d'un océan un soir de tempête.

Avec un cri de rage impuissante, elle tourna le dos au miroir et alla se poster devant la fenêtre. Dans le halo des réverbères, le givre qui recouvrait le moindre relief scintillait doucement depuis que l'obscurité avait pris possession de la rue. Les maisons des alentours arboraient encore leurs décorations de Noël et cette dernière nuit de l'année aurait eu toutes les conditions requises pour devenir une nuit magique si seulement...

De frustration et de fureur mêlées, Maëlle serra les poings.

Dire que cela aurait pu être la plus belle soirée de sa vie !

Elle n'avait pourtant jamais eu un cœur de midinette. Aux

contes de fées, elle avait toujours préféré les romans d'aventures. Ce soir cependant, elle s'était presque sentie l'âme d'une Cendrillon…

Quelques jours auparavant, lorsque la famille était rentrée après Noël d'un court séjour chez son oncle et sa tante, Maëlle avait exulté en découvrant dans la boîte aux lettres trois nouvelles cartes. La correspondance avait donc continué, drôle, tendre, émouvante. Et la dernière, arrivée le matin même, lui rappelant que Farouk organisait un réveillon ce soir, et que bien sûr, elle était toujours invitée. Cette fois, la pression avait été trop forte. Comme une idiote, elle avait passé la journée à en rêver, s'était prise à son propre jeu, et s'était même habillée pour la circonstance ! Finalement, l'adolescente avait puisé dans ses réserves de courage et elle était allée frapper à la porte du bureau de son père.

— Entrez ! avait-il répondu.

Le cœur battant très fort, elle avait obéi. Son père était en train de travailler à son ordinateur, une main posée sur le meuble acajou qui lui servait de secrétaire, l'autre sur la souris qui faisait défiler des pages et des pages de données. Concentré, les sourcils froncés, il ne bougea pas d'un pouce pour voir qui était entré.

Elle s'était tout de suite rendu compte que le moment était mal choisi, mais elle ne pouvait plus attendre. Ne sachant pas vraiment comment s'y prendre pour plaider sa cause, elle avait fait quelques pas sur le tapis oriental et, avec crainte et tremblements, avait commencé maladroitement :

— Heu, Papa, j'espère que tu as remarqué que j'avais bossé comme une folle pendant ces vacances.

Son père n'avait pas quitté des yeux l'écran de son ordinateur pour lui répondre.

— J'ai surtout remarqué la nullité abyssale du bulletin que l'on a reçu il y a quelques jours.

En temps normal, cette allusion aurait suffi pour que Maëlle, piquée dans son orgueil, tourne les talons et regagne sa chambre. Mais ce soir-là, l'enjeu était de taille et valait bien quelques égratignures à sa fierté. Mal à l'aise, l'adolescente avait marmonné :

— C'était un accident, ça ne se reproduira pas.

— J'y compte bien.

— Eh bien, puisqu'on est d'accord sur ça, avait-elle tenté, tu ne verras certainement pas d'inconvénient à ce que j'aille au réveillon organisé par Farouk ce soir...

Cette fois, son père avait tourné la tête pour la fixer :

— Ah ! ah ! ah ! avait-il fait lentement en détachant chaque syllabe. Et bien sûr, l'avertissement et le petit tour dans le bureau du proviseur ne sont plus que de ridicules et regrettables incidents sans importance, de mauvais souvenirs vite oubliés ?

— Mais ce n'était pas de ma...

— Arrête, je t'en prie, l'avait-il coupé sèchement. Je ne veux plus en entendre parler ! Et certainement pas davantage d'une éventuelle petite soirée entre amis comme si rien ne s'était passé. Tu es consignée à la maison jusqu'à la fin des vacances, un point c'est tout ! Je n'ai pas pour habitude de revenir sur mes décisions.

La rage au cœur, Maëlle avait soutenu son regard, mais ni l'un ni l'autre n'avaient détourné les yeux. Finalement, raide comme un piquet et sans un mot, elle avait quitté la pièce.

Quelques secondes elle avait même pensé braver l'interdiction paternelle, mais elle avait fini par abandonner l'idée. Les escapades nocturnes ne lui avaient guère porté chance jusqu'à présent et son père, déjà rusé comme un renard, devait se tenir deux fois plus sur ses gardes maintenant qu'elle lui avait fait part de ses projets.

La mort dans l'âme, elle avait donc dû se résoudre à ne pas se rendre à cette fabuleuse soirée.

Passant une main rageuse dans ses cheveux, elle fit sauter les barrettes et étouffa un cri lorsque quelques cheveux furent arrachés par la même occasion.

S'allongeant sur son lit, elle se promit de ne plus en bouger. C'était décidé, elle serait malade ! Elle prétexterait une bonne grippe ! Rien de tel pour garder à distance les vieux barbons collet monté et ennuyeux à périr que ses parents avaient invités pour le réveillon. Elle n'avait absolument aucune envie de faire bonne figure devant M. et Mme le colonel Machin-Truc et le capitaine Bidule-Chose !

Un peu plus tard, quand la sonnerie de la porte d'entrée retentit plusieurs fois de suite à quelques minutes d'intervalle, elle resta allongée sur le dos, se réjouissant à l'avance de braver les consignes de politesse inculquées par sa mère qui mettait un point d'honneur à ce qu'elle vienne saluer les invités à leur arrivée. Elle ne répondit pas davantage à son appel et quand celle-ci vint toquer à sa porte, elle lui servit son excuse factice tout en sachant parfaitement que cette dernière ne la croirait pas une seconde. Quand le bruit de ses pas décrut dans le couloir, Maëlle se prépara à subir une deuxième vague d'assaut. Sûrement, son colonel de père serait envoyé à la rescousse !

Mais le temps passa et rien ne vint.

La jeune fille se dit alors qu'ils avaient fini par puiser quelques gouttes de compassion dans leur cœur dur et insensible afin de lui permettre de ne pas avoir à subir cette soirée soporifique à souhait.

Les heures s'écoulèrent lentement. Maëlle écoutait le

dernier album de Coldplay en boucle, laissant courir son imagination sur ce que cette soirée aurait pu être.

Alors que Chris Martin chantait à pleins poumons qu'il entendait sonner les cloches de Jérusalem[1], elle entendit la sonnerie de la porte d'entrée qui retentissait une fois de plus. Avec une joie mesquine, elle se réjouit que des invités aient la grossièreté d'arriver aussi tard. Nul doute que cela ferait bondir (du moins intérieurement) son père et indisposerait sa mère, tous deux des « accros » de la ponctualité.

Pourtant, quelques minutes plus tard, sa mère s'adressa à elle derrière la porte de sa chambre.

— Maëlle, il y a quelqu'un pour toi.

— P… Pour m… oi ? répéta-t-elle abasourdie.

— Oui, mais si tu te sens trop mal, je dirai que tu ne peux pas descendre.

Avait-elle senti comme une pointe d'ironie dans ses paroles ? Qu'importe ! Ce n'était pas le moment de jouer la victime outragée !

D'un bond, elle fut debout et ouvrant vivement le battant, elle déclara :

— Ça va mieux ! Je vais descendre !

Elle se faufila entre le mur et sa mère au risque de renverser cette dernière et descendit les escaliers quatre à quatre.

« C'est Lily, pensa-t-elle, il n'y a qu'elle pour sacrifier quelques minutes de son réveillon pour passer voir une amie en détresse ! »

Arrivée en bas, elle ralentit. Derrière le panneau de verre dépoli de la porte, se découpait une silhouette athlétique.

« Alors ça, ce n'est pas Lily ! » marmonna-t-elle entre ses dents. Se saisissant fébrilement du peigne de secours qui se trouvait

---

1. Voir le refrain de « Viva la vida ».

toujours dans le tiroir de la commode du vestibule, elle le passa hâtivement dans ses cheveux qui devaient ressembler à un champ de bataille. Puis, n'y tenant plus, elle posa la main sur la poignée, respira un grand coup, et ouvrit.

Sur la véranda, où le givre avait dessiné des arabesques délicates sur chaque carreau, Maxime attendait, les mains dans le dos.

Ses cheveux blonds coiffés en arrière bouclaient légèrement dans son cou. Sous son blouson ouvert, il portait une chemise blanche dont les pans retombaient sur un jean bleu foncé.

Jamais Maëlle n'avait vu de garçon aussi beau.

Et, incroyable mais vrai, c'était ce garçon-là qui était en train de lui sourire, à elle, Maëlle Tadier !

Le cœur battant la chamade, elle le fixait sans rien dire. Il finit par éclater de rire.

— Eh bien, gazelle, tu ne me souhaites pas une bonne année ?

Retrouvant sa langue, la jeune fille répondit :

— C'est encore trop tôt !

Vérifiant l'heure à la montre de son poignet, il lui accorda :

— Mille excuses, tu as raison, il nous reste encore quinze secondes à attendre !

Et sans se concerter, les yeux dans les yeux, ils se mirent ensemble à compter à rebours :

— Quatorze, treize, douze…

À chaque seconde qui passait, la tension montait. Quand enfin arriva la dernière, Maëlle eut l'impression que son cœur allait éclater. C'est alors que Maxime ramena devant lui la main qu'il tenait toujours cachée dans son dos. Du bout des doigts il serrait une petite branche tout ornée de jolies petites boules blanches et nacrées comme des perles.

— Du gui ! chuchota la jeune fille.

Il suspendit le rameau au-dessus de l'espace qui les séparait encore et, dans un murmure, lui dit :

– Bonne année, Maëlle !

– Bonne année, Maxime !

Et sans autres paroles, leurs têtes se rapprochèrent lentement jusqu'à ce que, d'un même mouvement, leurs lèvres se rencontrent enfin.

23

Lundi 4 janvier, 17 h 10

En ce lundi de rentrée, les quatre filles s'étaient donné rendez-vous après la fin des cours au café des Anges pour fêter leurs retrouvailles et se raconter leurs vacances. On devinait à leur façon de ne pas tenir en place qu'elles avaient beaucoup à se dire, mais jusqu'à présent aucune d'elles n'avait encore abordé de sujets sérieux. Maëlle qui se tortillait sur sa chaise depuis son arrivée lâcha soudain :

— Écoutez, je n'ai pas beaucoup de temps, car je ne suis pas censée être ici, alors je me lance...

Mais, à ce moment-là, Mélisande l'interrompit :

— Excuse-moi Maëlle, mais si on parle de choses graves, il faut d'abord que je dise quelque chose.

Se tournant vers Lily, elle déclara :

— Je n'ai pas vraiment l'habitude de présenter des excuses, tu sais. Mais aujourd'hui, c'est ce que je voudrais faire. Je sais que je n'ai pas été très sympa avant Noël, et encore moins quand tu es venue me voir. J'étais frustrée et tu m'as servi de bouc émissaire. J'y ai pensé pendant toutes les vacances... Tu imagines ? Alors que j'étais sur une plage de rêve en Martinique !

Elle eut un petit rire qui tourna court et elle reprit avec embarras :

— Je te demande pardon, Lily... Et je tenais à le faire devant vous toutes pour que vous compreniez que votre amitié est vraiment importante pour moi, même si parfois mon éducation de petite bourgeoise et mon caractère de cochon me font dire des trucs idiots ou méchants.

Lily, émue, avait les yeux fixés sur son amie. Quand celle-ci se tut, il y eut un petit silence. Il fut brisé par le reniflement discret de Lily qui essayait de combattre les larmes qui menaçaient de couler. Puis, avec un sourire lumineux qui en disait long sur ses sentiments, elle répondit :

— Oh, ce n'était pas si grave, tu avais des excuses, mais je suis vraiment contente que notre amitié compte pour toi, parce que tu sais, c'est réciproque ! Et puis, excuse-moi Maëlle de garder la parole, mais il faut à tout prix que je vous le dise... Depuis ce matin, j'essaie de garder la surprise, mais là, je n'en peux plus. Les filles, j'ai une grande nouvelle !

— Vas-y, l'encouragea Maëlle, je courrai un peu plus vite, c'est tout !

D'un nouveau sourire, Lily la remercia et déclara sans plus attendre :

— J'ai retrouvé Lisandro !

Des cris s'élevèrent de toute part, ravissant la jeune fille. Pour couper court aux questions qui fusaient, elle raconta d'une traite toute son aventure.

— Ça alors ! s'exclama Maëlle, si ce n'est pas de la chance !

— Mais tu es sûre que c'est lui, au moins ?

— Un beau brun aux yeux de velours répondant au doux nom de Lisandro et qui joue de la batterie, ça fait quand même beaucoup de points communs !

Mélisande se cacha la tête dans ses mains et gémit :

— Oh ! Je n'ose pas y croire ! Il faut que je le voie moi-même !

— Écoutez, les filles, intervint alors Maëlle, ce n'est pas que

175

je m'ennuie avec vous, mais je ne suis pas Usain Bolt et là, il faut vraiment que j'y aille…

– Et ta nouvelle à toi ?

– Rendez-vous demain pour le prochain épisode ! fit-elle mystérieusement en plissant les yeux.

– Ah non, demain je ne peux pas, j'ai clarinette ! s'écria Lily alors que Maëlle enfilait déjà son manteau.

– Alors, à jeudi ! Mais vous verrez, ça vaut la peine d'attendre ! Ciao…

Quelques secondes plus tard, alors que la clochette de la porte tintait encore, Maëlle avait déjà disparu au coin de la rue.

– Eh bien, fit Mélisande, elle en fait des mystères, j'espère que sa nouvelle en vaut vraiment la peine ! Au fait, c'est quoi ça, ouchainebolte ?

Dans un rire, Lily répondit :

– C'est le coureur le plus rapide du monde, triple ou quadruple champion olympique à Pékin en 2008. Maëlle nous en avait parlé tout l'été ! N'est-ce pas, Chiara ?

Soudain, se rendant compte que la jeune fille était restée muette depuis le début de leur rencontre, Lily la regarda attentivement.

– Chiara ? Que se passe-t-il ?

Chiara haussa les épaules.

– C'est encore ton père, n'est-ce pas ?

La jeune fille finit par avouer :

– Oui, il y a des choses que je trouve étranges…

Faisant un geste de la main comme pour chasser ses idées noires, elle ajouta avec un sourire un peu forcé :

– Mais je ne veux pas en parler aujourd'hui ! Vous me connaissez, je dois encore me faire des idées pour rien ! De toute façon, pas question de gâcher la fête ! Je suis très contente pour toi, Mélisande.

Enfin, dans un même élan, elle passa un bras sous celui de chacune des deux autres filles et conclut :

— Et puis surtout, je suis vraiment heureuse que vous soyez réconciliées toutes les deux !

Jeudi 7 janvier, 17 h 05

Malgré les assauts répétés de ses amies au moment des repas au réfectoire du lycée, Maëlle avait tenu bon et n'avait rien laissé filtrer de son secret. Aussi, quand les quatre filles furent à nouveau réunies autour d'une des petites tables carrées du café des Anges, l'excitation était à son comble.

— Alors cette fois, on ne dit plus un mot et on t'écoute ! annonça Lily.

Avec un sourire énigmatique, Maëlle commença :

— Désolée de vous avoir fait patienter, mais quand vous saurez, vous comprendrez que j'avais besoin d'une ambiance plus… romantique que la cantine de Balzac pour…

— « Romantique » ? Ai-je bien entendu le mot « romantique » ? interrompit Mélisande en ouvrant de grands yeux.

— Tais-toi, Mélisande ! s'écria Chiara, on a dit qu'on la laissait parler.

— Eh ! se rebiffa son amie.

— Oh ! Par pitié, taisez-vous ! Je n'en peux plus d'attendre ! supplia Lily.

Il lui suffisait de regarder les yeux de Maëlle briller comme mille étoiles pour deviner qu'il s'était passé pendant les vacances un événement exceptionnel.

— Ça y est ? Je peux parler ? demanda cette dernière.

— On t'écoute, répondirent en chœur les trois autres.

— Voilà, je suis… amoureuse !

Malgré leur promesse, ses amies ne purent retenir les mille et une questions qui leur venaient à l'esprit.

Plaçant ses deux mains sur ses oreilles, Maëlle s'écria :

– Stop ! J'ai dix minutes à peine pour tout vous expliquer, alors laissez-moi parler !

Et profitant de quelques instants de silence, elle leur raconta tout.

– Maxime ! J'en étais sûre ! s'exclama Chiara.

– Menteuse, tu n'en savais rien, répliqua Mélisande en s'esclaffant.

– Ah, le beau Maxime ! soupira Lily. Quitte à tomber amoureuse, autant tomber dans ses bras musclés !

– Bien sûr que si, je le savais ! rétorqua Chiara à Mélisande, ou du moins je m'en doutais… D'ailleurs, dès leur rencontre, j'ai dit que le rôle de Chimène irait comme un gant à Maëlle et que Maxime ferait un Cid parfait !

– Tiens donc, je croyais que c'était mon Lisandro qui devait t'inspirer pour le Cid ! rétorqua Mélisande, faussement outrée.

– Eh ! les filles, au lieu de vous disputer, vous feriez mieux de compatir à mon drame : je suis bouclée à la maison pendant encore deux semaines, et comme le lycée de Maxime est trop loin pour qu'on se voie après les cours, je dois essayer de survivre grâce aux lettres qu'il m'envoie tous les jours !

– Que c'est romantique, souffla Lily, l'air rêveur, en appuyant son menton sur sa main. Mais, parlons de choses sérieuses, est-ce qu'il t'a embrassée ?

– Vous devenez trop curieuses ! Laissez-moi un petit jardin secret !

Avec un rire, Mélisande conclut :

– C'est sûr, il l'a embrassée !

– Je suis d'accord avec toi, approuva Chiara. D'ailleurs, si je devais un jour interpréter le rôle de Juliette, je prendrai exactement le même air béat et satisfait qu'elle affiche en ce moment pour jouer la scène dans laquelle Roméo lui donne son premier baiser.

Chiara joignant la démonstration à la parole, prit la pause, provoquant ainsi le fou rire de Lily et Mélisande.

— Jalouses ! Voilà ce que vous êtes ! décréta Maëlle avec un grand sourire, bien que ses joues aient légèrement rosi. Eh bien, puisque c'est comme ça, je vous abandonne !

— Oh non, gémit Mélisande, je voulais aussi qu'on parle de mon cas !

— Désolée ma grande, mais ce sera sans moi ! Vous comprendrez que je ne peux pas me permettre d'arriver en retard. Mon calvaire touche à sa fin, et j'ai hâte de retrouver un peu de liberté.

Sur ses paroles, elle les quitta en leur faisant un petit signe de la main.

— Flûte alors ! Et moi qui comptais sur elle pour me concocter un de ses fameux plans !

— Pourquoi tu ne vas pas directement à l'Ecam pour savoir si c'est bien le bon Lisandro, suggéra Chiara ?

— Pas si simple ! Je me suis déjà renseignée, tu penses bien. J'ai même téléphoné l'autre jour, mais ils m'ont dit qu'ils ne communiquaient pas de renseignements sur leurs élèves.

— Si tu veux, je peux essayer d'y aller avec toi mercredi après-midi, proposa généreusement Chiara.

— Inutile, ils n'ont pas cours eux non plus.

— Écoute, ce week-end, Dan doit passer voir mon frère, dit Lily. J'essaierai d'en savoir plus sur Lisandro.

— Tu ferais ça ? s'écria Mélisande, pleine d'espoir.

— Bien sûr ! Mais je ne te promets rien !

— Oh ! Merci ! fit Mélisande en la prenant par le cou, je t'adore, tu sais !

24

Dimanche 10 janvier, 20 h 30

– **A**llô ?

– Heu... Bonjour, madame, je souhaiterais parler à Mélisande, s'il vous plaît.

– De la part ?

– De Lily... Nous sommes dans la même classe.

– Je vais voir si elle est disponible.

Quelques secondes plus tard, la voix de Mélisande prit le relais :

– Lily ?

– Salut, c'est moi... Dis donc, elle n'a pas l'air commode, ta mère ! Pourquoi tu ne réponds pas sur ton portable ?

– Impossible de mettre la main dessus. Je ne sais pas ce que j'ai avec ces engins, ils me glissent entre les doigts. Soit je les perds, soit on me les pique... Mais bon, on s'en fiche ! Dis-moi plutôt ce que tu as appris !

– Eh bien, j'ai une bonne et une mauvaise nouvelle...

– Oh, je n'aime pas ça... Commence quand même par la bonne !

– J'ai le nom du bar où TOUS les étudiants de l'Ecam se retrouvent habituellement. L'Estudiantin !

– C'est vrai ? Génial ! On y va mercredi !

– Heu, il faut peut-être que je t'annonce la mauvaise nouvelle avant que tu t'emballes...

— Je me disais aussi… Allez, vas-y, je suis prête !

— La classe de Dan part en stage pour cinq semaines à partir de…

— … lundi, je parie ! Pff, c'est pas vrai ! J'ai vraiment la poisse !

— Je suis désolée, mais tu sais, cinq semaines, ça passe vite. Il y en a beaucoup qui voudraient bien n'avoir que ça à attendre pour rencontrer le grand amour !

En raccrochant, Mélisande se dit que Lily avait peut-être raison. Mais elle n'avait pas l'habitude d'attendre et cela lui déplaisait souverainement ! La voix de sa sœur interrompit ses réflexions moroses :

— C'était qui ?

— Ça ne te regarde pas !

— En tout cas, ce n'était certainement pas ton Lisandro, sinon, tu ne ferais pas cette tête !

— Occupe-toi de tes affaires, tu veux !

Pauline la regarda d'un air malheureux.

— Pourquoi tu me parles comme ça ? Pourquoi tu ne me dis plus rien ? C'est à cause de tes nouvelles copines, hein ? Moi, maintenant, je ne compte plus !

— Oh ! fiche-moi la paix ! J'ai besoin d'air, tu comprends ?

Mélisande se sentit un peu coupable en voyant le regard blessé que lui lança sa sœur. Mais après tout, les choses avaient changé et elle ne supportait plus de l'avoir tout le temps sur le dos. Ça, il était temps que Pauline le comprenne !

Mercredi 20 janvier, 18 h 35

Quoi qu'elle dise à ses amies, Chiara ne pouvait se défaire de l'idée qu'il se passait dans son dos des choses étranges. Le seul

181

problème, c'est qu'elle n'avait rien de concret pour étayer ses doutes. Ce n'étaient que des impressions, des gênes qui s'installaient parfois dans le peu de conversation qu'elle entretenait encore avec son père lors du dîner...

Ah si ! Elle avait quand même noté une chose pendant les vacances. Le jour de Noël, quand son père était venu les rejoindre au mas. Lorsqu'elle l'avait embrassé, elle avait respiré fugacement sur sa veste les effluves d'un parfum féminin qu'elle ne connaissait pas. Sur le coup, cette découverte lui avait rappelé l'hypothèse émise par Mélisande, mais c'était quand même un peu léger pour en déduire grand-chose. Il avait peut-être suffi que dans le TGV une passagère ait un peu abusé de son flacon pour embaumer tout le wagon.

Prise d'une impulsion subite, elle alla chercher l'album de photographies rangé dans le placard de l'entrée.

S'asseyant en tailleur dans le canapé recouvert de tissu fleuri, elle le plaça sur ses jambes et l'ouvrit.

Les premières photos dataient de l'époque où ses parents s'étaient rencontrés. Son père étant le photographe « officiel » de la maison, il apparaissait rarement sur les clichés. Sa mère, en revanche, y était omniprésente.

Allongée sur un hamac tendu entre les deux chênes blancs qui ombrageaient la cour du mas, elle souriait gaiement à l'objectif. Vêtue d'un short court et d'un débardeur jaune vif, des lunettes de soleil retenant ses cheveux blonds, elle incarnait la parfaite vacancière.

Lou Tranquillou, mai 1989.

À la page suivante, elle portait un toast avec une amie. Sous cette photo-là, son père avait écrit : *Marie et Valérie, août 1989.*

Sur une autre, Marie, sa mère, riait aux éclats, entourée d'une bande d'amis :

Anniversaire de Marie, septembre 1989.

Au fur et à mesure qu'elle tournait les pages, les mois passaient, mais le bonheur de sa mère était toujours aussi resplendissant. Enfin, sur un cliché, voici que son père apparaissait. Il avait un sourire insouciant que Chiara ne lui connaissait pas et qui lui donnait un air de gamin. Même là, il avait encore les yeux fixés sur sa mère qui se tenait à ses côtés.

— Ma petite Maman, est-ce que tu te rends compte de tout ce que tu as emporté avec toi ? Le rire, les amis… Aujourd'hui, il n'y a plus rien de tout ça dans notre vie de famille.

Chiara soupira. Certains jours, elle imaginait que sa mère pouvait l'entendre.

— Je suis sûre que toi, tu aurais deviné ce qui se trame ici. Une autre femme ? Après toi ? Pff, moi je n'y crois pas ! Des problèmes d'argent, alors ? Cela expliquerait pourquoi Papa a explosé quand la machine à laver nous a lâchés la semaine dernière… Mais bien sûr, c'est idiot ce que je dis là… Si tu étais encore avec nous, il ne se tramerait rien. Papa serait différent. Il serait heureux… et moi aussi.

Avec un autre soupir, elle referma l'album. Elle ne se sentait pas le courage d'en regarder davantage.

Jeudi 28 janvier, 17 h 55

Les jours passaient, lentement, mais Maëlle voyait avec une joie intense la date du 31 janvier se profiler à l'horizon.

Fruit de son travail acharné, ses notes étaient remontées à une vitesse stupéfiante, ce qui avait fait dire à Mme Docile que Maëlle ne faisait jamais rien à moitié.

Son père serait satisfait et devrait en toute logique tenir sa parole et lever l'interdiction de sortie.

Ce n'était pourtant pas pour lui faire plaisir que Maëlle avait étudié ainsi. En réalité, elle ne lui avait toujours pas pardonné le comportement qu'il avait eu le soir du réveillon. À ce moment-là, elle était décidée à expliquer son geste envers Wendy, mais il n'avait rien voulu entendre et il était resté aussi intransigeant qu'un juge. Peut-être aurait-elle dû tout lui avouer dès le début, mais elle avait ses raisons et lui ne lui avait pas fait confiance. Même sa mère qui avait pourtant bien du mal à la comprendre parfois s'était rendu compte que les choses devaient être plus complexes qu'il n'y paraissait. Heureusement, c'est elle qui avait répondu au coup de sonnette du visiteur de minuit le 31 décembre ! Maëlle était bien sûre que, si cela avait été son père, elle n'aurait jamais vécu ces instants fabuleux.

Mais, désormais, elle ne voulait plus penser qu'à l'avenir.

Plus que quelques jours, et elle serait libre ! Elle pourrait reprendre ses entraînements et sortir avec ses amies sans devoir se battre contre la montre !

Mais surtout, surtout, elle pourrait revoir Maxime !

25

Lundi 1ᵉʳ février, 15 h 00

A près les vacances de février, nous commencerons une série d'exposés sur les XVᵉ et XVIᵉ siècles. Et comme je suis gentille, je vous préviens sans tarder pour que ceux qui veulent s'y mettre dès maintenant puissent s'organiser.

Mme Paillet adressa un sourire aimable à ses élèves.

– Vous pourrez former les binômes qui vous plairont, à condition qu'il n'y ait pas d'histoires !

Mélisande se pencha vers Lily et lui chuchota avec un grand sourire :

– Cool, on se mettra ensemble !

Son amie lui retourna son sourire mais ne fit pas de commentaires. Bien sûr, elle serait ravie de travailler avec elle, mais contrairement à ce que son professeur d'histoire supposait, elle aurait préféré qu'elle désigne elle-même les binômes. Elle aurait pu choisir la solution de facilité, utiliser la liste alphabétique de la classe et Lily se serait retrouvée avec Florian dont le nom de famille suivait le sien ! Vraiment…

– Oh, non ! Quelle poisse !

L'exclamation étouffée de Mélisande détourna le cours de ses pensées. Son agenda ouvert entre les mains pour noter l'exposé à préparer, elle comptait et recomptait avec un désespoir grandissant les jours qui les séparaient de la date entourée en rouge sur son calendrier.

– Qu'est-ce que tu as ?

– Les vacances sont dans moins de deux semaines !

– Eh bien, c'est plutôt une bonne nouvelle, non ?

– Tu plaisantes ? Ça coïncide juste avec la fin de stage de Lisandro ! S'il est en vacances, il y a des chances pour qu'il parte ! Ça veut dire qu'il faudra encore que j'attende la rentrée… Je n'en peux plus moi ! Je sens que…

– Mademoiselle de Saint-Sevrin ! intervint alors Mme Paillet d'un air excédé, toujours aussi attentive à ce que je vois ! Pourriez-vous répéter ce que je viens de dire ?

Mélisande jeta un coup d'œil plein d'espoir à Lily, mais sa voisine, n'ayant pas écouté davantage, fut bien en peine de l'aider.

Mme Paillet reprit :

– Écoutez, je sais que l'histoire et la géographie ne sont pas votre tasse de thé, mais vos bavardages incessants dérangent tout le monde. Je suis donc obligée…

– La Renaissance nous présente une nouvelle vision de la mode et de l'onde, déclara soudain d'un trait Mélisande.

Mme Paillet ouvrit de grands yeux, interloquée, alors que la classe éclatait de rire.

– Je vous demande pardon ?

– Heu, je voulais dire : une nouvelle vision de *l'homme et du monde*, corrigea l'adolescente.

Offrant son regard le plus innocent, elle demanda :

– C'était bien ce que vous étiez en train d'expliquer, n'est-ce pas ?

L'enseignante fronça les sourcils, toujours légèrement décontenancée et acquiesça comme à contrecœur :

– Heu, oui, oui, c'était bien ça.

Se reprenant, elle ajouta :

– Veillez tout de même à cesser ces bavardages. Tout le monde ne possède pas votre étonnante capacité à parler et à écouter en même temps !

– Oui, madame, répondit docilement Mélisande.

Mme Paillet reprit son cours, mais dès qu'elle eut le dos tourné, Mélisande se tourna vers Adrien et lui chuchota :

– Merci !

Le garçon ne répondit rien, se contentant de lui envoyer un clin d'œil complice.

Mardi 2 février, 17 h 20

Maëlle marchait d'un pas rapide. Pour la première fois, depuis des semaines, elle se rendait au stade… où Maxime devait l'attendre à dix-sept heures trente.

Bien qu'elle n'en ait rien montré devant qui que ce soit, elle était un peu anxieuse. Hormis leur rencontre le soir du réveillon qui n'avait guère duré, ils n'avaient évoqué leurs sentiments que par lettres interposées. Comment les choses allaient-elles se passer, maintenant ?

Le grand amour, c'était nouveau pour elle. Jusqu'à présent, à l'exception de quelques effleurements des lèvres au cours des bals d'été pendant les grandes vacances, ses relations avec les garçons s'étaient limitées à une compétitivité farouche sur les pistes de course. Aussi, depuis quelque temps, un doute persistant lui trottait dans sa tête : n'avait-elle pas amplifié, à force de s'en repasser le film, la magie de leur premier baiser ? Et, en tout cas, le deuxième serait-il vraiment à la hauteur du premier ?

Maëlle remonta avec nervosité la bride de son sac de sport sur l'épaule. Maxime lui avait donné rendez-vous à l'entrée du stade, devant le haut portail métallique rouge, toujours ouvert à cette heure. Mais il n'y avait personne quand elle arriva. Instinctivement, elle vérifia l'heure à sa montre.

« C'est bon, du calme, ma fille, s'apostropha-t-elle, tu as cinq minutes d'avance. »

Depuis quelques semaines, les jours s'étaient sensiblement allongés. La lumière du soir lui permettait encore de distinguer avec précision les gens qui marchaient dans la rue, et elle espérait vivement reconnaître parmi eux celui qu'elle attendait.

Toute à son attente, elle sursauta légèrement lorsque deux mains fraîches vinrent soudain se placer devant ses yeux.

– Je suis grand, blond et fou amoureux de toi. Qui suis-je ?

– Maxime ! s'exclama Maëlle avec émotion.

– Bravo ! fit le garçon en la faisant doucement pivoter vers lui, tu es vraiment trop forte. Tu as droit à un baiser !

Joignant le geste à la parole, il posa ses mains sur ses épaules. Le cœur bondissant comme un kangourou contre sa cage thoracique, elle le vit baisser la tête. Ses yeux noirs brillaient comme de l'obsidienne derrière les boucles blondes qui lui retombaient sur le front. Un sourire étirait encore ses lèvres, mais il ralentit son mouvement au dernier moment, comme si… comme si brusquement il n'osait plus !

Sa bouche s'immobilisa à quelques centimètres de la sienne. Sur ses lèvres gelées, elle pouvait sentir la caresse du souffle chaud des siennes. Elle ferma les yeux. Le kangourou qui avait pris possession de son cœur menaçait de faire exploser sa poitrine. Alors, n'y tenant plus, elle se haussa soudainement sur la pointe des pieds pour franchir la distance qui les séparait encore.

Elle n'avait pas calculé son geste et surprit Maxime autant qu'elle se surprit elle-même.

Dans son élan, elle passa ses bras autour de son cou pour

l'attirer plus près, mais elle le sentit se raidir et regretta immédiatement son audace.

Un bulldozer ! Voilà ce qu'elle était ! Une fois de plus, elle avait gaffé !

Essayant de faire machine arrière, elle relâcha son étreinte, mais constata à son grand étonnement que leurs lèvres restaient soudées. Cette fois, c'étaient les mains de Maxime qui la retenaient.

Elle entrouvrit les yeux un quart de seconde et vit le visage du garçon tout près du sien. Il avait gardé les paupières baissées et ne paraissait pas du tout pressé de mettre fin au baiser. Il semblait désormais parfaitement détendu et Maëlle se laissa enfin aller à son tour avec bonheur.

Dans sa poitrine, le kangourou s'en donnait à cœur joie, mais elle ne chercha plus à le retenir…

Quand un peu plus tard il releva la tête, Maxime murmura :

– Wahou !

Il ouvrit la bouche pour ajouter quelque chose, mais il se ravisa et se pencha à nouveau vers elle. Cette fois, ce fut lui qui prit l'initiative jusqu'au bout.

Le rire d'un passant finit par les interrompre et l'embarras accentua la rougeur qui avait envahi les joues de Maëlle.

Tout étourdie, elle déclara :

– Je ne t'ai pas vu arriver…

– J'étais déjà là depuis un moment. J'ai couru depuis mon lycée. Je savais que je serais en avance, mais je n'ai pas pu m'en empêcher ! J'en ai profité pour te faire une surprise…

– Dire que je commençais à me demander si tu viendrais !

Lui déposant un léger baiser sur les lèvres, Maxime se mit à rire :

– Je suis toujours à l'heure ! Et je n'allais quand même pas poser un lapin à ma gazelle !

Riant à son tour, Maëlle lui prit la main et tous deux se dirigèrent vers les vestiaires. Elle se dit qu'elle avait bien eu tort de s'inquiéter. Avec Maxime, les choses ne pouvaient que bien se passer.

Samedi 13 févrer, 15 h 45

Une dizaine de jours plus tard, assises sur un banc de la patinoire, les quatre amies laçaient chacune consciencieusement une paire de patins à glace. C'était le premier samedi des vacances et Maëlle avait insisté pour les entraîner dans une nouvelle expérience.

— Quand même, lorsque tu m'as demandé si j'aimais la glace, je ne croyais pas que tu parlais de ça, bougonna Chiara en désignant du doigt la piste ovale éclairée de mille feux.

Maëlle éclata de rire.

— Si je t'avais dit la vérité, tu ne serais jamais venue !

— Et j'aurais eu raison, je regrette déjà de m'être laissée convaincre… Dire que j'ai retardé mon départ en vacances chez mes grands-parents pour devoir subir ça ! Je me demande vraiment comment on peut rester debout sur deux lames…

— Ne t'en fais pas, quand tu tomberas, je ne serai pas loin derrière, gémit Lily. Enfin, il paraît que bouger est bon pour la santé !

— Pas si sûr, tempéra Chiara, quand je serai tombée une dizaine de fois, je serai surtout bonne pour l'hôpital.

Mélisande qui était déjà prête les encouragea :

— Mais non, vous verrez, il suffit de prendre le coup.

Sur ses paroles, elle s'élança sur la piste. Sous les yeux ébahis des trois autres filles, elle prit de la vitesse et commença à évoluer avec grâce sur la glace.

— Quel style ! s'enthousiasma Maëlle, vous avez vu ça ? Si Mélisande y arrive, c'est que cela ne doit pas être si compliqué !

— Sympa, la copine ! pouffa Chiara alors que Lily faisait les gros yeux à Maëlle. Heureusement qu'elle ne peut pas t'entendre !

Sans se démonter, Maëlle persista :

— Non, mais c'est vrai ! Elle n'a quand même rien d'une sportive acharnée. Je suis sûre qu'on va y arriver facilement !

Chiara et Lily échangèrent un regard dubitatif.

— Ouais, laissa tomber Chiara, quand les poules auront des dents…

Quelques minutes plus tard, accrochée à la rambarde qui faisait le tour de la piste, Lily s'adressa à Maëlle :

— Au fait, c'est chouette que tu passes l'après-midi avec nous. Depuis que tu sors avec Maxime, on ne te voit presque plus…

Son amie, tout en tentant de rester en équilibre, s'empourpra légèrement avant de reconnaître :

— C'est vrai, mais tu comprends, on a tellement attendu avant de pouvoir se retrouver que, maintenant, on en profite ! Tu verras, quand tu seras amoureuse, tu comprendras !

Lily rougit à son tour, mais Maëlle qui venait de glisser ne remarqua rien. Tendant une main secourable à la malheureuse qui n'arrivait plus à se relever, elle s'étonna :

— Mais au fait, comment ça se fait que tu ne sois pas avec lui ?

Avec un soupir malheureux, Maëlle expliqua :

— Il est parti au ski !

— Et c'est pour ça que tu as pensé à tes vieilles copines ! fit

Lily en prenant un air faussement scandalisé. Ah, c'est beau l'amitié !

Comme elle faisait mine de la lâcher, Maëlle supplia :

— Non, pitié ! Ne me laisse pas tomber.

— Eh bien, vous en faites un cirque ! s'exclama Mélisande en s'arrêtant près d'elles.

— Ce n'est pas moi, c'est elle ! s'exclamèrent les deux filles d'une même voix, chacune désignant l'autre de sa main libre.

Quand Lily se rendit compte qu'elle avait commis une erreur fatale en lâchant la rambarde, il était déjà trop tard. Prises de fou rire, les deux copines s'effondrèrent pêle-mêle sur la glace.

— C'est affreux, ce truc, s'exclama Maëlle quand elle retrouva son calme. Comment tu fais, toi ?

— Oh ! J'en fais chaque année quand je vais aux sports d'hiver, et puis la danse, ça aide !

Finissant péniblement le tour qu'elle avait entamé un peu plus tôt, Chiara les rejoignit enfin et pointa un doigt moqueur sur ses deux amies qui étaient encore assises sur la piste :

— Je peux jouer aussi ? Je crois que j'ai exactement le même niveau que vous !

Sa remarque provoqua un deuxième fou rire, généralisé cette fois.

Lily et Maëlle se relevaient juste lorsque Chiara, qui était tournée vers l'entrée de la patinoire chuchota :

— Oh ! oh ! Voyez donc qui va là !

Regardant à leur tour dans cette direction, les trois filles virent arriver Adrien accompagné de… Wendy.

— Excusez-moi les filles, fit Lily, mais là, je n'ai plus du tout envie de patiner. Prenez votre temps, je vous attendrai dans les vestiaires.

— Elle a raison, approuva Maëlle, je trouve que l'air devient vraiment irrespirable tout d'un coup.

— Je vous suis ! s'exclama Chiara à son tour, trop heureuse de pouvoir se débarrasser de ses patins. De toute façon, moi, la glace, je la préfère dans une coupe avec beaucoup, beaucoup de chantilly !

Mélisande, elle, suivait le couple du regard. Ils n'avaient pas remarqué leur présence et commençaient à patiner. D'un œil averti, elle constata qu'ils se débrouillaient plutôt pas mal. Soudain, une idée lui traversa l'esprit. Elle n'avait bien évidemment jamais donné suite à l'énième déclaration qu'Adrien, par l'intermédiaire de Florian et de Lily, lui avait adressée. Depuis, le garçon semblait avoir abandonné ce combat perdu d'avance, mais l'épisode du cours d'histoire lui faisait penser qu'il ne tenait qu'à elle de raviver la flamme. Bon, d'accord, la petite idée qui lui trottait dans la tête n'était peut-être pas très sympa mais, après tout, on disait bien que la fin justifiait les moyens…

— Je vous rejoins dans quelques minutes, lança-t-elle alors, juste une petite chose à régler.

Comme ses amies regagnaient le vestiaire, elle s'élança sur la piste, choisissant d'effectuer les figures les plus spectaculaires qu'elle connaissait. Quand elle fut certaine d'avoir été repérée, elle inspira à fond et tenta une boucle piquée. Des murmures appréciateurs s'élevèrent autour d'elle et, quelques secondes plus tard, Adrien patinait dans sa direction.

— Mélisande ! Bravo ! Je ne savais pas que tu avais tout d'une championne.

— Adrien ? Tu es là ? Quelle surprise !

Jetant un coup d'œil par-dessus son épaule, elle vit que Wendy s'était arrêtée près de la rambarde et suivait maintenant leurs évolutions d'un œil noir de rage.

– Oh ! Tu es avec Wendy…

– Bof, je n'avais rien d'autre à faire alors…

Ils glissèrent sur la glace en silence. Soudain, avec un sourire reconnaissant, Mélisande murmura, mielleuse :

– Au fait, merci encore d'avoir soufflé l'autre jour.

– Oh ! De rien…

Son regard démentait ses paroles indifférentes et Mélisande comprit qu'en réalité, il se réjouissait. Estimant que le sort lui était enfin favorable, il demanda :

– Au fait, tu es là pendant les vacances ?

– Moui…

– Un ciné, ça te dirait ?

– Faut voir, fit-elle sans s'engager, tu n'as qu'à m'appeler.

Elle opéra un demi-tour qui la ramena devant l'ennemie jurée du quatuor et, à l'instant précis où elle passait devant Wendy, elle dicta à Adrien son numéro de portable. Aussitôt, le regard de cette dernière s'assombrit encore.

« Ça, Lily, pensa-t-elle, c'est pour toi. »

Depuis ce jour affreux où son amie avait été humiliée en public, elle rêvait de rendre à Wendy la monnaie de sa pièce.

Estimant alors lui avoir gâché suffisamment sa sortie, elle se dirigea vers le portillon qui permettait de quitter la piste.

– Bon, eh bien, à plus tard !

Et sur un dernier sourire charmeur à l'intention d'Adrien subjugué, elle s'éloigna d'un pas léger.

VACANCES DE FÉVRIER

26

Mardi 23 février, 14 h 45

Nonchalamment assise dans le fauteuil sophistiqué face à l'ordinateur dernier cri qui équipait sa chambre, Mélisande surfait sur le Net. Passant d'un site à l'autre au hasard des liens qui s'affichaient, elle ne cherchait rien de particulier, si ce n'était d'occuper de n'importe quelle façon ces journées de vacances qui n'en finissaient pas. Elle s'ennuyait à périr. Elle regrettait presque de ne pas avoir accompagné Pauline à son séjour au ski !

Pourtant, quand ses parents le lui avaient proposé, elle n'avait pas eu une seconde d'hésitation. Elle ne tenait pas à passer une semaine avec sa sœur qui lui faisait la tête. Et puis, surtout, elle s'était dit que, même s'il n'existait qu'une chance sur cent pour que son insaisissable Espagnol ne soit pas parti, cela valait la peine de rester. Car s'il était à Lyon, il y avait une probabilité pour qu'il aille passer quelques heures à L'Estudiantin.

La première semaine des vacances, avec Lily et Maëlle, elles s'y étaient donc rendues assez souvent. Elles n'y avaient pas trouvé celui qu'elles cherchaient, mais au moins, elles avaient bien ri toutes les trois.

Puis, Lily était partie à son camp musical.

Un jour plus tard, le père de Maëlle devant assister à un colloque, sa mère avait décidé de le suivre, emmenant sa fille dans ses bagages. Chiara, elle, était déjà partie depuis long-temps chez ses grands-parents dans le Sud.

Aussi, lundi dernier, elle s'était retrouvée seule pour sa visite rituelle à L'Estudiantin. Comble de malheur, lorsqu'elle était arrivée, après une marche désagréable sous la bruine, elle s'était heurtée à un rideau métallique déprimant sur lequel une pancarte plastifiée encore plus déprimante annonçait la fermeture du bar pour la semaine.

Depuis, elle occupait son temps comme elle pouvait, c'est-à-dire très mal. Son père partait tôt et revenait tard, bien après qu'elle-même ait grignoté un peu du repas que préparait leur employée de maison. Sa mère, elle, était absente pour toute la semaine. Elle se trouvait en Afrique du Sud, en train de pho-tographier la nouvelle collection de prêt-à-porter pour la saison printemps-été d'une étoile montante de la création française. Contrairement à la mère de Maëlle, elle ne lui avait pas proposé de l'accompagner, mais cela n'avait pas étonné sa fille. Depuis son plus jeune âge, cette dernière avait compris que lorsqu'elle travaillait, Camille de Saint-Sevrin ne suppor-tait pas d'enfants à proximité. En grandissant, Mélisande, qui aurait adoré la suivre, en studio ou à l'extérieur, avait espéré que sa mère changerait d'avis. Mais la jeune fille n'était plus une enfant depuis longtemps, et la situation n'avait cependant jamais évolué.

D'un habile coup de pied, elle fit faire au fauteuil un tour complet, une fois dans un sens, puis une fois dans l'autre. Se retrouvant à nouveau face à son ordinateur, elle s'apprêtait sans grande conviction à se connecter sur MSN quand des miaulements de chat lui parvinrent aux oreilles. Sans s'émou-voir, l'adolescente saisit son nouveau portable rose qui se trouvait sur le bureau devant elle.

— Allô ? fit-elle en portant son téléphone à l'oreille.

– Hum… Mélisande ? C'est moi, Adrien.

La jeune fille retint un soupir. Flûte alors, elle l'avait oublié celui-là ! Dire qu'elle avait espéré qu'il ne se souviendrait pas de son numéro !

– Ah, salut.

– Je n'ai pas pu t'appeler avant parce que j'étais malade… Une grippe carabinée ! 39 ºC pendant trois jours !

– Ah !

L'adolescente se demandait s'il s'attendait à ce qu'elle soit impressionnée par son courage. Il voulait peut-être une médaille pour avoir glorieusement remporté la guerre contre l'affreux virus qui avait osé s'en prendre à lui…

Constatant que ses malheurs n'avaient pas l'air de l'attendrir, le garçon reprit maladroitement :

– Bon, ben, je t'appelais pour savoir si ça te disait toujours d'aller au ciné avec moi.

Mélisande eut un sourire. Selon ses amies, Adrien était d'habitude très sûr de lui avec les filles. C'était drôle qu'il s'accroche ainsi à elle alors qu'il avait laissé tant de cœurs brisés dans son sillage. Par solidarité avec toutes ces malheureuses, elle eut d'abord envie de refuser. Puis elle pensa aux longues journées solitaires qui se profilaient devant elle et faiblit :

– Pourquoi pas ? dit-elle

Avant d'ajouter rapidement :

– Tu es bien remis, au moins ?

– Pas de problème ! répondit-il avec enthousiasme, le docteur m'avait collé une semaine de convalescence et elle s'est finie aujourd'hui ! Alors, demain, ça te va ? Quatorze heures en face de l'Astoria ? Tu peux choisir le film si tu veux !

– OK, répondit Mélisande nonchalamment. Alors, salut.

Et sans lui laisser le temps de prolonger l'appel, elle raccrocha.

— Et alors je lui ai répondu que j'avais juste accepté de voir un film, pas de passer le restant de ma vie avec lui !

En ce jour de rentrée, les quatre amies profitaient du temps de la pause déjeuner pour s'échanger les dernières nouvelles. Assises à une des tables du réfectoire, elles écoutaient, captivées, la suite des aventures tourmentées d'Adrien et de Mélisande.

— Dis donc ! s'exclama Lily, il n'a pas dû apprécier !

— Pas trop, non, confirma Mélisande en riant, il m'a plantée au beau milieu de la rue de la République et est parti comme une fusée en maudissant les filles en général et moi en particulier !

— Tu es quand même un peu dure avec lui, commenta Maëlle.

— Oooh ! fit Mélisande, toi, c'est l'amour qui te ramollit ! D'après ce que vous m'avez dit, il n'y est pas allé avec des pincettes, lui, pour éjecter ses copines quand il en avait marre !

Le débat aurait pu vite devenir houleux si à cet instant précis Lily n'avait pas fait remarquer d'un ton soucieux :

— Chiara a vraiment une petite mine pour quelqu'un qui revient de deux semaines de vacances, vous ne trouvez pas ?

Aussitôt les deux autres filles se tournèrent vers leur amie.

— Lily a raison, déclara Maëlle, tu as une sale tête !

— Merci du compliment, fit Chiara d'un ton morne, ça fait toujours plaisir…

— Allez, dis-nous plutôt ce qui ne va pas ! tempéra Mélisande.

Chiara glissa avec application ses longues mèches brunes derrière ses oreilles et dit avec un calme inquiétant.

— Je crois qu'il y a une femme dans la vie de mon père.

Mélisande ouvrit la bouche mais retint à temps les paroles qu'elle s'apprêtait à prononcer : se rengorger d'avoir eu raison n'aurait en rien aidé son amie. Elle s'étonna elle-même d'avoir eu cette retenue. Généralement, elle parlait d'abord et regrettait ensuite d'avoir blessé les gens.

— Ton père ? avec une femme ? s'étonna Maëlle.

— Tu es sûre ? Je croyais qu'il était encore amoureux de ta mère…

— Et puis, excuse-moi de le dire aussi clairement, mais ton père est plutôt taciturne… Pas du style à attirer la gent féminine !

— Maëlle ! gronda Lily, choquée par ces propos qu'elle trouvait blessants pour son amie.

Chiara cependant ne parut pas en prendre ombrage. Elle semblait juste un peu… bizarre.

— Bon, si tu nous disais ce qui te fait penser ça ? insista Mélisande.

La jeune fille secoua la tête, comme si elle ne parvenait pas à y croire elle-même, puis se décida :

— Quand je suis rentrée hier soir, j'ai tout de suite su qu'il y avait quelque chose de différent dans l'appartement. Tout avait été parfaitement rangé et le ménage avait été fait.

— Bah, ton père a fait le grand ménage de printemps avec un peu d'avance, c'est tout, commenta Maëlle.

— Non, je ne le crois pas. Le ménage, c'est vraiment pas son truc. Quand on le fait tous les deux, il est plutôt du genre à soulever le tapis pour y cacher la poussière. Il n'y a que lorsque Mamée vient que l'on se met en quatre pour faire briller l'appartement… Mais bon, ça encore, ce ne serait rien… Le plus terrible, c'était cette odeur de parfum qui flottait dans les pièces… Un parfum un peu entêtant, identique à celui qui imprégnait sa veste quand il est venu nous rejoindre chez mes grands-parents à Noël.

Autour de la table, le silence accueillit ces dernières confidences. Un silence tout relatif que couvraient les bruits de couverts et de conversation du réfectoire mais qui montrait bien à quel point les quatre filles étaient affectées. Au bout de quelques minutes, Lily demanda doucement :

– Et... tu n'as pas essayé de lui en parler ? Après tout, ce n'est peut-être pas ça...

Chiara haussa les épaules :

– Tu sais, on ne se parle plus beaucoup depuis quelque temps...Et puis, malgré tout ce que je vous ai dit, je n'arrive même pas à imaginer qu'il ait pu faire une chose pareille, alors lui en parler...

– N'empêche, ça te pourrit la vie, nota Mélisande prosaïquement.

– C'est vrai, rien n'est pire que de ne pas savoir, confirma Maëlle, il faut en avoir le cœur net ! Peut-être que dans une semaine tu en riras...

Chiara fit une moue éloquente. Mesurant cette fois pleinement l'étendue des dégâts, Maëlle reprit :

– Bien, conclut-elle d'un ton déterminé. Les filles, je crois que nous allons avoir du pain sur la planche !

27

Jeudi 4 mars, 18 h 05

Tapant du pied pour se réchauffer, Mélisande était assise depuis une bonne dizaine de minutes sur le banc d'un Abribus de la banlieue sud, fort loin de chez elle et des endroits qu'elle fréquentait habituellement. Deux autocars étaient déjà passés, bondés en cette heure de pointe mais, malgré le coup d'œil surpris des chauffeurs, elle n'avait pas quitté son banc.

— Mais qu'est-ce que je suis allée faire dans cette galère ? grommela-t-elle entre ses dents.

Quelques jours plus tôt, pourtant, tout semblait clair. Lorsque Maëlle avait décrété que le plus simple était de suivre M. Palermo quand il rentrait le soir de son travail, cette tâche leur avait paru facile ! S'il avait une petite amie, il y avait de fortes chances qu'il l'ait rencontrée sur son lieu de travail puisque Chiara affirmait qu'il n'avait aucune activité autre que sa profession. Un bout de route fait ensemble ou, encore mieux, un petit baiser échangé avant de se séparer, et l'affaire était dans le sac ! D'un clic de son portable, elle apporterait à Chiara la preuve que celle-ci désirait et redoutait en même temps !

— Le problème, avait dit Maëlle d'un air soucieux, c'est qu'il risque de nous reconnaître, ce qui ficherait tout par terre !

– Moi, il ne me connaît pas ! avait alors spontanément lancé Mélisande.

– Mais, c'est vrai, ça ! avait approuvé avec enthousiasme le commandant en chef des opérations.

Il avait donc été convenu qu'elle se chargerait de la filature. Quand l'adolescente avait réalisé qu'elle serait seule à s'en occuper, incognito oblige, elle avait regretté ses paroles, mais le sourire reconnaissant qui s'affichait déjà sur le visage de Chiara l'avait empêchée de faire marche arrière.

Le jeudi soir étant le seul jour de la semaine où elle finissait à seize heures trente, il avait donc été décidé que la « traque » aurait lieu le 4 mars. Ainsi, elle disposerait d'un temps suffisant pour se rendre en bus sur le lieu de travail de M. Palermo. Ne laissant rien au hasard, Maëlle avait demandé à Chiara de lui donner une photo récente de son père pour que Mélisande puisse facilement le reconnaître. Elle attendait donc maintenant que sorte d'un grand immeuble un homme brun, de haute taille, vêtu d'un costume noir et portant une sacoche en cuir.

Elle allait consulter une nouvelle fois sa montre lorsqu'elle vit tout à coup apparaître celui qu'elle attendait.

Il était seul. D'un pas régulier, inconscient de l'attention dont il faisait l'objet, il prit la direction de la bouche de métro la plus proche.

Sans perdre une minute, Mélisande se leva et commença à le suivre.

Chiara reposa lentement le téléphone, profondément déçue. Mélisande venait de l'appeler pour lui faire le compte rendu de sa filature. À la suite de son père, elle était montée dans le métro, était descendue à la même station que lui et l'avait regardé prendre le bus qui le conduirait jusqu'à sa résidence.

Dans quelques minutes, il arriverait à l'appartement et son trajet avait été d'une remarquable banalité.

Et surtout, aucune présence féminine à l'horizon.

Mais Chiara s'entêtait. Elle se disait que cela ne prouvait rien. S'il y avait une femme dans la vie de son père, elle était peut-être malade, partie faire des courses ou en déplacement quelque part en France. Elle avait failli dire à son amie qu'une seule filature ne suffisait pas, qu'il faudrait suivre son père tous les soirs pendant au moins une semaine, mais consciente qu'elle ne pouvait quand même pas lui demander de passer toutes ses fins d'après-midi à jouer au détective, elle s'était tue.

Et puis, Mélisande avait ses propres mystères à résoudre ! Chiara avait d'ailleurs promis de l'accompagner à L'Estudiantin le mercredi après-midi suivant avec Lily. Elle lui devait bien ça et, malgré ses soucis, elle espérait de tout cœur que le bel Espagnol pointerait enfin le bout de son nez !

Mercredi 10 mars, 15 h 45

Ce jour-là, le froid de l'hiver décida de faire une trêve pour enfin laisser la place au soleil. Ce dernier, dardant ses rayons dans un ciel dépourvu de nuages, caressait agréablement le dos de trois jeunes silhouettes discrètement postées à un angle de rue.

– Bon, alors qu'est-ce qu'on fait ?

Mélisande, nerveuse, jeta un regard interrogatif à ses deux complices.

Elles venaient de passer devant la devanture de L'Estudiantin, noir de monde à cette heure-ci. Pendant les vacances, lors de leurs expéditions précédentes, les filles avaient pu jeter un coup d'œil discret à l'intérieur du café pour détecter l'éventuelle présence de Lisandro. Mais en ce mercredi après-midi où les étudiants de l'Ecam avaient envahi la place, la chose devenait impossible.

– Ah, si Maëlle était là, elle nous aurait déjà concocté un plan, soupira Lily.

– Oui, mais bon, encore une fois, elle n'est pas là ! releva Mélisande d'un ton légèrement agacé.

– Elle a un contrôle de maths demain, rappela Chiara, conciliante.

– Et rendez-vous avec Maxime ensuite, grogna son amie.

– Ce n'est pas vraiment un rendez-vous, précisa Lily, c'est un entraînement.

Son amie secoua ses boucles rousses :

– Peu importe ! On se débrouillera très bien sans elle !

Prenant finalement les choses en mains, elle proposa à Lily :

– Le mieux serait que tu entres pour voir s'il est là.

– Toute seule ?

– Je viens avec toi si tu veux, fit Chiara.

– Super, moi je vous attends là ! Et n'oubliez pas de le prendre en photo, ajouta Mélisande, fébrile, il faut être sûre qu'il s'agit bien du bon !

Chiara leva les yeux au ciel :

– Bonjour, la discrétion ! Tu ne veux pas non plus qu'on lui demande ses papiers, histoire d'être sûre, sûre ?

Mélisande ignora son ton sarcastique et leur donna une petite poussée dans le dos en insistant :

– Tatata ! une photo, c'est non négociable... mais même si elle est mal cadrée ça ira !

Chiara se retourna alors et, faisant la révérence jusqu'à terre, se moqua d'une voix nasillarde :

– Votre majesté est par trop magnanime avec ses humbles servantes !

Pouffant de rire, Lily la saisit par le bras et la tira dans la rue qui menait au café.

À peine quelques minutes plus tard, Mélisande les vit revenir en courant.

— Déjà ? fit-elle abasourdie, mais vous n'avez même pas eu le temps d'entrer !

— Ah si, la contredit Lily, on est entrées ! Mais on n'avait pas fait trois pas qu'on est tombées presque nez à nez avec ton Espagnol ! Il était accoudé au bar et ne nous a même pas regardées parce qu'il était en grande conversation avec Dan. Heureusement qu'ils ne se sont pas retournés parce que, sinon, ils m'auraient forcément reconnue, et là, j'aurais eu du mal à expliquer ce que je faisais là !

— Bah, ce n'est pas si grave… Tu as bien le droit de faire ce que tu veux !

— On voit bien que tu n'as pas de grand frère ! Dan aurait parlé à Thomas, c'est aussi sûr que deux et deux font quatre, et là, j'aurais eu droit à un sermon : il m'aurait dit qu'une fille de mon âge n'a rien à faire toute seule si loin de chez elle dans un bar rempli d'étudiants bien plus âgés qu'elle et patati, et patata ! Il est pire que mes parents… mais si eux l'avaient appris, ils n'auraient pas été ravis non plus : tant que je suis avec Thomas, je peux aller où je veux, sinon, ce n'est plus la même chanson !

D'un geste insouciant, son amie répliqua :

— Tu n'as qu'à raconter des bobards !

Lily eut une grimace expressive :

— Alors là, ce n'est pas mon truc, je ne sais pas faire… et de toute façon, je n'aime pas ça !

Philosophe, Mélisande remarqua :

— Tu as tort, ça facilite drôlement la vie… En revanche, ce que tu viens de dire m'a fait penser à quelque chose…

Tout en réfléchissant elle poursuivit :

— Il ne faut surtout pas que Lisandro établisse un lien entre vous et moi. Il trouverait bizarre qu'une fille en fac de sciences ait des copines en seconde.

— Super, s'exclama Chiara, nous voilà maintenant ramenées au rang de « bébés » !

Mélisande eut un sourire d'excuse :

— Désolée, les filles, vous savez bien que ce n'est pas du tout ce que je pense !

— T'en fais pas, lança la brunette, moi, vos histoires de garçons, ça me dépasse !

Rassurée, son amie se mit à se mordiller un ongle avant de conclure :

— Bon, avec tout ça, on est revenues au point de départ... et toujours sans photo !

— Vas-y toi-même, intervint Lily, si ce n'est pas lui, je t'assure que tu ne perdras pas au change !

Les traits de l'adolescente prirent soudain un air déterminé.

— C'est vrai... Après tout qu'est-ce que je risque ?

Et sur ces paroles, Mélisande s'élança en direction du café.

Chiara mima aussitôt un immense soulagement, provoquant à nouveau le rire de Lily. Cependant, leur amie venait à peine de disparaître au coin de la rue qu'un bruit sourd, suivi d'un « aïe » retentissant, leur parvint. Affolées, elles se précipitèrent, mais dès qu'elles eurent tourné l'angle du bâtiment, elles s'arrêtèrent net.

Sur le trottoir, Mélisande se trouvait par terre avec un très beau jeune homme brun, aux origines indéniablement latines.

D'un bond en arrière, les deux filles se dissimulèrent au coin de la rue.

— C'est lui ! murmura Lily, viens, laissons-les se débrouiller !

— Tu plaisantes, rétorqua Chiara sur le même ton, je ne

veux pas rater ça ! Et puis, ajouta-t-elle pour justifier sa curiosité, imagine que ce ne soit pas lui, elle aura besoin de nous
pour voler à son secours.

Étouffant un rire, elles se collèrent au mur.

— Mademoiselle ? vous allez bien ? Je suis vraiment
désolé…

— J'ai la tête qui tourne, dit Mélisande d'une voix faible,
tout en se relevant.

Au même moment, Lisandro s'exclama :

— Mais… tu es la fille aux perles !

— Ça alors ! fit leur amie avec dans la voix une note de surprise si réelle qu'elle aurait pu lui valoir une nomination aux
césars.

— Vraiment, nos destins sont appelés à se croiser…

— Ou à se percuter plutôt, fit-elle avec un petit rire. Oh ! Je
crois qu'il faut que je m'assoie…

— Bien sûr, viens par là, il y a une chaise… Je t'offre un
café, c'est bien la moindre des choses !

Les deux amies se regardèrent d'un air complice.

— Et voilà ! conclut Chiara. Juliette a enfin trouvé son
Roméo… Vivement ce soir qu'elle nous raconte la suite du
feuilleton !

28

Samedi 20 mars, 9 h 25

– Plus vite, Maëlle ! Plus vite !

Le souffle court mais régulier, l'adolescente vit Maxime qui l'encourageait, les mains en porte-voix, derrière les barrières métalliques. C'était la troisième fois qu'elle l'apercevait ainsi sur le parcours. N'hésitant pas à couper à travers champs, il s'était posté à plusieurs endroits stratégiques pour la soutenir et la pousser à donner le meilleur d'elle-même.

– 13'59'' ! hurla-t-il encore comme elle le dépassait, tu peux le faire ! Je sais que tu peux !

Ne restait maintenant plus qu'une dernière mais longue ligne droite à parcourir et elle franchirait la ligne d'arrivée. Elle était seule en tête. Très en avance sur la deuxième et c'était d'ailleurs bien là que résidait toute la difficulté. Si elle avait eu quelqu'un pour la « tirer » en avant, elle aurait eu beaucoup plus de chance de battre son record.

« 14'87''… 14'87''… » À chaque battement de son pouls, le temps de sa meilleure performance lui revenait à l'esprit.

Puisant dans ses dernières forces, elle accéléra pour finir en sprint les derniers mètres.

Sous les applaudissements des spectateurs, elle franchit la ligne et alla s'effondrer contre la barrière, aussitôt rejointe par Maxime.

Avant même de reprendre son souffle, elle demanda :

– Alors ?

Philippe, qui était arrivé à son tour, armé de son chrono-mètre, eut une mimique désolée en annonçant :

– 15'12" ! Mais c'était une très belle course !

– J'ai sprinté trop tard ! s'écria Maëlle, haletante et furieuse contre elle-même. J'ai hésité un moment, et voilà le résultat !

Maxime la serra dans ses bras et déposa un baiser léger sur ses cheveux.

– Eh ! Tu as gagné quand même !

– Tu parles, les autres courent comme des tortues ! Je dois pouvoir faire mieux que ça !

– Certainement, mais je doute que ce soit le cas cette saison, déclara Philippe, tu as manqué trop d'entraînements pour être bien préparée.

Maëlle ne fit pas de commentaires et se contenta de hocher la tête. Elle savait déjà tout ça…

Heureusement, grâce à la main qui tenait la sienne à l'instant même, ce qui l'aurait terriblement déprimée quelques mois auparavant l'affectait aujourd'hui beaucoup moins.

Dimanche 21 mars, 16 h 00

Bien qu'elle n'en laissât rien paraître, Mélisande, sous son air détaché, était dans tous ses états. Dans quelques minutes, elle allait retrouver Lisandro au café des Anglais, et elle avait beau assurer à ses amies que c'était mille fois plus intéressant de discuter avec lui plutôt qu'avec des garçons de leur âge, elle n'était, en réalité, pas toujours très à l'aise.

Il s'agirait de leur troisième rencontre, la quatrième même, si on incluait celle qui avait eu lieu à la MDM. Mais celle-ci avait été tellement rapide qu'elle ne comptait pas vraiment…

La suivante cependant avait tout changé. Malgré l'ambiance bruyante qui régnait à L'Estudiantin, ils avaient bavardé un long moment autour d'un café (elle avait horreur de ça, mais l'avait bu avec grâce et même accepté un second sans que le sourire charmeur qu'elle arborait ne s'efface de son visage). C'est lors de cette discussion qu'elle avait enfin su pourquoi on n'avait plus retrouvé de traces du jeune Espagnol dans les écoles de musique : contrairement à ce qu'elle avait cru, à aucun moment il n'avait cherché à s'inscrire. Il voulait donner des cours de batterie. Aucun poste n'étant disponible, il n'était plus revenu.

C'est aussi au hasard de la conversation qu'elle lui avait appris qu'elle-même venait d'emménager à Lyon. Le jeune homme lui avait alors aussitôt proposé de l'accompagner dans sa découverte de la ville. Ce qu'elle avait accepté avec joie.

En fin d'après-midi, en rentrant chez elle, Mélisande avait eu l'impression que ses pieds ne touchaient pas terre : elle était si heureuse… Heureuse et fière aussi d'avoir enfin décroché ce précieux rendez-vous !

Et puis, le samedi précédent, lorsqu'ils avaient visité l'amphithéâtre gallo-romain, elle avait à plusieurs reprises remarqué son regard posé sur elle et son intuition féminine lui avait soufflé qu'elle ne le laissait pas indifférent. Quant à sa façon juste un peu trop insistante de lui faire la bise au moment de se séparer… cela l'inclinait à penser qu'il aurait sûrement préféré embrasser autre chose que sa joue parsemée de taches de rousseur.

– *Buenos días !* lança Lisandro dès qu'il l'aperçut, un sourire éclairant son visage.

Galamment, il se leva pour tirer sa chaise et de nouveau prit tout son temps pour déposer un baiser sur chacune de ses joues.

Mélisande s'assit de biais, s'accouda avec nonchalance à la

table et lui décocha son plus beau sourire. Charmé, Lisandro proposa :

– J'ai des places pour aller visiter le muséum d'Histoire naturelle. Qu'en dis-tu ? J'ai pensé que ça pouvait t'intéresser, toi qui es en fac de sciences…

« Le muséum d'Histoire naturelle ? La fac de sciences ? Au secours ! »

L'espace d'un instant, la panique s'empara de Mélisande. Elle se voyait mal faire illusion très longtemps si l'élève ingénieur qu'il était se mettait à la questionner dans ce domaine-là !

Pourtant, le lumineux sourire qu'elle affichait tremblota à peine. Depuis sa plus tendre enfance, elle avait appris à ne rien laisser transpercer de ses émotions.

– Oh ! corrigea-t-elle d'un ton léger, bien sûr je suis en fac de sciences, mais de sciences… humaines. Alors tu sais, le musée, moi…

D'un geste explicite de la main, elle lui fit comprendre que cela ne l'intéressait guère. Sans lui laisser l'occasion de réfléchir trop longtemps, elle suggéra :

– Et si on allait visiter les traboules[1] ? Pour une fois, il ne pleut pas, et il paraît que c'est vraiment extraordinaire !

– Bien ! Va pour les traboules, fit le jeune homme, peu contrariant.

Quelque chose dans son expression fit penser à Mélisande qu'il aurait tout aussi bien accepté un voyage sur la lune si elle le lui avait proposé. D'excitation, son cœur manqua un battement.

---

1. Passages typiques du vieux Lyon, permettant de se rendre à travers des cours d'immeubles d'une ruelle à l'autre.

Ils avaient déjà exploré plusieurs traboules quand ils s'aperçurent soudain qu'ils s'étaient perdus. Sans plan, les ruelles se ressemblaient toutes et, dès qu'on s'éloignait de la partie la plus touristique, les visiteurs se faisaient rares.

– Attends, je crois qu'il faut passer par là, dit Lisandro en indiquant une direction sur sa droite.

– Mais non, je suis sûre que c'est à gauche, le contredit Mélisande.

– Pff ! Je te dis que c'est à droite, insista-t-il avant d'ajouter d'un air supérieur :

– Les femmes n'ont pas le sens de l'orientation, c'est bien connu…

Exaspérée, Mélisande lui tira la langue et se maudit aussitôt d'avoir eu une réaction aussi infantile. Cela ne parut cependant pas étonner le jeune homme outre mesure, car il se mit à rire et, lui prenant la main, lui murmura d'une voix câline avec un clin d'œil :

– C'était pour plaisanter…

Il l'entraîna cependant sur la droite, mais Mélisande, tout émue de sentir sa main chaude et ferme tenir la sienne, ne protesta pas davantage.

Elle s'engagea à sa suite dans un étroit passage plongé dans la pénombre, sans trop voir où elle mettait les pieds. Tout à coup le talon étroit de ses bottes glissa sur l'un des pavés de la ruelle et elle trébucha. *In extremis*, Lisandro la rattrapa.

– Merci ! s'exclama Mélisande, partagée entre l'embarras et l'envie de rire.

Mais sa voix mourut lorsqu'elle releva la tête et croisa son regard.

La main de Lisandro qui l'instant d'avant s'accrochait à son bras pour la retenir avait soudain, comme par magie, trouvé sa taille. Maintenant, elle l'attirait irrésistiblement contre lui. Mélisande, un peu dépassée par les événements, ferma les yeux.

Prenant ça pour un encouragement, Lisandro l'approcha plus près encore. Il pencha la tête et l'embrassa avec fougue.

Lundi 22 mars, 18 h 00

— Et ils se marièrent et eurent beaucoup d'enfants ! s'exclama Chiara en riant.

— Ça ne va pas, la tête ? protesta Mélisande en lui lançant un regard courroucé.

Assises en cercle sur l'épaisse moquette qui recouvrait le sol de sa chambre, les quatre filles avaient pour une fois abandonné leur lieu de rendez-vous habituel. Aucune d'entre elles n'était jamais venue chez Mélisande auparavant, et, à l'exception de Lily qui, pour en avoir eu un rapide aperçu, savait déjà un peu à quoi s'attendre, les deux autres avaient été stupéfaites par le luxe élégant et stylé de l'appartement. Au sol en marbre du salon avait succédé une moquette blanche dans le couloir qui menait aux chambres et les trois filles avaient insisté pour enlever leurs chaussures bien que Mélisande eût l'air de trouver cela totalement inutile et même un peu ridicule.

— Attends, avait lancé Maëlle, on va tout salir... Ma mère me tuerait si je ne le faisais pas à la maison !

— La mienne te dirait qu'il y a des gens payés pour nettoyer, avait rétorqué Mélisande sans réfléchir.

Aux coups d'œil choqués de ses copines, elle avait haussé les épaules et n'avait pas insisté. Après tout, c'était justement pour être comme les autres qu'elle avait insisté pour les inviter après les cours...

Une fois dans la chambre, les filles s'étaient toutes extasiées devant les bijoux en cours de fabrication qui s'étalaient sur la table et avaient passé commande en choisissant leur modèle préféré, pour le plus grand bonheur de leur créatrice. Puis, délaissant le lit, elles s'étaient installées en tailleur sur le sol pour écouter les dernières confidences de Mélisande.

— Moi, j'étais sûre que tu y arriverais, s'écria Lily.

— Et alors, c'était comment ? s'enquit Maëlle sans vergogne, bien qu'elle-même n'ait jamais voulu dévoiler quoi que ce soit à ce sujet.

Mélisande s'empourpra légèrement et ferma les yeux.

— FAN-TAS-TI-QUE, répondit-elle, je n'avais jamais été embrassée de cette façon…

Concernant la dernière partie de sa phrase, elle n'avait dit que la stricte vérité. Le baiser de Lisandro avait été tellement, tellement… Elle ne savait quels mots employer pour le décrire. « Adulte » était peut-être le terme qui convenait le mieux. En revanche, elle était moins sûre du côté fantastique. En vérité, les choses étaient allées trop vite à son goût, et quand Lisandro avait détaché ses bras d'elle, elle avait eu brusquement le sentiment qu'elle s'était lancée dans une aventure qu'elle ne maîtrisait pas réellement.

Et c'était juste un peu trop effrayant pour être vraiment agréable.

Elle eut soudain envie d'en parler à ses amies, mais quand elle rouvrit les yeux, elle découvrit leurs regards admiratifs posés sur elle et le courage lui manqua. Elles allaient la prendre pour une folle si, après avoir tant insisté pour retrouver Lisandro, elle leur avouait maintenant ses doutes.

Devinant qu'elles s'attendaient à plus de détails, elle se demandait ce qu'elle allait bien pouvoir dire sans se trahir quand la porte de la chambre s'ouvrit à la volée en même temps qu'une voix aiguë claironnait :

— C'est quoi, toutes ces godasses pourries qui traînent ? Tu es passée chez Emmaüs ou…

La grande fille rousse toute en bras et en jambes qui se tenait sur le seuil s'interrompit en découvrant le quatuor assis par terre.

— Fais attention à ce que tu dis ! menaça Mélisande, déjà stressée.

Sans tenir compte de son intervention, Pauline s'écria :

— C'est qui, *elles* ? Et qu'est-ce que vous faites par terre ? Un *pow wow*, comme les Indiens ?

— Tais-toi ! s'emporta sa sœur en se relevant, on ne t'a pas sonnée !

Mais Pauline ne paraissait pas l'entendre. De toute sa hauteur, elle toisait les trois autres filles avec mépris.

— Alors, ce sont elles, ces *amies* dont tu fais tout un foin ? Franchement, tu aurais pu mieux choisir.

Furieuse, Mélisande traversa la pièce à grandes enjambées et, la prenant par le bras, elle la poussa dehors en s'écriant :

— Dégage, sale petite peste ! Fiche-nous la paix.

Et d'un geste brusque elle claqua la porte.

Tournant les paumes des mains en l'air, elle déclara, consternée :

— Les filles, je vous présente ma charmante petite sœur…

— Dis donc, il y a de l'ambiance à la maison, remarqua Chiara.

— Oui, des jours comme ça, je suis contente d'être fille unique, observa Maëlle sur un ton ironique.

— Je suis désolée, s'excusa Mélisande morte de honte. Je n'aurais jamais cru qu'elle dirait des choses pareilles.

– Ne t'en fais pas, la consola Lily, on sait bien qu'on ne choisit pas sa famille…

Elle se leva à son tour et continua :

– Bon, je file, j'ai une tonne de devoirs et j'en ai pour un petit moment pour rentrer.

– Je t'accompagne, lança aussitôt Chiara, on prendra le bus ensemble.

Finalement, l'ambiance n'étant plus à la fête, Maëlle s'en alla aussi.

Postée à la fenêtre du salon, Mélisande les regarda s'éloigner, une grosse boule en travers de la gorge. Ce moment qu'elle avait voulu si spécial avait été gâché par son imbécile de sœur. Mais elle allait lui faire payer ça.

Désormais, pour elle, Pauline n'existait plus.

29

Samedi 27 mars, 11 h 45

Songeuse, Lily replia le feuillet coloré et le glissa dans l'enveloppe. Son cœur s'était mis à battre plus vite quand elle avait remarqué, dans le courrier arrivé ce matin, une lettre à son nom. Comment, devant une telle découverte, ne pas repenser à ce qui était arrivé à Maëlle ? Après tout, peut-être était-ce la mode, pour l'amour, de s'annoncer par voie postale ?

Malheureusement, l'expéditeur n'avait pas été celui qu'elle espérait. Il s'agissait en fait d'un presque inconnu, prénommé Lucas. Ils s'étaient croisés au cours du camp musical auquel elle avait participé pendant les vacances de février. Lucas, violoniste, avait suivi les ateliers des instruments à cordes alors qu'elle assistait à ceux des instruments à vent.

Quelques rencontres fortuites lors des formations d'orchestre avaient cependant suffi à marquer l'esprit du garçon. En toute honnêteté, Lily n'avait que le vague souvenir d'un adolescent grand, plutôt coincé, les cheveux assez courts. Il était loin d'avoir le charme maladroit de Florian, mais au moins il s'était rendu compte de son existence. De plus, afin de pouvoir correspondre avec elle il s'était donné du mal pour retrouver son adresse, ce qui était quand même assez flatteur.

Lily songea alors à Mélisande qui, après une route semée d'embûches, avait enfin fait craquer son prince charmant la semaine précédente. Sans compter Maëlle, méconnaissable depuis que Maxime avait déclaré sa flamme, et qui parlait désormais d'amour du soir au matin.

Et si c'était enfin son tour à elle ? Certes, le soupirant n'était pas celui de ses rêves mais, après tout, peut-être s'était-elle trompée d'amoureux, et le destin, charitable lui donnait une nouvelle chance…

Perplexe, elle se dirigea vers son bureau et s'y assit. Dans le fond d'un tiroir, elle retrouva un vieux bloc de papier à lettres qu'elle n'avait jamais utilisé. Elle hésita encore quelques minutes puis, avec un soupir, elle saisit un stylo et commença à écrire.

Lundi 29 mars, 15 h 55

Comme elle sortait de classe à la suite de ses camarades à la fin du cours de français, Chiara fut interpellée par Mme Docile.

– Mademoiselle Palermo, pourriez-vous rester une minute ? Je voudrais vous parler.

La jeune fille lui jeta un coup d'œil légèrement inquiet. Elle n'avait pas la conscience tranquille. Ses notes déjà moyennes étaient plutôt en baisse et elle pariait que l'enseignante allait lui reprocher de ne pas travailler davantage.

Mais, contrairement à ses craintes, cette dernière lui sourit. Déstabilisée, Chiara resta sur ses gardes.

– Avez-vous pris contact avec ce nouveau cours de théâtre dont je vous avais parlé en début d'année ?

Chiara, de plus en plus décontenancée, mit quelques secondes à lui répondre :

— Heu, non.

— C'est dommage, je pense que cela vaudrait la peine que vous alliez y faire un tour. Je vous ai déjà dit combien j'avais été impressionnée par votre interprétation de Don Diègue, mais je voudrais encore vous le répéter. Je suis convaincue que vous avez un réel talent. Or, quand on ne laisse pas s'exprimer un don comme le vôtre, il a tendance à vous dévorer de l'intérieur…

Cette fois, Chiara garda le silence mais elle savourait et enregistrait chaque parole prononcée par l'enseignante. Devinant son embarras, cette dernière se pencha sur le cahier placé devant elle et conclut :

— Je ne vous retiens pas plus longtemps, vous devez avoir à faire…

Comme l'adolescente se dirigeait lentement vers la porte, elle ajouta en relevant la tête :

— Ah, une dernière chose quand même : sachez que si vous avez des ennuis, je sais aussi écouter.

Et dans son regard bleu clair qui faisait habituellement trembler les élèves, Chiara perçut à ce moment-là un intérêt sincère qui acheva de la surprendre.

Balbutiant un inaudible « au revoir », la jeune fille s'échappa rapidement dans le couloir.

Jeudi 1er avril, 17 h 45

— Joyeux anniversaire, gazelle !

Étonnée, Maëlle dévisagea Maxime. Il affichait un sourire rayonnant et paraissait enchanté de voir sa mine ébahie. Installés sur un banc du parc qui bordait le stade, ils s'étaient retrouvés juste avant leur entraînement pour profiter de quelques minutes d'intimité. Le soleil de cet fin d'après-midi jouait avec les cheveux blonds de son amoureux et la jeune fille sentit son cœur se gonfler de joie. Quelle chance elle avait d'avoir rencontré un garçon comme lui ! Il était droit et sans détour et mignon comme pas permis.

– Mais ce n'est pas mon anniversaire, finit par dire Maëlle.

– Le tien, non. Le nôtre, oui ! Cela fait quatre mois aujourd'hui que nous sommes ensemble !

« C'est vrai, songea soudain Maëlle, on est déjà le 1er avril ! »

– Ferme les yeux, poursuivit Maxime, j'ai un cadeau pour toi.

– Ce n'est pas un poisson d'avril, au moins ? se méfia la jeune fille.

– Allons, un peu de confiance ! Ferme les yeux, je te dis !

Bien que connaissant les penchants taquins de son amoureux, Maëlle finit par obéir.

Elle sentit alors qu'il lui plaçait un petit cadeau dans les mains.

– Voilà, tu peux les ouvrir maintenant !

Un papier rouge vif enveloppait un paquet à peine plus volumineux qu'une grosse boîte d'allumettes. Dévorée de curiosité, Maëlle défit l'emballage et découvrit, à l'intérieur d'une boîte transparente, la plus exquise des montres qu'elle ait jamais vue.

– Oh ! fit-elle époustouflée, et là, sur le bracelet métallique, il y a une gazelle gravée !

Avec un petit rire, Maxime corrigea :

– En fait, le vendeur m'a dit que c'était une antilope, mais que je ferais mieux de m'en contenter, car jamais je ne trouverais exactement ce que je voulais. Au début, je ne l'ai pas cru et j'ai fait tous les magasins de la ville, mais finalement, je suis revenu chez lui ! Je ne te dis pas comme il a rigolé en me reconnaissant !

– Et elle fait chrono aussi !

— Oui, fit-il fièrement, chrono, alarme, et plein de trucs encore : c'est une montre spécialement conçue pour les sportives !

Le souffle coupé, Maëlle lui passa les bras autour du cou pour l'embrasser.

Un peu plus tard, comme elle enlevait son ancienne montre pour passer la nouvelle, elle s'extasia encore :

— Elle est tellement belle ! Merci, merci, merci… Jamais je ne m'en séparerai !

— Pas de problème, elle est étanche ! Tu peux même prendre ta douche avec !

Un air désolé se peignit alors sur le visage de Maëlle :

— Et dire que moi, je n'ai absolument rien à t'offrir !

— C'est vraiment terrible, effectivement, fit Maxime d'un air accablé.

Puis, une ombre de sourire sur les lèvres, il ajouta :

— Mais, puisqu'on en parle, je ne dirais pas si vite que tu n'as rien à m'offrir… Personnellement, je reprendrais bien quelques-uns de ces baisers que tu m'as si généreusement accordés un peu plus tôt !

Et Maëlle se jeta sur lui en riant.

30

Vendredi 2 avril, 9 h 55

C'était plus fort qu'elle.

Depuis que Maxime lui avait fait cadeau de cette montre, Maëlle ne pouvait s'empêcher d'en manipuler les différents boutons pour faire admirer à la ronde les nombreuses fonctions dont elle était dotée. Ses amies avaient été les premières à s'émerveiller de ce magnifique et ô combien romantique cadeau. Mais elle n'avait pu s'arrêter là ! Même Farouk, qui pourtant s'intéressait assez peu à ce genre de babioles, avait eu droit à une démonstration dans les règles : démarrage du chronomètre, déclenchement de l'alarme (ce qui leur avait valu une remarque glaciale de la part de Mme Docile), affichage des différents fuseaux horaires, tout y était passé.

— Cool, avait-il commenté sobrement.

Puis, profitant que l'enseignante avait le dos tourné, il était passé à un sujet qui le passionnait autrement :

— Dis, ça te dirait de me filer un coup de main pour organiser une teuf ?

— Carrément, chuchota Maëlle enchantée, j'adorerais ! C'est pour quand ?

— La fin de l'année. Mais il faut s'y prendre tôt car je veux un truc géant.

— Génial ! Tu peux compter sur moi !

La jeune fille se demanda alors s'il était possible d'être plus heureuse qu'elle ne l'était actuellement. Dans sa vie, elle avait Maxime, au lycée, ses notes frisaient à nouveau l'excellence, et maintenant, Farouk lui proposait de faire partie de son comité d'organisation. Ce n'était pas rien ! Dans ce domaine, il jouissait d'un grand prestige au sein de la population lycéenne.

Dans son excitation, elle se remit à manipuler les boutons de sa montre.

Quand elle déclencha l'alarme une nouvelle fois, elle s'empressa de l'arrêter, mais le mal était fait. Mme Docile, la fusillant du regard, lança d'une voix cinglante :

— Mademoiselle Tadier ! Si j'entends cette alarme une seule fois encore, je vous confisque votre montre !

Maëlle bredouilla de vagues excuses et se força à éloigner sa main droite de l'objet incriminé.

Mais ce qui la vexa le plus, ce fut le sourire moqueur que Wendy, assise quelques rangs devant elle, ne manqua pas de lui adresser.

Lundi 4 avril, 13 h 02

Alors qu'après un cours de mathématiques particulièrement ennuyeux, Lily et Mélisande se rendaient à la cantine, la première résumait à la seconde le contenu de la lettre qu'elle avait reçue la veille.

— Mouais, soupira Mélisande, j'ai l'impression que ton Lucas est à peu près aussi passionnant que Grimaud !

— Ce n'est pas *mon* Lucas, s'insurgea Lily.

— D'abord, continua son amie sans tenir compte de son intervention, pourquoi est-ce qu'il ne te donne pas son adresse MSN ou son numéro de portable ? Le courrier, c'est d'un ringard !

– Pas tant que ça si tu en parles à Maëlle… Et puis de toute façon chez eux ils n'ont ni ordinateur ni portable.

– Quoi ? Comment peut-on vivre…

Des miaulements de chat interrompirent Mélisande. Elle regarda le numéro de son correspondant et fit une petite grimace d'excuse à sa copine en chuchotant : « C'est Lisandro ! »

– Allô ?

– …

– Oh ! cet après-midi ?

– …

– C'est trop dommage ! C'est malheureusement impossible, je… je dois aller chez le dentiste.

– …

– Non, rien de grave, mais je préfère ne pas t'imposer ça ! Si on se voyait plutôt demain ?

– …

– Super ! Dix-huit heures, place Bellecour, j'y serai !

Avec un profond soupir, Mélisande referma son portable.

– Pff ! J'ai eu chaud ! Il n'avait pas cours exceptionnellement cet après-midi et il voulait venir m'attendre à la sortie de la fac ! Heureusement qu'il m'a appelée pour me prévenir ! T'imagines la cata s'il y était allé comme ça ?

Lily la fixait en secouant la tête.

– Je ne comprends pas comment tu fais. Moi, je ne pourrais jamais jouer à ce jeu-là !

Avec un haussement insouciant des épaules, son amie rétorqua :

– Bah, c'est une question d'habitude et de mémoire.

– Si j'étais toi, je lui dirais tout !

– Pour qu'il me largue aussi sec ? Certainement pas !

Puis avec un sourire éclatant, elle conclut :

— Ne t'en fais pas, va, à part quelques acrobaties comme celle-ci, tout se passe merveilleusement bien ! Il est incroyablement intéressant et a plein de projets pour l'avenir. Il aime beaucoup la France et parle même de se spécialiser en urbanisme à Lyon… Si son projet est accepté, cela voudra dire qu'il sera encore là l'année prochaine…

Jeudi 8 avril, 8 h 10

Il ne fallut pas moins de quatre vigoureux coups de sifflet du professeur d'éducation physique pour qu'un calme tout relatif s'installât enfin dans le gymnase. Démarrer la journée par une séance de lutte n'était pas toujours du goût de tous, et M. Marillier dut encore frapper plusieurs fois dans ses mains pour que les élèves de seconde B consentent à se diriger vers lui. Lorsqu'il fut enfin parvenu à rassembler ses troupes, il commença à faire l'appel. Chacun leur tour, les élèves répondirent présents jusqu'à ce que le professeur lance :

— Wendy Vianney ?

N'obtenant pas de réponse, M. Marillier leva la tête.

— Elle va arriver, fit alors précipitamment Sophie, juste… juste un truc qu'elle n'arrivait pas à enfiler.

— Un truc ? répéta le professeur exaspéré, si à son âge on n'est pas fichu de se changer en dix minutes, c'est grave. Allez me la chercher et dites-lui qu'on n'est plus en maternelle.

Avant que quiconque ne puisse réagir, Maëlle lança :

— J'y vais, m'sieur !

Elle n'aurait raté cette occasion pour rien au monde. Quelle joie ce serait de sermonner cette peste au nom du prof de

227

gym ! La cerise sur le gâteau ayant été le regard furieux dont l'avait gratifiée cette chiffe molle de Sophie.

Lorsqu'elle poussa la porte des vestiaires, Maëlle aperçut immédiatement Wendy. Elle était déjà en tenue de sport, mais au lieu de se diriger vers la sortie, elle se tenait près du banc où Maëlle avait laissé ses affaires. Sursautant comme si elle avait été prise en faute, l'odieuse blonde se retourna.

Maëlle lui demanda sur un ton agressif :

— Qu'est-ce que tu fais là ?

Wendy, qui avait retrouvé son aplomb, contre-attaqua avec un détestable petit air supérieur :

— Les vestiaires sont à tout le monde, mademoiselle la « parano ». Je pourrais d'ailleurs fort bien te retourner la question.

S'emportant, Maëlle lança :

— Moi, c'est le prof qui m'envoie te chercher, d'ailleurs tu vas te faire engueuler… Il a dit devant tout le monde que ta place serait plus en maternelle qu'au lycée.

Bon, d'accord, elle avait légèrement déformé les propos de Marillier, mais, au moins, cela lui apporta la satisfaction de voir une lueur de colère éclairer le regard pâle de son ennemie. Cette dernière n'ajouta rien et, avec un air méprisant, elle haussa les épaules et lui passa devant.

Avant de la suivre, Maëlle, saisie d'un doute, prit juste le temps de vérifier le contenu de la poche de sa veste. Avec soulagement, elle y trouva sa précieuse montre qui affichait huit heures dix-huit. Elle referma soigneusement la fermeture éclair et, au pas de course, rejoignit le groupe.

Il n'était pas question de manquer une seule seconde du « savon » que leur prof allait passer à Wendy.

Jeudi 8 avril, 14 h 35

Depuis une demi-heure déjà régnait dans la salle un silence studieux, à peine troublé par le froissement des feuilles et les soupirs de quelques-uns. Penchés sur leur copie, les élèves de seconde B travaillaient sur un commentaire de texte particulièrement ardu. Maëlle, qui faisait partie de ceux que le texte laissait perplexes, se réjouissait d'avoir choisi une filière scientifique pour l'année prochaine. Au moins, avec les maths, on savait sur quel pied danser !

Plongée dans une réflexion intense, elle fut donc très surprise d'entendre soudain les « bip-bip » retentissants d'une alarme sonner dans le silence. Il lui fallut quelques secondes pour réaliser que ce son strident provenait bien de sa montre, et quelques secondes encore pour parvenir à l'arrêter. Des murmures se propageaient déjà dans les rangs quand elle vit Mme Docile se diriger vers elle et exiger d'une voix calme :

— Votre montre.

— Mais, madame, je ne comprends pas, jamais…

L'enseignante coupa court à ses explications en répétant sur le même ton :

— Votre montre, j'ai dit.

Maëlle comprit que ses tentatives de justification ne serviraient à rien, pas plus que des supplications malvenues. Le regard que lui adressait Mme Docile ne lui était pas inconnu. Son père, dans les pires moments, avait le même.

Le cœur brisé, elle ouvrit lentement l'attache du bracelet et tendit l'objet incriminé à Mme Docile, mais garda un visage de marbre, sans s'abaisser à demander quand cette dernière lui rendrait son bien. En aucune façon elle ne voulait laisser entrevoir à quiconque combien elle était affectée par cette confiscation.

Petit à petit, le brouhaha s'estompa, les yeux se détournèrent et les élèves se remirent au travail. Regardant droit devant elle, les mains posées à plat sur sa copie abandonnée, Maëlle ne bougea pas jusqu'à la fin du cours. Aveuglée par un flot d'émotions diverses, elle ne vit pas que Wendy fut la dernière à se pencher à nouveau sur sa copie, un sourire victorieux aux lèvres.

— Bon, raconte-nous maintenant !

Tête inclinée, Maëlle regardait sans les voir les volutes de fumée qui s'échappaient du chocolat chaud posé devant elle. Dans un premier temps, elle ne répondit pas à l'injonction de Chiara, encore trop secouée pour parler.

Il n'avait pas fallu longtemps aux trois autres membres du quatuor pour remarquer qu'une des leurs n'allait pas bien du tout. En la voyant à la sortie du lycée accoudée à une barrière, les yeux dans le vide, Mélisande et Lily avaient été les premières à s'inquiéter.

Dès que Chiara les eut rejointes, elles avaient entraîné Maëlle au café des Anges et décrété l'état d'urgence. Pour le moment, cette dernière s'était contentée de marmonner quelques vagues réponses à leur flot de questions, et à part les mots « catastrophe » et « Maxime », elles n'en avaient pas saisi grand-chose.

— Mais parle, bon sang ! éclata enfin Lily qui ne supportait plus ce demi-silence.

Cette réaction vive, si inhabituelle chez elle, lui valut un coup d'œil étonné de la part de Chiara et de Mélisande, mais obtint l'effet escompté.

Relevant la tête, Maëlle se mit alors à raconter le drame de l'après-midi.

Lorsqu'elle eut fini, elle conclut :

— Le plus incroyable est que, depuis la semaine dernière, je fais très attention à ne plus toucher ma montre. La dernière fois que j'ai réglé l'alarme, c'était pour la programmer pour

mon réveil. Depuis elle sonne, enfin, je devrais plutôt dire
« sonnait », tous les matins à six heures trente !

— Ah, bah, ce n'est pas aussi grave que je le croyais, laissa
échapper Lily.

— Quoi ! se révolta Maëlle qui avait au cours de son récit
retrouvé un peu de son allant, pas grave ? Tu imagines ! J'avais
donné ma parole à Maxime que je ne la quitterais jamais. Je
ne vais quand même pas aller lui dire que je me la suis fait
confisquer comme une gamine de CP ! Bonjour la honte !

— Il faudra bien lui dire quelque chose, nota Mélisande,
une montre, ça se remarque !

Son amie réfléchit un instant et concéda :

— Tu as raison mais, demain, ce sont les vacances de Pâques
et samedi, je pars chez ma grand-mère avec ma cousine. Il faut
donc juste que je me débrouille pour trouver une histoire
pour notre rendez-vous de demain soir, et après, je serai tranquille pour un petit bout de temps...

Mélisande reprit soudain la parole pour demander :

— Dis donc, vous faites bien un cycle lutte en EPS ?

— Ben oui, comme toutes les seconde tu le sais bien,
rétorqua Maëlle, surprise. On s'est encore croisées dans les
vestiaires ce matin ! Mais franchement, je ne vois pas le rap-
port...

Mélisande se mit à mordiller son ongle et dit avec précaution :

— Nous, quand on a ce cours, le prof exige que l'on retire
tous nos bijoux...

— Pareil pour nous, fit Chiara sans réfléchir.

Mais Maëlle resta silencieuse. Ses trois amies la considérè-
rent. Finalement, elles la virent fermer les yeux et frapper du
poing sur la table en s'écriant :

— La garce !

– Eh oui ! fit Mélisande d'un air entendu.

– Eh ! vous pourriez nous expliquer ? s'enquit Lily dont le regard intrigué allait de l'une à l'autre.

Ce fut Maëlle qui s'en chargea :

– Wendy ! C'est elle qui a programmé mon alarme pour qu'elle sonne en plein cours de français ! Comme l'a dit Mélisande, en lutte, je suis obligée d'enlever ma montre. Je me souviens maintenant l'avoir surprise près de mes affaires dans les vestiaires. J'ai même eu peur un moment qu'elle m'ait piqué ma montre. Mais quand je suis allée vérifier, tout était en place, et j'ai cru que je m'étais méfiée pour rien !

Elle frappa de nouveau du poing et les chocolats débordèrent pour la deuxième fois. Seul le Perrier de Lily, qu'elle tenait par chance entre ses mains, s'en tira sans dommages.

– Cette fille est dangereuse, souligna Mélisande tout en épongeant discrètement la table avec des mouchoirs en papier.

Folle de rage, Maëlle gronda :

– Je vais la massacrer !

– C'est ça, s'indigna Lily, et comme ça tu seras exclue du lycée ! Là, tu auras tout gagné !

– Je crois que tu ferais mieux de prendre ton mal en patience, conseilla Chiara, Mme Docile te rendra bien ta montre un jour ou l'autre.

En voyant leur amie relever le menton, les trois filles comprirent aussitôt que ce sage conseil avait peu de chance d'être entendu.

– Prendre mon mal en patience ? C'est vraiment mal me connaître ! Je ne vais quand même pas rester les bras croisés sans rien faire.

Lily soupira. Quand Maëlle était dans cet état, il y avait de quoi craindre le pire…

Vendredi 9 avril, 16 h 45

Pendant un temps, Maëlle hésita à annuler son rendez-vous avec Maxime. Cela aurait été, bien sûr, la façon la plus efficace de s'assurer qu'il ne remarquerait pas la disparition de la montre. Mais la jeune fille n'eut pas le courage de se priver de cette dernière rencontre à l'idée des quinze longs jours de séparation qui suivaient.

Ils se retrouvèrent donc comme prévu près de la fontaine qui marquait l'entrée de la zone piétonnière du vieux Lyon. D'un commun accord, ils se promenèrent dans les rues sans but précis, juste heureux d'être ensemble en cette belle fin d'après-midi de printemps. En passant devant le Palais des glaces, Maxime poussa la porte et l'entraîna à l'intérieur, incapable de résister à un appétissant dessert.

C'est avec une exclamation ravie que Maëlle accueillit la serveuse qui déposa devant eux deux coupes débordantes de glace, de fruits et de chantilly. Enthousiaste, elle tendit les deux mains par-dessus la table pour saisir celles de Maxime et le remercier de sa générosité.

Durant ce court instant, elle avait complètement oublié sa montre.

Ce n'est que lorsque le regard de Maxime se posa sur son poignet gauche qu'elle réalisa son erreur.

Ce ne fut cependant que la première d'une longue série, car avant même qu'il ne fasse le moindre commentaire, elle en commit une deuxième : retirant brusquement ses mains, elle tira nerveusement sur ses manches. Dérouté, Maxime la fixa un instant, comme s'il attendait une explication.

C'est à ce moment-là qu'elle fit sa troisième erreur : détournant les yeux d'un air qu'elle devinait coupable, elle débita l'explication qu'elle avait préparée et qu'il n'avait pas demandée :

— Tu te demandes pourquoi je n'ai pas ma montre, mais tu sais, ce n'est pas ce que tu crois (Maxime, surpris, haussa un sourcil pour lui faire comprendre qu'il ne croyait rien, mais Maëlle, comme fascinée par le coulis au chocolat qui cascadait sur la chantilly, ne le remarqua pas), c'est juste la pile qu'il faut changer.

Croisant ses mains abandonnées sur la table, il s'adossa à sa chaise et dit :

— Dans ce cas, il vaut mieux que tu me la donnes, je la rapporterai au magasin. Ils remplacent la pile gratuitement si elle s'arrête dans les deux mois.

Intérieurement, Maëlle pesta contre ces commerçants qui faisaient du zèle.

— En fait, je l'ai déjà confiée à mon père, il va s'en occuper.

Mensonges, mensonges et mensonges...

— Eh bien, appelle-le, c'est idiot de ne pas profiter de la garantie.

À bout, Maëlle explosa.

— Oh ! ca va ! On ne va pas parler tout l'après-midi de cette fichue pile ! On s'en fiche de payer quelques euros de plus. Je ne te savais pas si près de tes sous.

Quatrième erreur.

Blessé, Maxime se raidit et son visage se ferma. Horrifiée par ce qu'elle venait de dire, Maëlle lui saisit la main.

— Excuse-moi, je dis n'importe quoi. J'ai rarement connu quelqu'un d'aussi généreux que toi...

Toujours silencieux, le garçon accepta ses excuses d'un signe de tête, mais le climat resta tendu. Sans se concerter, ils changèrent de sujet et Maëlle se força à paraître gaie.

Pourtant, au fond d'elle-même, elle sentit qu'ils avaient perdu la joyeuse insouciance qui dominait jusqu'alors leurs rencontres.

C'était de sa faute et elle se sentit misérable.

VACANCES DE PÂQUES

31

Dimanche 25 avril, 23 h 55

Lorsque Chiara ouvrit les yeux, les chiffres lumineux du réveil posé sur sa table de nuit affichaient presque minuit. Malgré sa fatigue due au voyage de retour éprouvant, elle avait dormi à peine deux heures.

Comme à son habitude, à la fin des vacances de Pâques, son père était venu la chercher en voiture chez ses grands-parents. Le trajet avait été terrible ! Et bien plus que les longues heures passées dans la Clio – vieille guimbarde que son père se refusait obstinément à changer –, ce fut la tension qui pesait entre eux qui l'avait épuisée. Le temps passait très lentement quand on devait, pendant tout un voyage, partager un espace confiné en ne comptant que sur l'autoradio pour combler les lourds silences !

Certes, son père s'était risqué à une ou deux tentatives pour lancer la conversation, mais elle s'était bien gardée de saisir la perche. Il ne croyait quand même pas qu'elle allait, elle, parler à cœur ouvert tandis que lui gardait jalousement tous ses petits secrets ? Les réponses monosyllabiques de Chiara avaient rapidement découragé son père, déjà peu bavard à l'ordinaire. Ils ne s'étaient plus adressé la parole jusqu'à leur arrivée à Lyon devant la porte de l'immeuble. Chiara avait jailli de la voiture comme un diable hors de sa boîte sans un regard pour son père. Après une douche rapide, elle avait prétexté un manque total d'appétit (ce qui n'était jamais vrai dans son cas !) pour aller se réfugier dans sa chambre. Elle l'avait entendu aller et venir dans l'appartement, puis allumer la télévision, mais, dès qu'elle avait posé sa tête sur l'oreiller, elle s'était endormie comme une masse.

Chiara était maintenant réveillée, se demandant ce qui avait bien pu la tirer de son sommeil. Peu à peu, elle discerna un bruit de voix étouffée de l'autre côté du mur. Avec précaution, elle se leva et s'approcha de la porte de sa chambre. Retenant sa respiration, elle tira la poignée. Son père se trouvait à quelques mètres d'elle, porte close, dans la petite pièce qui lui servait de bureau. Et, malgré l'heure tardive, il téléphonait !

À pas de loup, elle s'approcha et sans hésitation, colla l'oreille à la porte.

– Quand reviens-tu de Bangui ?

– …

– Oui, quinze jours, c'est long !

– …

M. Palermo eut un petit rire.

– On fêtera ça à ton retour.

– …

– D'accord, le mercredi suivant, à treize heures. Oui, au Comptoir des vins.

– …

Aux inflexions de sa voix, Chiara comprit que son père était sur le point de raccrocher et, malgré ses jambes tremblantes, elle regagna sa chambre en vitesse.

Elle se pelotonna sous sa couette mais garda les yeux grands ouverts. Dans sa tête, les phrases qu'elle avait surprises tourbillonnaient. Il n'y avait plus de doute possible. Son père avait bien une femme dans sa vie. Cette fois cependant, il n'était plus question de faire appel à ses amies. Elle connaissait l'heure et le lieu du rendez-vous et elle ne laisserait à personne d'autre qu'elle-même la charge de découvrir qui était cette femme.

Elle l'entendit enfin regagner sa chambre et le silence s'installa à nouveau dans l'appartement. Le sommeil vint la surprendre alors qu'elle essayait de se souvenir, en vain, quelle était la dernière occasion où elle avait entendu le rire de son père.

Jeudi 29 avril, 13 h 45

Les vacances de Pâques n'avaient en rien entamé la résolution de Maëlle. Ainsi qu'elle l'avait laissé entendre à ses amies, elle comptait passer à l'action. Elle avait donc consacré une grande partie de son temps libre à échafauder des plans, car cette montre, il fallait qu'elle la récupère coûte que coûte ! Et puis, elle commençait à en avoir assez de ces adultes qui jugeaient de manière péremptoire sans jamais chercher à comprendre. Puisqu'on refusait de l'écouter, elle rendrait justice elle-même. Et cela commencerait par la restitution immédiate de son bien !

Certes, elle forcerait un peu la restitution, mais Mme Docile ne lui laissait guère le choix. Maëlle lui avait accordé les quelques premiers jours de la rentrée pour lui rendre ce qu'elle lui avait confisqué. Mais il semblait que Mme Docile ait complètement oublié l'existence de la montre ! Devant tant de mauvaise volonté, il lui fallait maintenant agir. Mises dans la confidence, ses amies avaient poussé de hauts cris et tout fait pour l'en dissuader, mais c'était parce qu'elles ne se rendaient pas compte de sa situation.

Elle était encore sous le choc de sa première dispute avec Maxime et elle ne tenait pas à ce que cette mauvaise expérience se renouvelle. Or, même s'il ne lui avait rien reproché lors de l'entraînement de mardi dernier, elle avait surpris son regard posé sur son poignet gauche. Si elle ne tentait rien, tôt ou tard elle serait encore obligée de mentir, ce qu'elle refusait absolument.

Aujourd'hui était le jour J. Maëlle avait remarqué que, le jeudi, les enseignants restaient plus longtemps que d'habitude à la cantine pour prendre un café ensemble. C'était sans nul doute le moment le plus favorable pour aller faire un tour dans la salle des profs !

Lorsqu'elle arriva dans le couloir réservé à la section administrative du lycée, tout était calme. Le bureau du secrétariat était vide, et ce fut un jeu d'enfant d'atteindre la porte grise qu'il lui faudrait absolument franchir.

Soudain, un sentiment de malaise l'envahit. Elle jeta un coup d'œil nerveux à droite et à gauche, se retourna brusquement, mais, non, les environs étaient toujours déserts. Le stress lui faisait sûrement imaginer des choses, mais elle décida quand même de frapper à la porte. Si la salle était occupée, elle trouverait bien une excuse pour justifier sa présence.

Elle toqua... et fut presque déçue que personne ne réponde : maintenant, il allait lui falloir aller jusqu'au bout !

Elle prit une profonde inspiration et ouvrit la porte.

Sans écouter la petite voix qui lui disait de battre en retraite immédiatement, elle pénétra dans la salle. Une odeur de renfermé et de photocopieuse surchauffée flottait dans l'air. Quelques plantes vertes atrophiées ornaient misérablement le rebord des fenêtres. Au centre de la pièce se dressait une longue table sur laquelle se côtoyaient des tasses de café vides et des stylos abandonnés. Tout le mur droit étant réservé aux casiers des professeurs, Maëlle se dirigea dans cette direction et commença à lire les noms étiquetés sur chacune des petites boîtes carrées. Elle était tellement nerveuse qu'elle dut s'y prendre à deux fois pour trouver celui de Mme Docile. De tout cœur, elle espéra que l'enseignante avait bien rangé sa montre dans son casier. Elle ouvrit vivement la petite porte et aperçut immédiatement l'objet confisqué. Il était là, bien en évidence sur un paquet de copies. Avec un soupir de soulagement, elle s'en saisit. Elle hésitait à se l'attacher immédiatement au poignet quand le déclic d'un appareil photo la fit sursauter de peur.

— C'est ce que j'appelle « être prise la main dans le casier » !

Admirant le cliché qu'elle venait de prendre sur l'écran de son téléphone portable, Wendy fit une moue avant de poursuivre de sa voix aiguë :

— T'es vraiment pas photogénique. En fait, je dirais même que tu es carrément moche. Je ne vois vraiment pas ce qu'un garçon peut te trouver. Ton copain doit vraiment avoir de drôles de goûts… Enfin, l'essentiel est qu'on te reconnaisse parfaitement bien. Je suis certaine que beaucoup de gens seront vraiment intéressés par cette splendide photo. J'imagine déjà la légende qui pourrait l'accompagner : « Maëlle Tadier : grandeur et décadence ». Quel dommage de finir ainsi une scolarité *presque* exemplaire à Balzac !

Maëlle sentit une rage impuissante sourdre en elle. Elle s'était fait avoir comme une bleue.

— Comment tu as su ? ne put-elle s'empêcher de demander.

— Ma pauvre Maëlle, consentit à expliquer Wendy avec un mépris non dissimulé, tu es si prévisible ! Je te connais comme si je t'avais faite. Je savais très bien que tu ne tiendrais pas longtemps sans la montre de ton petit chéri. Quand je t'ai vue quitter la table bien avant tes idiotes de copines, j'ai tout de suite senti qu'il y avait anguille sous roche... Te suivre a été un jeu d'enfant...

Maëlle dut lutter de toutes ses forces pour ne pas la frapper une nouvelle fois. C'était terriblement tentant, mais Wendy la tenait !

— Qu'est-ce que tu veux ? finit-elle par demander.

— Oh, rien de bien terrible ! Ce qui m'intéresse tout d'abord, c'est que la justice soit respectée. J'ai horreur des petites malines qui essayent de contourner les punitions *justement* attribuées...

Tout en débitant ce petit discours hypocrite, Wendy lui tournait autour, le téléphone appuyé sur le menton, la considérant d'un air faussement choqué.

— Franchement, insista-t-elle, je trouve que c'est vraiment très vilain de fouiller dans les casiers des profs...

Elle fit une pause et s'arrêta pour contempler une nouvelle fois le cliché. Maëlle se mit à craindre le pire. Elle pouvait presque voir les rouages pervers de son cerveau en train d'élaborer des plans tous plus machiavéliques les uns que les autres.

Lorsqu'elle vit un sourire mauvais s'épanouir lentement sur le visage de Wendy, elle comprit que son sort était fixé.

— Bien sûr, reprit la détestable adolescente, je pourrais aller trouver Mme Docile en lui montrant cette délicieuse photo... mais tu le sais, je suis la bonté même...

Wendy lui adressa un nouveau sourire, mielleux cette fois, avant de poursuivre :

— ... alors je me contenterai de te demander de remettre bien gentiment cette montre en place. Il faudra malheureusement que tu expliques à ton gentil petit copain pourquoi tu ne la portes toujours pas, désolée.

Maëlle la fixa, étonnée de s'en sortir aussi bien. De peur que Wendy change d'avis, elle replaça docilement la montre à sa place quand Wendy ajouta dans un murmure :

— Et puis…

Elle s'interrompit, forçant Maëlle à interroger :

— Et puis ?

— Oh ! rien, pas grand-chose en fait. Vois-tu, j'ai demandé à Farouk de faire partie du comité d'organisation de sa fête. Je m'en fiche à vrai dire, mais Adrien y participe. Or, il m'a répondu qu'il y avait déjà assez de filles… Tu vas donc devoir te débrouiller pour qu'il me prenne à ta place !

Maëlle s'obligea à ne pas réagir. Elle se traita intérieurement d'idiote d'avoir cru que Wendy n'essaierait pas de tirer un bénéfice personnel de cette situation. Elle songea à tout le plaisir qu'elle avait eu à l'idée d'organiser cette fête. Puis, elle posa les yeux sur la fille qui lui faisait face et qui la contemplait avec sérénité, sûre d'elle. Elle aurait voulu la défier, lui montrer qu'elle ne la craignait pas, mais elle pensa soudain à son père.

D'un simple signe de tête, elle finit par lui signifier son accord.

Quelques secondes plus tard, blême, elle quitta la pièce. Le rire triomphant de Wendy résonna encore longtemps à ses oreilles alors qu'au pas de course elle s'éloignait de cette salle maudite.

32

Mercredi 5 mai, 14 h 00

Dès qu'elle descendit du bus, Mélisande aperçut Lily qui tenait Saxo en laisse. Son amie avait discipliné ses bouclettes à l'aide d'un serre-tête en zigzag et elle trouva que cela lui allait particulièrement bien. Pour une fois, ses cheveux ne lui mangeaient pas le visage, faisant ressortir la finesse de ses traits.

Dès que Mélisande s'approcha de sa maîtresse, le labrador se mit à lui tourner autour et à la renifler.

– Eh ! doucement ! C'est une robe neuve, ne va pas me la bousiller avec ta bave !

Lily tira Saxo en arrière pour l'éloigner de Mélisande, si élégante. En effet, celle-ci portait une nouvelle robe, taillée dans un tissu fin et délicat. Ce n'était pas la tenue idéale pour une balade à la campagne mais, comme à l'accoutumée, cela lui allait parfaitement.

– Dis donc, c'est classe !

– Oui, c'est pas mal. C'est de la soie mélangée avec d'autres trucs… Mais franchement, celle qui est très en beauté aujourd'hui, c'est toi ! fit remarquer Mélisande. Ta coiffure te va super bien.

Pendant que Lily, touchée, rougissait sous le compliment, elle ajouta en désignant le gros chien haletant assis à ses côtés :

246

— Je suis sûre que si tu avais cherché un peu tu aurais pu trouver mieux comme chevalier servant !

Lily se mit à rire.

— Au moins, lui, il est toujours fidèle.

— C'est vrai, on ne peut pas en dire autant de tous les garçons…

— Pourquoi tu dis ça ? Tu as des soucis avec Lisandro ?

— Non, pas du tout ! Enfin, pas des soucis de cet ordre-là en tout cas…

Voyant son amie hausser les sourcils, elle enchaîna rapidement :

— En revanche, j'en ai connu d'autres qui n'avaient pas vraiment la même ligne de conduite… Ça m'a laissé quelques mauvais souvenirs.

Comme à chaque fois que Mélisande évoquait ses relations troubles avec les garçons de son passé, Lily s'étonnait intérieurement : comment une fille aussi belle avait-elle pu être trahie ou abandonnée ?

— Au fait, où sont Maëlle et Chiara ? s'étonna Mélisande en les cherchant du regard.

— Elles ne viendront pas. J'ai essayé de t'appeler pour te prévenir, mais je n'ai eu que ta messagerie.

Mélisande fouilla dans son petit sac à dos.

— Pas étonnant, finit-elle par dire, j'ai encore dû le laisser traîner quelque part… Alors, pourquoi ne viennent-elles pas ? Cela fait une éternité qu'on n'est pas sorties toutes les quatre !

— C'est vrai, répondit Lily, déçue. Mais Maëlle m'a dit qu'un prof leur avait collé une tonne de devoirs… Quant aux explications de Chiara, je n'y ai rien compris. Elle m'a parlé d'une histoire de repérage et m'a promis de m'en dire davantage plus tard. Tu sais quoi ? Je ne les trouve pas très en forme en ce moment.

– Oh ! Maëlle s'avance dans son boulot pour pouvoir sortir avec son Maxime chéri ce week-end, et Chiara… Eh bien, elle a souvent des hauts et des bas… Ça leur passera !

Puis s'emparant du bras libre de son amie, elle l'entraîna vers le bois qui, inondé de lumière par cette belle journée ensoleillée de mai, témoignait que le printemps était définitivement installé.

– Et si tu me racontais plutôt ce que t'écrit ce cher Lucas-qui-n'a-pas-d'ordinateur dans sa dernière lettre…

Pauline, assise sur son lit-mezzanine, balançait en rythme ses jambes filiformes dans le vide. Tout en fredonnant le dernier tube d'Olivia Ruiz, elle pianotait avec dextérité sur le portable rose de sa sœur.

– Tiens, tiens, comme c'est intéressant !

L'un après l'autre, elle lisait avec attention tous les textos que Mélisande avait reçus, s'attardant particulièrement sur ceux de Lisandro et comprenait peu à peu que sa sœur ne lui avait pas tout dit.

– Eh bien, ce n'est pas joli, joli, tout ça, murmura-t-elle avec délectation. Dire que les grandes sœurs sont les premières à nous faire la morale…

Elle regarda par la fenêtre. Dehors, il faisait si beau ! Avant, quand elles habitaient dans leur ancien appartement, Mélisande l'emmenait toujours faire du roller lorsqu'il faisait un temps pareil. Ce qu'elles avaient pu rire ensemble au cours de leurs expéditions ! Aussi bien de leurs chutes que de leurs exploits d'ailleurs !

Maintenant, tout ça, c'était bien fini. Cet après-midi encore, Mélisande l'avait laissé tomber pour aller se promener avec ses fichues copines. Et de toute façon, quand elle n'était pas avec elles, c'est qu'elle allait rejoindre cet imbécile de Lisandro qui ne voyait même pas qu'elle le menait par le bout du nez.

Elle en était là, à ressasser ses pensées moroses, quand l'interphone grésilla.

Avec la souplesse d'un chat, elle se laissa tomber sur le sol et courut répondre.

— Oui ?

— Mélisande ?

Pauline eut un soupir. C'était encore pour sa sœur. Elle faillit raccrocher, mais la curiosité fut la plus forte.

— Non, je suis sa sœur. Qui est-ce ?

— Bonjour, je suis Adrien, un ami de Mélisande. Est-ce que je pourrais la voir ?

Adrien ? Oui, elle connaissait ce nom. Sa sœur s'était assez plainte de lui. Encore un qui était fou amoureux d'elle et qui subissait son rejet. Nul doute que lui aussi serait intéressé par le contenu de ces textos. Jouant avec le clapet du téléphone qu'elle avait toujours à la main, Pauline prit sa décision en un éclair.

Sans répondre à la question du garçon, elle dit simplement :

— Monte, je t'ouvre.

C'était une journée magnifique. Une journée à passer allongée sur une pelouse à boire une limonade bien fraîche ou encore à se balader dans les bois avec des copines.

Au lieu de ça, Chiara respirait les odeurs de gaz d'échappements du centre de Lyon en sautant d'un transport en commun à l'autre. C'était la première fois qu'elle circulait seule en ville. Son père le lui avait formellement interdit. « Trop dangereux », prétendait-il. Elle avait toujours obéi à cette règle sans discuter, et voilà qu'aujourd'hui c'était à cause de lui qu'elle était obligée de la transgresser.

En quelques clics de souris, elle avait facilement découvert sur Internet que le Comptoir des vins était le nom d'un bouchon[1] de la rue des Marronniers. C'était facile à trouver, mais un peu compliqué de s'y rendre quand on venait comme Chiara de sa lointaine banlieue. Mais peu importe, voilà qu'enfin elle touchait au but : à l'angle de la place Antonin-Poncet, elle n'aurait plus qu'à tourner à gauche et elle y serait.

Sur toute sa longueur, la rue des Marronniers était semée de restaurants mais, bien que n'ayant pas mangé, Chiara restait indifférente aux menus tracés à la craie sur les ardoises noires. Toute à ses préoccupations, elle avançait lentement, avec circonspection. Elle ne voulait à aucun prix être vue avant de voir, et comme nombre de clients étaient installés en terrasse pour profiter du charme de la voie piétonne, elle se montrait particulièrement prudente.

Elle arrivait presque au bout de la rue quand elle repéra enfin l'enseigne qu'elle cherchait. Dissimulée derrière un grand ficus qui servait de séparation entre les terrasses des restaurants, elle scruta les gens assis autour des petites tables métalliques qui semblaient pousser comme des fleurs sur les pavés. Soulagée de ne pas reconnaître son père parmi tout ce monde, elle s'en voulut aussitôt :

« Cela veut juste dire qu'ils ont préféré l'ombre au soleil », pensa-t-elle.

Ce qui d'ailleurs leur allait comme un gant.

Elle allait donc devoir pousser le rideau de perles de bois qui s'ouvrait et se refermait au gré des passages du serveur affairé. Il y aurait certainement peu de monde à l'intérieur. Le cadre parfait pour un rendez-vous amoureux.

Chiara déglutit et, pour la centième fois, se demanda à quoi

---

1. Restaurant lyonnais traditionnel.

pouvait ressembler cette femme. Était-elle blonde, comme sa mère ou, au contraire, brune comme elle ? Du même âge que son père ou bien beaucoup plus jeune ? Elle savait déjà qu'elle ne le supporterait pas. Et elle savait également que quel que soit son look, cette femme lui déplairait forcément. Il n'empêche, la curiosité et le besoin de savoir étaient les plus forts.

Au troisième aller-retour du garçon qui distribuait en rafale des salades lyonnaises, elle se décida à lui emboîter le pas.

Un court instant, le contraste entre la forte luminosité de l'extérieur et la pénombre qui régnait dans la salle l'empêcha de distinguer précisément les clients attablés. Mais la seconde d'après, elle avait repéré son père. Il lui tournait le dos et était installé, dans le coin le plus éloigné de l'entrée, en face d'une femme que son dos dissimulait aux trois quarts. Comme un automate, Chiara marcha dans leur direction. Ils ne la remarquèrent qu'au dernier moment. Ce n'est qu'en l'entendant s'exclamer que son père retira sa main posée sur celle de sa compagne. Lorsqu'il tourna la tête, sa surprise fut telle qu'il se leva brusquement et renversa sa chaise.

— Chiara ! Mais qu'est-ce que tu fais ici ?

Sans se soucier de lui répondre, cette dernière dévisageait l'inconnue. Elle portait les cheveux courts et devait avoir une quarantaine d'années. Son teint très bronzé accentuait au coin de ses yeux un éventail de petites rides. Quant à son nez, un peu trop long, il déparait son visage.

— C'est pour elle que tu trahis maman ? J'y crois pas ! Tu as vu de quoi elle a l'air ? Elle est… elle est… moche !

— Chiara ! gronda M. Palermo, je t'interdis !

— Qu'est-ce que tu veux m'interdire ? De me cacher ? de mentir ? de tout ce que toi tu fais derrière mon dos ?

Embarrassé, son père releva la chaise, mais l'attention de la jeune fille restait fixée sur la femme. Cette dernière avait pâli sous son bronzage, mais elle n'avait rien dit.

La couleur de sa chevelure, un blond foncé tirant sur le roux, dérangeait Chiara, prête à parier que ce n'était pas sa teinte naturelle. Pour une raison étrange, elle lui rappelait quelqu'un de plus brun. Avec des cheveux un peu plus longs.

La femme, gênée par cet examen impitoyable, porta nerveusement son verre à ses lèvres pour se donner une contenance. C'est alors qu'un déclic se fit dans l'esprit de la jeune fille.

– Valérie... murmura-t-elle.

De stupéfaction, la femme lâcha son verre dont le contenu se répandit sur la nappe.

– Mais... bredouilla-t-elle.

Sans lui prêter davantage attention, Chiara fit volte-face vers son père qui ne savait plus que dire.

– Je la reconnais, c'est l'amie de maman qu'on voit sur les photos. Depuis combien de temps ça dure votre cirque, hein ?

– Chiara, je t'en prie, calme-toi ! Laisse-moi t'expli...

Mais, aveuglée par sa colère, sa fille l'interrompit :

– Peut-être même que vous vous voyiez déjà du temps où maman était encore là !

La réaction de son père ne se fit pas attendre :

– Excuse-toi immédiatement, tu dépasses vraiment les bornes !

– M'excuser ? Moi ? C'est la meilleure ! Tu peux toujours courir... et puis, il n'y a que la vérité qui fâche !

Le regard noir, M. Palermo tança d'une voix cinglante :

– Sors d'ici tout de suite et rentre à la maison ! On réglera tout ça ce soir.

Chiara le fixa, incrédule. Voilà donc tout ce qu'il avait à lui dire ? Elle posa ensuite son regard sur Valérie qui, la tête baissée, pleurait en silence. Chiara, elle, avait les yeux secs.

D'une voix vibrante de dédain, elle articula :

– Je vous déteste !

Et tournant les talons, elle sortit en courant du restaurant.

Dire que pendant tant d'années, elle avait rêvé de trouver le chemin qui mènerait au cœur de son père et que cette femme, avec toute sa médiocrité, y avait réussi avant elle.

33

Mercredi 5 mai, 20 h 00

Chiara avait déambulé comme une âme en peine dans la ville ensoleillée pendant des heures. Son errance l'avait finalement conduite sur les berges du Rhône et là, près de l'eau sombre et parfois tourbillonnante, un épuisement soudain s'était emparé d'elle. Elle s'était allongée sur un banc libre, les jambes repliées, et s'était absorbée dans le mouvement des feuilles de l'arbre qui se balançaient au-dessus d'elle.

Lorsque, le soir tombant, elle n'avait plus pu les distinguer les unes des autres, elle avait repris sa marche. À cette heure-ci, les promeneurs se faisaient plus rares, le temps s'était rafraîchi. Seulement vêtue d'un bermuda en toile et d'un débardeur sans manches, elle frissonna, mais continua d'avancer au hasard. Une pensée, une seule, tournait en boucle dans son cerveau : ne pas rentrer chez elle.

Lorsqu'un premier sifflement retentit, elle ne réagit pas, obsédée par cette idée fixe. Mais lorsque des silhouettes se détachèrent tout à coup des arbres qui bordaient le chemin, elle comprit soudain qu'elle était en danger.

Tournant vivement la tête de droite à gauche, elle sentit son rythme cardiaque s'accélérer. La nuit était tombée ; les lampadaires s'allumaient les uns après les autres. Brusquement elle prit conscience de son isolement.

— Eh ! où tu vas comme ça, poupée ? On peut venir avec toi ?

Sans répondre ni se retourner, Chiara pressa le pas. Maintenant les pas se rapprochaient dans son dos.

— Eh, la meuf, on te parle !

Combien étaient-ils ? Trois ? Quatre ? Plus peut-être… Beaucoup trop de toute façon pour qu'elle ait une chance de leur tenir tête !

Le cœur battant à tout rompre, elle sentit une sueur froide mouiller ses tempes. Sans réfléchir, elle se mit à courir. Vite. Le plus vite possible.

Derrière, ses poursuivants en firent autant. Certains trouvaient ça drôle. Leurs rires excités résonnaient à ses oreilles. D'autres lui lançaient des insultes et des menaces qui la firent frémir. Le souffle court, elle osa un coup d'œil par-dessus son épaule et le regretta aussitôt : ils se rapprochaient. Elle manqua défaillir en réalisant que, dans quelques mètres, ils la rattraperaient.

Dans un sursaut de volonté, elle accéléra encore. Soudain, dans le halo des lampadaires, elle vit que le chemin faisait un coude. Elle le dépassa et, profitant qu'il la cachait à la vue de ses poursuivants, elle bifurqua brusquement à gauche. Avec l'énergie du désespoir, elle se lança à l'assaut de la butte qui séparait les berges des voies de circulation routière. Ses fines ballerines glissaient sur l'herbe tendre et elle crut plus d'une fois retomber jusqu'en bas, mais la panique lui donnait des ailes et sans savoir comment, elle finit par se retrouver sur un trottoir, juste à côté d'un feu de circulation.

Sans prendre garde à sa couleur, elle s'élança pour traverser. Des pneus crissèrent, une voiture pila et un violent coup de klaxon lui glaça le sang. Mais elle continua de courir.

Ce n'est que bien plus loin qu'elle osa enfin s'arrêter et vérifier que personne ne la poursuivait plus.

S'appuyant contre un mur sale pour reprendre son souffle, elle regarda autour d'elle. Les charmants quartiers du centre-ville étaient bien loin. Par ici, nul ne traînait dans les rues. Elle ne reconnaissait rien et se demanda où elle avait atterri. Une seule chose était sûre, elle ne pouvait pas rester là. Quelques minutes plus tard, elle reprenait sa marche dans la nuit.

Jeudi 6 mai, 10 h 02

Il était de notoriété publique que les toilettes du deuxième étage de l'aile ouest du lycée Balzac étaient les plus vétustes qu'on puisse trouver à des kilomètres à la ronde. Il se disait aussi dans les couloirs que le célèbre écrivain les avait honorées de sa présence, ce qui expliquait pourquoi nul proviseur n'avait osé, en mémoire de cette auguste visite, les faire rénover. C'était, bien sûr, pure élucubration, le lycée ayant été construit des années après la mort de l'auteur de *La Comédie humaine*, mais l'histoire plaisait beaucoup et se répétait de génération en génération d'élèves.

Cependant, tous préféraient, en cas de nécessité, descendre deux étages et se rendre aux toilettes du rez-de-chaussée plutôt que d'utiliser celles-là. À moins, bien sûr, d'avoir quelques plaisanteries en tête.

Adossée à l'une des portes qui s'ouvraient sur des WC à la turque dégageant une odeur pestilentielle, Maëlle n'avait cependant pas le cœur à rire. Serrant contre elle une pochette cartonnée, elle en tapotait nerveusement le revers de ses doigts.

Si « l'autre » ne se dépêchait pas, elle allait être en retard à son prochain cours.

Les yeux fixés sur la petite antilope gracile, figée dans sa course pour l'éternité, qui décorait sa montre, elle repensa une fois encore à la façon dont le destin s'était joué d'elle.

L'après-midi de ce jour fatidique, moins d'une heure après s'être fait surprendre par Wendy, elle avait eu la stupéfaction de voir Mme Docile lui tendre sa montre en début de cours.

« Tenez, je voulais vous la rendre dès la rentrée, mais elle avait glissé au fond de mon casier. Je l'ai retrouvée ce matin et je l'avais posée de façon à ne pas manquer de la voir… La voici donc. J'espère que vous ferez en sorte que ce genre d'incident ne se reproduise plus ! »

Maëlle, décontenancée et encore sous le choc de ce qui s'était passé pendant le déjeuner, avait balbutié quelques mots… Dire que si elle avait attendu une demi-journée de plus, rien ne serait arrivé !

Elle avait rattaché sa montre au poignet avec un certain soulagement, mais elle pensait alors que ce geste scellerait la fin de ses ennuis… qui n'en étaient qu'à leurs débuts.

Elle avait été très déçue de constater que ses relations avec Maxime ne s'étaient pas améliorées pour autant. Depuis qu'elle lui avait si maladroitement menti, il avait pris de la distance, conscient qu'elle n'était plus la franche et enjouée Maëlle dont il était tombé amoureux. Et que lui dire ? Elle aurait eu bien trop honte de tout avouer, et plus encore d'avoir été assez bête pour se faire surprendre par cette infecte Wendy !

Alors, elle faisait semblant, mais, n'ayant pas le talent de Chiara, elle jouait fort mal la comédie.

Chiara… Encore un sujet douloureux et autrement plus inquiétant que ses petits ennuis !

Son père l'avait appelée tard dans la soirée. Auparavant, il avait joint Lily, mais ni l'une ni l'autre n'avait pu lui donner une quelconque information sur l'emploi du temps de sa fille, et cela pour la bonne raison qu'elles ne l'avaient ni revue ni eu de ses nouvelles depuis la fin des cours du mercredi matin.

Quand Maëlle avait compris qu'elle avait disparu, une angoisse violente l'avait étreinte. À son tour, elle avait bombardé M. Palermo de questions, mais il était resté très évasif. Cela n'avait pas empêché l'adolescente de comprendre que la disparition de Chiara était liée à la présence de cette mystérieuse inconnue. Dès qu'il avait raccroché, elle avait appelé Mélisande que le père de Chiara ne connaissait pas, mais cette dernière, qui venait juste d'être mise au courant par un appel de Lily, n'en savait pas davantage.

Maëlle s'en voulut alors de ne pas avoir compris la gravité des tourments de son amie.

Perdue dans ses sombres pensées, elle sursauta quand la porte des toilettes s'ouvrant brusquement la fit sursauter. Nerveuse, elle s'emporta en voyant Wendy entrer, un petit sourire suffisant sur les lèvres :

– Eh bien, tu en as mis du temps !

– Vas-y mollo ! répliqua sèchement l'autre. N'oublie pas que tu t'adresses à une personne qui a le pouvoir de te faire virer !

– C'est bon, tu me pourris la vie, ne me demande pas en plus de t'aimer !

L'autre fille eut un éclat de rire moqueur :

– T'inquiète, tu peux garder tes bons sentiments pour tes idiotes d'amies. Moi, ce qui m'intéresse, c'est de savoir si tu m'as apporté ce que je t'ai demandé.

Maëlle lui tendit la pochette cartonnée.

– Tout est là.

Wendy l'ouvrit et en vérifia le contenu.

– Eh bien, ça m'a l'air pas mal ! Voilà un exposé sur l'expansion du christianisme au Ier siècle qui ne m'aura pas donné grand mal !

Maëlle ne répondit rien. Elle y avait passé son mercredi après-midi et avait dû annuler la sortie prévue avec ses amies, mais elle ne lui ferait pas le plaisir de le lui avouer. Au contraire, dans un sursaut d'orgueil, elle s'exclama d'une voix pleine de mépris :

— Pff ! Ce n'est pas grand-chose si on a un cerveau à sa disposition…

Les traits de Wendy se crispèrent.

— Tu ne devrais pas me dire des choses pareilles, siffla-t-elle, piquée au vif, ça a tendance à m'énerver…

Les deux filles s'affrontèrent du regard.

Soudain le masque de colère qui s'était dessiné sur le visage de Wendy disparut brusquement.

— … et quand je suis énervée, poursuivit-elle avec une douceur feinte, cela me donne des idées… comme celle de me laisser copier pendant le prochain contrôle de maths.

— Tu es folle, s'insurgea Maëlle, on va se faire choper !

— Pas si tu y mets du tien ! De toute façon, si c'était le cas, tu diras au prof que c'est toi qui pompais !

C'est à ce moment précis que Maëlle se rendit compte qu'elle avait mis le doigt dans un engrenage infernal…

34

Jeudi 6 mai, 18 h 00

— Je n'arrive pas à y croire, répéta Lily pour la énième fois, comment a-t-elle pu nous faire ça ?

— C'est vrai, renchérit Maëlle, disparaître sans même nous en parler, à nous, ses meilleures copines !

— En même temps, on savait bien qu'elle avait des problèmes avec son père, avança Mélisande.

Lily se pencha en avant et se prit la tête entre les mains :

— Bien sûr, mais je ne pensais pas que c'en était à ce point-là...

Atterrées par la disparition de Chiara, les trois filles s'étaient retrouvées au café des Anges après les cours. À l'image de leur moral en berne, une pluie fine et froide tombait depuis le début de l'après-midi sur la ville, reléguant au rang de souvenir le beau temps de la veille.

— Il a quand même dû se passer quelque chose de terrible pour qu'elle ne vienne pas nous en parler, reprit Mélisande.

— Oui, ce n'est pas toujours facile de tout dire, murmura Lily.

Mal à l'aise, Maëlle les écoutait parler. Elle avait été tout aussi surprise et choquée que les autres d'apprendre la fugue de Chiara, mais, à la réflexion, elle comprenait qu'elle n'ait rien pu dire. Il y avait des choses dont on était si peu fier qu'on préférait les taire, même si on finissait par en être les premières victimes !

Relevant la tête, Lily se tourna soudain vers elle.

— Dis donc, tu as l'air bizarre, tu ne saurais pas quelque chose que l'on ignore par hasard ?

Maëlle chercha tout d'abord à fuir le regard de son amie, puis, comme celle-ci insistait, elle essaya de lui répondre. Alors qu'elle ouvrait la bouche, une grosse boule se forma dans sa gorge et aucun son ne sortit.

— Eh bien, fit Mélisande étonnée, on t'a connue plus volubile !

Maëlle glissa une mèche blonde qui s'était échappée de sa queue-de-cheval derrière l'oreille avant d'avouer :

— Moi non plus, je ne vous dis pas tout…

Dans le silence perplexe qui s'était installé, elle poursuivit :

— J'ai des problèmes. De gros problèmes.

Et petit à petit, elle leur raconta le chantage dont elle était victime.

— Maintenant, elle exige en plus que j'ajoute des fautes sur mes copies pour que les profs ne se doutent pas qu'elle copie sur moi !

— Quelle garce, cette fille ! Il faut absolument la dénoncer !

— Elle a raison, renchérit Lily, il faut tout avouer à tes parents.

Maëlle sursauta :

— Il n'en est pas question, et je compte sur vous pour ne rien dire à personne !

— Et à Chiara ? On peut lui en parler quand même ! protesta Lily.

— Évidemment, s'impatienta Maëlle, cela va sans dire… mais seulement à elle !

Mi-suppliante mi-autoritaire, elle insista :

— Allez, promettez-moi que vous garderez le secret !

À contrecœur, ses deux amies finirent par promettre. Lily, très ennuyée, s'apprêtait à faire un commentaire quand le téléphone de Maëlle sonna.

— C'est ma mère, dit celle-ci en voyant le numéro qui s'affichait.

Elle décrocha aussitôt.

— Allô ?

— …

— C'est vrai ? Oh ! c'est génial ! Merci d'avoir appelé tout de suite !

— …

— Oui, elles sont avec moi, je leur dis immédiatement, bises !

Un sourire radieux aux lèvres, Maëlle s'écria :

— Le père de Chiara vient d'appeler ma mère, ses grands-parents ont téléphoné il y a quelques minutes pour dire qu'elle venait d'arriver chez eux.

Vendredi 7 mai, 10 h 35

Quand Chiara se réveilla, les cigales avaient depuis longtemps déjà entamé leur concert strident. Le soleil entrait à flots dans la chambre dont elle n'avait pas pris la peine, la veille au soir, de fermer les volets bleu pervenche. Derrière les rideaux de percale blanche, elle devinait les silhouettes torturées des oliviers centenaires qui entouraient le mas.

Tout près, perchée sur une solive du toit, une tourterelle fit entendre son amoureux roucoulement.

L'adolescente referma les yeux et soupira. Comme le cauchemar des dernières vingt-quatre heures lui semblait loin !

Ses déambulations à travers la ville l'avaient finalement conduite jusqu'à la gare de Perrache, éclairée de lumières blafardes. C'est alors qu'une idée logique et séduisante s'était aussitôt imposée à elle. Pourquoi n'y avait-elle pas pensé avant ?

Se remettant à courir, elle avait traversé la place Carnot, mais avait trouvé les portes de la gare closes. Elle avait regardé sa montre. Il était près d'une heure du matin et il lui faudrait patienter près de quatre heures avant qu'elles ne s'ouvrent de nouveau. Elle avait alors regagné la place et s'était assise sur un banc. Elle avait fini par s'endormir, malgré la peur qui ne l'avait pas quittée, et s'était réveillée quelques heures plus tard.

Des sans-abri s'étaient déjà installés dans le hall du bâtiment quand elle en avait franchi les portes. À un guichetier mal réveillé et de mauvaise humeur, elle avait demandé jusqu'où elle pouvait aller dans la direction d'Aix-en-Provence avec seize euros et soixante centimes.

Haussant les épaules de l'air blasé de celui que plus rien ne pouvait surprendre, il lui avait vendu un billet pour Tain-l'Hermitage. Le TER ne partait cependant pas avant neuf heures trente-six, et elle s'était à nouveau mise en quête d'un endroit pour attendre.

Tout s'était ensuite relativement bien passé jusqu'à ce qu'elle décide de tenter sa chance et de rester dans le train au lieu de descendre à l'arrêt prévu. Jusqu'à Montélimar, elle avait réussi à jouer au plus fin avec le contrôleur, mais juste avant Bollène elle s'était fait prendre et avait dû descendre, PV en main.

Sans se décourager, elle avait pris le train suivant, et ainsi de suite, alternant PV et trajets ferroviaires, jusqu'à Aix-en-Provence.

Elle était arrivée épuisée. Son portable n'ayant plus de

batterie, elle avait demandé à une jeune femme à l'air sympathique si elle pouvait passer un rapide coup de fil avec le sien.

Vingt-cinq minutes plus tard, battant tous ses records de vitesse, son grand-père affolé garait sa camionnette devant la gare. Il lui avait ouvert la portière et, dès qu'elle s'était assise à ses côtés, Chiara s'était effondrée.

– Bonjour, ma chérie. Ça y est, tu es enfin réveillée ?

Un plateau débordant de viennoiseries dans les mains, sa grand-mère venait d'entrer dans sa chambre. Repoussant le couvre-lit en boutis fleuri, Chiara fit mine de se lever.

– Laisse, Mamée, je vais me lever, je ne veux pas…

Mais sa grand-mère l'interrompit :

– Tttttt ! Recouche-toi vite ! Tu as besoin de te reposer. Après tout ce qui aurait pu t'arriver ! J'en tremble encore…

– Allons, Mamée, ne t'inquiète pas ! Tu vois bien que je suis là.

Mais malgré ses protestations, la jeune fille sentit son cœur glacé se réchauffer devant la tendre affection de sa grand-mère. Que c'était bon de compter pour quelqu'un !

Tout le long de la journée, elle se laissa dorloter sans réfléchir, mais quand le soir son père appela, son visage se durcit et elle refusa de lui parler, malgré l'insistance de sa grand-mère. D'ailleurs, Chiara, encore une fois, s'étonna qu'elle n'en veuille pas davantage à son père. Car, bien sûr, ses grands-parents étaient maintenant au courant de ce qui s'était passé. Dès son arrivée, l'adolescente leur avait tout raconté. Mais au lieu de prendre son parti et de s'enflammer (après tout, c'était la mémoire de leur fille qu'on bafouait !), ils l'avaient écoutée sans rien dire, comme un peu dépassés par cette histoire.

Le lendemain, alors qu'elle se balançait dans le hamac les

yeux dans le vague, son grand-père vint la rejoindre. Saisissant une chaise en bois peint du même bleu que celui des volets, il s'assit auprès d'elle.

Il se racla la gorge, comme un homme qui n'a pas l'habitude de parler de certaines choses, puis il se lança :

— Tu sais Chiara, la vie n'a pas fait de cadeau à ton père… Certes, il y a des choses qu'on ne comprend pas bien à quinze ans parce qu'elles sont plutôt gris tourterelle et qu'à cet âge on préfère le blanc colombe ou le noir corbeau, mais…

Il hésita :

— … il est normal que ton père veuille refaire sa vie.

Comme un ressort, Chiara se redressa, prête à réagir à cette affirmation, mais il leva sa main calleuse :

— Attends, laisse-moi finir, s'il te plaît. Déjà que ce n'est pas facile…

L'adolescente vit son visage buriné et ridé tendu par l'effort qu'il s'imposait et ravala ses protestations. Lentement elle se rallongea et le laissa poursuivre.

— Cela ne veut pas dire qu'il n'a pas aimé ta mère ni même qu'il ne l'aime pas encore ! Laisse-moi te dire que des amoureux comme ces deux-là, ça ne court pas les rues, même si ça s'est mal fini… Mais surtout, petite, ôte-toi les carabistouilles que tu t'es mises dans la tête… Tant que Marie a été là, ton père n'avait d'yeux que pour elle… et pourtant, Dieu sait qu'elle n'était pas facile à vivre !

N'y tenant plus, Chiara, les sourcils froncés, l'interrogea :

— Qu'est-ce que ça veut dire, « ça s'est mal fini ? »

— Ah ça ! C'est à ton père de te l'expliquer ! Il nous a fait promettre de ne jamais t'en parler, mais je crois que le moment est venu que tu saches. S'il a un peu de jugeote, il te racontera tout. Les secrets, c'est comme l'acide, ça ronge, ça ronge sans qu'on sache quand ça s'arrêtera.

265

Il sortit alors de la poche de son pantalon un carnet à fleurs que Chiara n'avait jamais vu auparavant.

– Tiens, fit-il en le posant près d'elle sur le hamac, c'est le journal que tenait ta mère quand elle avait à peu près ton âge. Avec ta grand-mère, on a pensé que ça pourrait t'aider.

Chiara s'en empara aussitôt, et pendant que son grand-père s'en allait dans les champs, elle s'y plongea avec avidité.

Sur la première page, une main à l'écriture ronde avait écrit les mots suivants :

« Ceci est le journal intime de Marie Desroziers et si toi lecteur tu ne portes pas ce nom, tu t'exposes à de terribles représailles ! »

Les mains tremblantes d'émotion, Chiara tourna la page et se mit à lire.

Tout l'après-midi, elle parcourut le carnet de sa mère et à plusieurs reprises elle s'étonna de si bien reconnaître certains sentiments que sa mère avait pu éprouver pour les avoir ressentis elle-même.

Cependant, la surprise, la vraie, fut l'incroyable révélation contenue dans ces feuilles à petits carreaux.

Quand elle lut ce passage daté du 7 mars, Chiara faillit en tomber du hamac. Jamais elle n'avait soupçonné une telle chose, et jusqu'à aujourd'hui, tout son entourage s'était bien gardé de lui en parler.

En refermant le cahier, elle demeura un instant songeuse, doutant encore de ce qu'elle avait pourtant lu écrit noir sur blanc. Alors, autant par plaisir que pour s'assurer qu'elle n'avait pas rêvé, elle relut le passage qui l'avait tant marquée. Feuilletant le calepin, elle remonta rapidement le temps. 25 mars, 16 mars, ah ! Voilà, elle y était !

« J'ai fait le mur hier soir pour rejoindre Valérie au carrefour des Trois-Ruches. Le film *Bagdad Café* passait au cinéma du village, séance unique, alors pas question de la rater ! Valérie était en retard et on est arrivées épuisées, car on a dû pédaler comme des folles pour être à l'heure. L'écran était minable, mais le film sublime. Cela n'a fait que confirmer le désir que j'ai tout au fond de moi et dont je ne parle à personne : un jour, c'est moi qui serai à l'affiche ! »

Les pages suivantes, sa mère avait fait de plus en plus souvent allusion à son rêve.

« Vincent m'a dit que j'étais très photogénique. Il était chargé de prendre les photos pendant le voyage de classe et m'a assuré que mon visage accrochait la lumière. J'aimerais bien le croire, mais je ne sais pas si je le dois. Valérie m'a avoué l'autre jour qu'il voulait sortir avec moi… »

Et quelques pages plus loin encore :

« Il y avait un casting aujourd'hui à Aix. J'ai eu la bêtise de demander à papa de bien vouloir m'emmener. Quand mes parents ont su quelle était la raison de ce voyage, ils ont fait des bonds et ça a été un non catégorique. Maman m'a dit que ce n'était pas un vrai métier, que c'était un milieu de débauchés et de drogués. Papa a ajouté qu'une fille bien ne devrait jamais mener une telle vie et encore moins quand on venait d'un milieu comme le nôtre. Ils ne comprennent rien ! Je m'en fiche bien qu'ils soient agriculteurs, et ce n'est certainement pas ça qui m'empêchera de faire du cinéma. D'ailleurs, rien, jamais, ne pourra m'en empêcher ! Pas plus un nez tordu qu'un œil de verre ou des origines campagnardes !

Ce que je sais c'est que, dans la vie, quand on veut quelque chose, il faut se battre.

Et moi, j'ai déjà les armes à la main. »

35

Lundi 10 mai, 20 h 45

— Lily, téléphone ! C'est l'mec qui t'écrit tout le temps !

Lorsque sa sœur se saisit du combiné, Hugo était déjà retourné s'avachir sur le canapé pour regarder sa série américaine préférée.

Un peu embarrassée par les façons cavalières de son jeune frère, elle dit timidement :

— Allô ?

C'était la première fois que Lucas l'appelait et elle se demandait bien ce qui lui valait cet honneur.

— Bonjour, Lily, fit-il d'un ton légèrement pompeux, j'espère que je ne te dérange pas…

Lily eut un sourire. Habituellement, ses amis ne prenaient pas tant de gants !

— Non, répondit-elle sur le même ton, pas du tout.

— Ah ! tant mieux…

Le garçon s'interrompit et toussota avant de reprendre :

— Alors voilà, un de mes amis, violoncelliste, a convié tous les membres de l'orchestre à venir célébrer son anniversaire. Il a précisé qu'il nous était possible de venir accompagnés et… j'ai pensé à toi.

Mince, Lily ne s'était pas attendue à ça !

Comme, ne sachant trop quoi dire, elle restait silencieuse, il toussota à nouveau et poursuivit :

— Bien sûr, tout cela est fort précipité et je comprendrais parfaitement qu'il te faille un délai de réflexion. Je vais te laisser mes coordonnées téléphoniques et tu pourras me rappeler. Mais la fête a lieu ce samedi à vingt heures.

Sans prendre le temps de réfléchir, Lily s'entendit répondre :

— Pas la peine, je suis d'accord. Tu me donneras l'adresse. Et si tu attends quelques minutes, le temps que j'en parle à ma mère, je te confirme ma réponse.

Samedi 15 mai, 14 h 35

Debout devant son armoire grande ouverte, Lily se demandait avec perplexité quelle allait être la tenue idéale pour cette fête. Si tous les membres de l'orchestre ressemblaient à Lucas, il risquait fort d'y avoir une ambiance style « quadrille et menuet ».

Au début, elle avait été tentée de s'offrir quelque chose de neuf, mais ses finances actuelles étaient proches du zéro absolu. Elle n'avait pas non plus voulu faire appel à la générosité parentale, car elle savait qu'avec trois enfants à la maison, les fins de mois étaient parfois difficiles et ses parents faisaient déjà beaucoup.

Prise d'un doute, elle se demanda si elle avait bien fait d'accepter cette invitation. Sur le coup, l'idée lui avait paru plutôt chouette. Elle se lassait de la gentille indifférence de Florian, et voir Maëlle et Mélisande vivre le grand amour avait ravivé son désir de romance. Puisque celui pour qui son cœur battait était trop bête pour s'en apercevoir, elle tenterait sa chance ailleurs !

C'était une décision osée pour une fille timide comme elle, mais c'était l'occasion ou jamais.

Elle avait quand même un grand regret : celui de n'avoir personne avec qui partager cet événement.

Bien sûr, elle y avait fait allusion devant Maëlle et Mélisande au lycée, mais elle avait bien compris qu'elles étaient toutes les deux très occupées. La première devait travailler d'arrache-pied pour pouvoir répondre aux demandes d'une Wendy toujours plus exigeante tout en se ménageant quand même quelques heures de libres pour voir Maxime. Quant à la seconde, elle consacrait presque tous ses week-ends à Lisandro.

Chiara, de son côté, était toujours chez ses grands-parents et, à l'exception d'un rapide je-t'expliquerai-tout-plus-tard par téléphone, n'avait plus donné signe de vie.

Même sa mère, sur qui elle pouvait compter d'habitude, l'avait abandonnée ! Elle était partie la veille au soir assister à un Salon du livre où elle devait dédicacer son dernier album.

Soudain, la porte de sa chambre s'ouvrit à toute volée. Elle poussa un cri de surprise qui se transforma en éclat de rire en voyant apparaître Maëlle et Mélisande, les mains chargées de sacs.

— Tataaam ! firent-elles en chœur tout en écartant les bras.

— Nous voici…

— Nous voilà…

— SOS habillage, coiffure et toilettage !

— Eh ! Pas toilettage ! s'écria Mélisande en donnant un coup de coude dans les côtes de Maëlle, le toilettage, c'est pour les chiens ! On avait dit « habillage, coiffure et maquillage » !

— Oups ! *Sorry !*

— Ce n'est pas grave ! pardonna Lily en riant, de toute façon, ce n'était pas complètement hors sujet vu que je suis frisée comme un mouton !

Puis, sautant au cou de chacune d'elles à tour de rôle, elle s'exclama :

— Si vous saviez comme je suis contente de vous voir ! Je

commençais à déprimer un peu à l'idée de devoir me préparer toute seule.

— Oublie la déprime, fit Mélisande, on a de quoi te remonter le moral !

Lily ouvrit de grands yeux en la voyant sortir une trousse de maquillage digne d'une professionnelle.

— En tout cas, ne va pas te plaindre de tes cheveux, reprit Maëlle, si tu savais ce que c'est horrible d'avoir des cheveux fins qui rebiquent dans tous les sens !

— De toute façon, c'est bien connu : personne n'est jamais content de ce qu'il a, fit sentencieusement Lily.

— Sauf moi, bien sûr ! lança Mélisande en balançant sa chevelure en arrière d'un mouvement de tête impérial.

— Toi, tu ne comptes pas ! Tu es hors catégorie et si tu n'étais pas mon amie je serais hyper jalouse de toi et de tes cheveux roux !

— Eh ! pas roux, s'indigna l'intéressée, on dit « blond vénitien ».

— Ah, elle est bonne celle-là ! s'exclama Maëlle en riant, « blond vénitien » ! Et moi alors, c'est quoi ? « blond tropézien » ou « blond parisien » ? Personnellement, en ce qui te concerne, j'aurais plutôt dit « poil de carotte » !

Voyant Mélisande froncer les sourcils, Lily détourna le sujet :

— Mais au fait, comment êtes-vous entrées ?

— Par la porte, tiens ! On a frappé discrètement, ton père nous a ouvert et on lui a chuchoté qu'on voulait te faire une surprise, répondit Maëlle en allant s'asseoir sur le lit.

— Et comment se fait-il que vous ayez pu venir ? demanda encore son amie curieuse, j'étais persuadée que vous seriez trop occupées !

— Facile, dit Mélisande. J'ai dit à Lisandro que j'avais une amie à voir !

– Wahou ! fit Lily admirative, et en plus ce n'est même pas un mensonge !

– Eh ! Ça m'arrive de lui dire la vérité quand même, rétorqua son amie un peu vexée.

Devant les sourires épanouis de ses amies qui la considéraient d'un œil complaisant, elle marmonna un peu plus bas :

– … Et puisqu'on en est aux confidences, je dois avouer que cette histoire d'âge me pèse de plus en plus.

Pointant un doigt accusateur sur Lily, elle dénonça d'un ton faussement sévère :

– D'ailleurs, c'est sûrement un effet de la désastreuse influence que tu as sur moi !

En riant, l'interpellée s'empara d'un coussin qui traînait par là et le lui lança à la tête. Mélisande réussit à l'éviter *in extremis* en se baissant, et Maëlle l'attrapa au vol.

– Quant à moi, fit-elle en le renvoyant sur Mélisande, je dois subir la désastreuse influence de mademoiselle, car j'ai déjà prévu de dire un gros mensonge à cette garce de Wendy : je vais lui annoncer lundi que j'ai eu une grippe terrible et que j'ai été malade tout le week-end ! Avec un peu de chance, elle m'évitera pendant quelques jours.

Mélisande, qui n'avait pas pu réitérer son esquive, passa sa main dans ses cheveux décoiffés par le coussin et pesta tout bas avant de déclarer :

– Bon, ça suffit les enfantillages ! On a du pain sur la planche ! Il faudrait peut-être s'y mettre sinon Lily ne sera jamais prête…

Les filles s'organisèrent. Tout d'abord elles se mirent en quête d'une tenue appropriée. Mélisande commença à sortir un à un tous les cintres de son armoire avant de les raccrocher avec un hochement de tête désapprobateur sur la tringle. Du marron, du noir, du bleu marine, tout cela lui paraissait bien trop terne et morose !

Finalement, Maëlle plongea la main dans son sac et en sortit la tunique qu'elle portait la nuit du jour de l'an :

— Essaie-la, dit-elle, c'est la plus belle que j'ai et on peut dire qu'elle m'a plutôt réussi !

Dubitative (elle savait qu'elle était loin d'avoir une silhouette comparable à celle de Maëlle), Lily s'exécuta. À sa grande surprise, le vêtement, taillé ample dans un tissu souple, lui allait bien.

— Eh ! Pas mal ! s'exclama Maëlle, elle est plus longue sur toi que sur moi, mais c'est sans importance, la mode autorise toutes les longueurs…

L'examinant avec un peu plus d'attention, elle ajouta :

— Et puis… Est-ce que je me trompe ou tu as maigri ?

Son amie s'empourpra et reconnut :

— C'est vrai, j'ai perdu trois kilos.

— Mais pourquoi te caches-tu toujours sous ces pulls informes ? la gronda Mélisande. Ce genre de vêtement te va beaucoup mieux !

— Surtout que tu as des rondeurs là où il faut, soupira Maëlle avec un regard d'envie, je comprends mieux maintenant à quoi servent tous ces plis sous la poitrine !

Lily vira à l'écarlate ce qui fit rire les deux autres filles.

— Pour ce qui est du bas, reprit Mélisande quelques instants plus tard, ces leggings noirs devraient très bien t'aller !

L'essai donna pleine satisfaction et elles passèrent à la deuxième phase.

Avec sérieux et application, Mélisande prit en main les opérations de maquillage. Puis elle demanda à Maëlle de l'aider à dompter les boucles serrées de leur amie. Après quelques tentatives, elles optèrent pour la coiffure que Lily avait elle-même inaugurée le jour de la balade dans les bois.

Malgré les supplications de cette dernière, elles lui interdirent d'aller se regarder dans une glace avant la fin de la « métamorphose ». Enfin, elles l'autorisèrent à se rendre dans la salle de bains pour y contempler son reflet.

Devant le miroir, Lily resta un instant stupéfaite. Était-ce bien elle, cette fille resplendissante ?

Grâce à l'habile maquillage de Mélisande, ses yeux semblaient immenses et reflétaient le camaïeu de vert et de bleu de sa tunique. La jeune fille eut une pensée pour sa mère. C'était vrai, il se cachait bien plus dans ses iris qu'un marron uniforme et terne !

Mais ce qui la convainquit vraiment fut la réflexion de son jeune frère qui, en passant devant la salle de bains, l'aperçut.

Après être resté un moment bouche bée à l'examiner, il avait finalement levé un sourcil et, malgré une évidente réticence, avait consenti à dire :

– Y a pas à dire, bien que tu sois ma sœur, faut reconnaître que tu en jettes un max !

36

Samedi 15 mai, 20 h 10

Alban, l'ami violoncelliste de Lucas, vivait dans une ancienne ferme rénovée située à l'extérieur d'un petit village du Beaujolais.

Lorsque son père gara sa voiture devant le beau bâtiment de pierre taillée, Lily tomba immédiatement sous le charme de l'endroit. Sur les collines avoisinantes, les pieds de vigne s'étendaient en rangs serrés et réguliers, et la lumière du soir baignait le paysage d'une douce lueur dorée.

— Wahou ! s'exclama l'adolescente, c'est vraiment cool, ici !

— Effectivement, renchérit M. Berry, c'est un bel endroit… Et puis, quel calme ! Le cadre idéal pour écouter la *Petite Musique de nuit* de Mozart…

Mais, en ouvrant la portière, il fit la grimace. Le battement sourd et rapide qui provenait d'une grange annexe était très loin d'évoquer les compositions du célèbre compositeur.

— Eh bien, tant pis pour Mozart, dit-il sur un ton fataliste…

— Oui, confirma sa fille en riant, pour la *Petite Musique*, je pense qu'il vaudrait mieux revenir un autre jour.

À ce moment-là, la porte en bois de la grange s'ouvrit et, en même temps qu'un solo de batterie impressionnant, Lucas s'en échappa.

Contrairement à son père dont la grimace s'était accentuée sous cet assaut de décibels, Lily était soulagée d'entendre ce

275

type de musique. Non qu'elle n'appréciât pas à sa juste valeur la musique classique ! Elle était même depuis sa tendre enfance une mélomane convaincue. Mais à chaque chose, son contexte ! Et dans le cas présent, elle était très heureuse de voir s'envoler ses craintes de devoir danser le menuet toute la nuit.

– Bonjour, monsieur, fit Lucas en venant cérémonieusement serrer la main de M. Berry.

– Bonjour, jeune homme, je vous confie ma fille. Je n'en ai qu'une, plaisanta-t-il, alors prenez-en soin !

– Le plus grand soin, promit le garçon très sérieusement, vous pouvez compter sur moi.

Lily, à qui Lucas n'avait pas encore parlé, jugea bon d'intervenir :

– Salut, fit-elle.

– Ah oui, bonsoir, répondit-il précipitamment.

Comme il paraissait hésiter sur la conduite à tenir devant son père, Lily s'avança pour lui faire la bise. Il ne se serait peut-être pas décidé pour le baisemain, mais sait-on jamais, il valait mieux ne pas prendre le risque !

Quelques instants plus tard, la jeune fille se tenait appuyée contre le mur en bois de la grange, attendant que Lucas revienne avec sa boisson. Il l'avait présentée dans les formes à plusieurs personnes qui lui avaient souri tout en la regardant d'un drôle d'air. Elle avait alors compris qu'être l'invitée de Lucas n'allait pas rendre son intégration facile.

La suite ne l'avait pas détrompée ; plus personne, depuis, ne lui avait adressé la parole et elle commençait à se sentir franchement mal à l'aise.

Alors que Lucas revenait, deux verres à la main, elle l'examina attentivement. Il n'était pas si mal que ça, avec ses traits réguliers et ses cheveux blonds. Grand et mince, il aurait même pu avoir de l'allure s'il n'avait pas porté un pantalon gris à pinces, une chemise blanche dont le dernier bouton consciencieusement fermé lui rentrait dans le cou et des chaussures noires vernies. Bien sûr, il était en décalage total avec les autres garçons présents à la soirée, tous vêtus d'un jean et d'un tee-shirt, mais son côté désuet aurait pu lui donner un charme particulier si la raideur qui se dégageait de toute sa personne n'avait pas donné envie de fuir en courant.

« On dirait qu'il a avalé un balai, songea Lily. Faudrait qu'il se décoince un peu. »

Quand il lui tendit sa boisson, elle le remercia avant de tremper les lèvres dans son Coca light (avec lui, elle n'avait pas eu honte de le préciser…) et attendit qu'il dise quelque chose.

Comme au bout de cinq longues minutes, rien ne venait, elle suggéra :

— On danse ?

Lucas haussa les épaules d'un air fataliste avant d'accepter :

— Oui, après tout, on est là pour ça.

Quelques secondes plus tard, elle regretta vivement sa suggestion. Lucas dansait mal, mais il avait en plus une désagréable tendance à la serrer de près et lui écrasait les pieds à intervalles réguliers. Le bouquet était complet ! Lily se désolait d'avoir insisté auprès de son père pour obtenir la permission de minuit quand, soudain, la porte de la grange s'ouvrit, et un nouveau couple fit son apparition.

Malgré les lumières multicolores qui tournoyaient en permanence au-dessus de leurs têtes, elle reconnut immédiatement le garçon.

De stupeur, elle s'arrêta de danser et ne réagit que lorsque Lucas lui broya les pieds pour la énième fois.

— Aïe ! fit-elle instinctivement, trop perturbée par ce qu'elle venait de voir pour retenir son cri.

— Tu veux t'arrêter ? lui hurla son cavalier dans les oreilles pour couvrir la musique.

— Ou… Oui, oui, bredouilla-t-elle.

Elle le suivit sans réfléchir. Dès qu'ils furent hors de la piste, elle désigna les nouveaux venus d'un signe de tête et lui demanda :

— Tu connais la fille ?

Lucas jeta un regard dans la direction indiquée :

— Oui, c'est Lisa, elle est flûtiste dans l'orchestre. En revanche, le garçon, je ne le connais pas.

— Moi, si. Il s'appelle Florian, il est dans ma classe.

— Vraiment ? C'est drôle comme le monde est petit.

— Oui, c'est drôle, marmonna Lily sur un ton qui signifiait tout le contraire.

Sans pouvoir détourner les yeux, elle dévisageait la flûtiste. Elle était petite, aussi fine et légère que l'instrument dont elle jouait et avait ses longs cheveux remontés en queue-de-cheval. À cette distance et avec cet éclairage, il n'était possible de déterminer ni leur couleur ni celle de ses yeux. Malgré la jalousie qu'elle avait immédiatement ressentie en la voyant, Lily ne pouvait nier qu'elle possédait un charme fou. Puis, son regard glissa sur le garçon qui l'accompagnait. Les deux mains coincées dans les poches, vêtu d'un jean et d'un tee-shirt noir, Florian s'intégrait parfaitement, côté look, aux autres adolescents. Mais à sa façon de se tenir, Lily devina qu'il aurait préféré être ailleurs.

Il n'en allait pas de même pour sa cavalière. Contrairement à ce que ses airs fragiles laissaient supposer, elle débordait de vigueur. Tirant Florian par le bras, elle le présentait à la ronde avec enthousiasme et riait à gorge déployée avec ses interlocuteurs successifs.

Voyant qu'ils approchaient d'eux, Lily passa soudain la

main sous le bras de Lucas et lui décocha un sourire éblouissant. Un instant déstabilisé, ce dernier se reprit et lui dit quelque chose qu'elle n'écouta ni n'entendit, toute son attention fixée sur Florian et Lisa dont elle surveillait la progression du coin de l'œil.

« Ça y est, pensa-t-elle, ça va être notre tour ! »

Essayant de calmer les battements désordonnés de son cœur, elle se retourna au moment précis où la frêle jeune fille lançait :

— Et voici Lucas !

Florian le salua avant de remonter d'un geste vif ses lunettes sur son nez. Il venait d'apercevoir Lily accrochée à son bras.

— Lily ? dit-il incrédule.

— Tiens ? Salut, fit cette dernière d'un air dégagé, c'est drôle comme le monde est petit !

Lily se serait mis des claques en s'entendant prononcer ces paroles. C'était d'une banalité affligeante ! Pourquoi n'avait-elle pas préparé une remarque spirituelle et piquante au lieu de reprendre comme un perroquet la phrase de Lucas ? Ah ! si Mélisande avait été à sa place...

— Ça alors ! Je ne t'avais pas reconnue !

Secrètement heureuse de ce qu'elle prenait pour un compliment caché, Lily retint un sourire et chercha ce qu'elle pourrait répondre sans se trahir. Mais, sans lui laisser le temps de dire quoi que ce soit, Florian poursuivit :

— Il faut dire qu'avec toutes ces lumières on ne voit pas grand-chose.

Et voilà ! Encore une fois elle confondait désir et réalité. La seconde suivante, Lisa entraînait déjà Florian vers quelqu'un d'autre. Lily, elle, resta plantée auprès de Lucas, soulagée que ces maudites lumières dissimulent au moins ses joues empourprées.

Après ça, elle but encore beaucoup de Coca light, dansa aussi souvent que ses pieds le lui permettaient et sourit distraitement à son cavalier en n'écoutant que d'une oreille ses rares interventions.

En fait, elle ne pouvait quitter des yeux le couple que formaient Lisa et Florian. Ils étaient inséparables et plus d'une fois elle vit l'adolescente l'entraîner sur la piste bien qu'il ne montrât guère d'enthousiasme à se déhancher.

« Où a-t-il bien pu rencontrer cette fille ? ne cessait-elle de se demander. Moi qui croyais qu'il passait tout son temps libre sur ses « bécanes », je suis vraiment idiote ! Si seulement je n'étais pas si empotée, j'aurais au moins pu tenter ma chance… Maintenant, c'est trop tard. Après une fille comme Lisa, j'aurais l'air de quoi, moi ? »

Soudain, les lumières se firent plus tamisées et Lily entendit Lucas se racler la gorge.

– On danse ? proposa-t-il.

Le DJ lança « Cry me a river » de Justin Timberlake et des couples se formèrent sur la piste. Voyant Lisa se suspendre avec tendresse au cou de Florian, la jeune fille répondit :

– Bien sûr qu'on danse ! Tu l'as dit toi-même, on est là pour ça, non ?

Bien qu'un peu étonné par le ton qu'elle avait employé, Lucas l'enlaça et tous les deux se mirent à évoluer au milieu des autres.

Mais ce slow fut pire encore que leur danse précédente. Pour des raisons pratiques, d'abord : Lucas était grand, elle, petite. Comme, en plus, il n'avait rien perdu de sa raideur, elle devait lever haut ses bras et commençait à avoir des crampes. À cela, il convenait d'ajouter une dizaine d'orteils criant « Pitié » (les siens) et une paire de mains (celles de

Lucas) montant et descendant dans son dos de manière tout à fait désagréable.

Au bout d'un moment, elle se dit que même son orgueil blessé ne méritait pas qu'elle endure plus longtemps un tel supplice, et malgré la peur de se faire remarquer et le risque de faire tapisserie le restant de la soirée, elle planta Lucas au beau milieu de la piste et lui conseilla de garder ses mains dans ses poches à l'avenir.

Le cœur gros, elle se dirigea vers la sortie, aspirant de tout son être à changer d'air.

Dehors, un quartier de lune brillait dans la nuit étoilée. Lily repéra à sa lueur un petit banc de bois placé sous un arbre qui dominait un vallon et alla s'y installer.

Sa montre lui apprit que son père arriverait d'ici une demi-heure et qu'il devait déjà être en route.

Elle était plongée dans ses pensées, quand elle distingua le grincement de la porte de la grange.

Avec un soupir désabusé, elle pensa :

« Certainement un couple en mal d'intimité. C'est telle-ment plus romantique de s'embrasser au clair de lune… »

Mais quand elle entendit les pas se rapprocher, elle craignit soudain que Lucas ne se fût lancé à sa poursuite. Prenant son courage à deux mains, elle se prépara à lui mettre les points sur les « i ».

— Écoute… commença-t-elle en se retournant.

Mais sa voix mourut lorsqu'elle reconnut la silhouette qui se découpait dans la pénombre.

— Je te dérange ? Peut-être que tu attends quelqu'un ? demanda Florian d'une voix un peu gênée.

Lily secoua lentement la tête, trop désorientée pour répondre de vive voix.

Sans rien ajouter, il prit la liberté de s'asseoir à ses côtés.

Pendant quelques minutes ils restèrent ainsi en silence, le regard perdu au loin.

— Ce gars, Lucas, dit soudain Florian, il… il ne t'embête pas, au moins ?

— Non, non, ça va, fit Lily, il est juste un peu collant, c'est tout.

— Ah ! Tant mieux. Je t'ai vue partir en plein milieu du slow, alors je me demandais…

Un frisson de plaisir parcourut Lily. Ainsi, même s'il y avait cette Lisa, il n'était pas aussi indifférent qu'il y paraissait.

— Mais, toi aussi, tu as abandonné ta cavalière au milieu d'une chanson, remarqua-t-elle.

Florian se mit à rire de bon cœur.

— Oh, mais elle était très contente ! Alban est venu lui demander de danser avec lui et elle m'a laissé tomber sans l'ombre d'une hésitation.

— C'est vrai ? Elle est gonflée, ce ne sont pas des…

— Ne t'en fais pas, l'interrompit-il, c'était prévu comme ça. Lisa est ma cousine, mais aussi la petite amie d'Alban. Sauf qu'il s'est mis à s'intéresser d'un peu trop près à son goût à la nouvelle harpiste de l'orchestre, alors elle m'a supplié de l'accompagner à cette soirée pour le rendre jaloux ou un truc comme ça. Je trouve ça débile, rendre un mec jaloux à cause de moi, ça ne le fait pas trop, mais bon, c'est ma cousine, je ne pouvais quand même pas lui dire non…

Un poids énorme s'envola soudain des épaules de Lily et un sourire éclaira fugacement son visage.

Surtout, ne pas laisser voir son soulagement.

Inconscient des sentiments qui agitaient son amie, Florian, que le clair de lune rendait bavard, poursuivit :

— Si tu savais comme ça me prend la tête ces histoires

282

d'amour ! Tout le monde ne parle que de ça en ce moment. Adrien est tout retourné et je vois bien qu'il pense toujours à Mélisande… Alors en te voyant avec ce gars, j'ai eu peur que toi aussi tu te sois fait avoir… Si tu savais ce que je suis content que ce ne soit pas le cas !

Lily lui jeta un rapide coup d'œil. Le visage tourné vers elle, il lui souriait. Plongeant à nouveau son regard vers le vallon, Lily attendit quelques secondes avant de confirmer d'une voix calme :

— Ne t'inquiète pas… Les poules auront des dents avant que je ne tombe amoureuse d'un « Lucas ».

37

Dimanche 16 mai, 21 h 20

– Veux-tu boire quelque chose ?

Chiara secoua la tête avec lassitude.

Après plus d'une semaine passée en Provence, elle venait enfin de rentrer chez elle. Elle avait été très soulagée lorsque le médecin de famille de sa grand-mère, mis au courant des événements, lui avait prescrit quelques jours de repos. Mais cette semaine était passée trop vite à son goût, et elle avait repris le TGV dans l'autre sens non sans avoir dû promettre auparavant à Mamée de ne plus recommencer ce que cette dernière avait appelé une « folie ».

Une demi-heure plus tôt, son père était venu la chercher à la gare et ils venaient tout juste d'arriver à l'appartement.

– Assieds-toi, je crois qu'il faut qu'on parle…

– Il serait temps, laissa échapper Chiara sans pouvoir contenir son amertume.

Elle vit la mâchoire de son père se contracter, mais il ne fit pas de commentaires. Au cours des derniers jours, Chiara s'était calmée et, avec l'aide de son grand-père, elle avait accepté de voir les choses sous un nouvel angle. Mais cette atmosphère baignée de secrets dans laquelle elle avait grandi lui était devenue insupportable. Elle avait hâte de voir enfin se dissiper les dernières zones d'ombre.

Sans un mot, ils allèrent s'asseoir dans le salon. À dessein, elle choisit le fauteuil et son père s'installa sur le canapé.

Il se pencha en avant, les doigts entrecroisés, les avant-bras appuyés sur son pantalon gris. Les yeux fixés sur ses chaussures, il reprit la parole.

— Je n'aime pas parler du passé. Je ne vois pas l'intérêt de remuer ces choses… Mais tes grands-parents estiment que tu as le droit de savoir et je dois avouer que, malgré mes efforts, ils t'ont bien souvent mieux comprise que moi…

Chiara, aussi immobile qu'une statue, était suspendue à ses lèvres.

— Quand j'ai rencontré ta mère, elle était très jeune, elle venait juste de réussir son bac. Elle était allée à Marseille avec un groupe d'amis pour fêter ça. Ils étaient tous attablés dans un café de la Canebière lorsque je l'ai vue pour la première fois. Ils devaient être une bonne dizaine, mais, je t'assure, on ne voyait qu'elle. J'étais moi-même assis à une table en train de lire lorsqu'elle est venue m'inviter à me joindre à eux. J'étais surpris, mais j'ai accepté. Comment aurais-je pu le lui refuser ? Déjà, elle attirait les gens comme un aimant… J'ai su plus tard qu'il s'agissait d'un pari stupide mais qui, finalement, ne s'est pas avéré si idiot que ça. Six mois plus tard, nous nous sommes mariés. C'était rapide, certainement trop, mais on s'aimait tellement ! J'avais en tête de poursuivre mes études pour devenir expert-comptable, mais tu es arrivée plus vite que prévu et il n'était plus possible de survivre à trois sur le maigre salaire que je gagnais en faisant le serveur à l'occasion, les soirs et les week-ends.

Un peu plus bas, il ajouta d'une voix rauque :

— Ne te méprends pas, je ne regrette rien. Tu es la plus belle chose qui nous soit arrivée dans cette histoire.

Embarrassée d'entendre son père parler ainsi, Chiara détourna les yeux.

M. Palermo s'interrompit un moment, puis se leva et se dirigea vers la fenêtre.

– Je ne rentrerai pas dans les détails. Dès que tu as eu quelques mois, ta mère s'est remise à parler de castings. Elle ne m'avait jamais caché son désir de faire du cinéma, mais je ne l'avais jamais vraiment prise au sérieux. J'étais sûr que cela lui passerait, surtout après ta naissance. Mais non, sa passion ne l'avait pas quittée et l'ambiance s'est vite dégradée à la maison. Elle partait en nous laissant seuls ou encore en te déposant chez ta grand-mère. J'étais furieux. Chez moi, les choses ne se passaient pas ainsi et je ne cessais de lui répéter que la place d'une mère était au côté de son enfant.

Il y eut un nouveau silence. Chiara se demanda soudain si elle avait vraiment envie de connaître la suite. Mais son père appuya son avant-bras sur la vitre et, sans la regarder, les yeux perdus dans le vague comme s'il l'avait presque oubliée, poursuivit son récit.

– Et puis… il y a eu ce jour maudit où elle a lu dans un journal qu'on recherchait des jeunes femmes blondes pour une série télévisée. Mais il fallait aller à Paris pour plusieurs jours.

Il expira à fond avant de continuer :

– Nous avons eu une dispute terrible. Ta mère est partie quand même, en voiture… Elle avait pris notre vieille Visa Citroën et je l'ai vue disparaître au coin de la rue… J'étais tellement furieux… Quand je l'ai revue, ce n'était plus qu'un amas de tôle froissée… Un camionneur qui avait perdu le contrôle de son véhicule l'a percutée de plein fouet.

Son père se tut, la voix étranglée par l'émotion, et le silence s'installa.

Chiara se rendit compte qu'elle pleurait quand les larmes mouillèrent ses mains qu'elle tenait crispées sur ses genoux.

L'obscurité s'était installée progressivement sans qu'aucun d'eux ne songe à appuyer sur l'interrupteur.

Longtemps plus tard, M. Palermo retourna prendre place sur le canapé et alluma la petite lampe qui se trouvait à ses côtés.

— Et puisqu'il paraît qu'il faut tout te dire, sache que je suis tombé par hasard sur Valérie, il y a un peu plus de neuf mois. Nous nous sommes croisés dans le métro, un soir.

— Je suis désolée, Papa, murmura Chiara, j'ai dit des choses affreuses.

Son père fit un geste las de la main.

— La situation était loin d'être idéale. Je ne voulais rien te dire car je craignais ta réaction et, avec ces histoires de théâtre, j'avais le sentiment de revivre un cauchemar. Quand cela a commencé à devenir sérieux entre nous, Valérie a insisté pour que je te parle, mais je repoussais toujours l'échéance. Elle est infirmière et souvent en déplacement de longue durée : elle travaille pour des organismes humanitaires. D'un côté, cela me permettait de repousser le problème, mais je savais bien qu'il faudrait sauter le pas un jour.

Chiara ne se souvenait pas avoir jamais entendu son père parler si longtemps de sujets aussi intimes. Beaucoup de choses s'éclairaient, mais elle se rendait compte qu'il lui faudrait du temps pour digérer tous ces faits qu'on lui avait cachés pendant des années.

Elle ressentait maintenant un besoin pressant de s'isoler, de réfléchir et de mettre un mot sur toutes ces émotions qui l'avaient si souvent saisie par surprise et qu'elle avait subies sans les comprendre.

Elle se leva, légèrement titubante :

— Merci de m'avoir dit tout ça.

Puis elle se dirigea vers le couloir qui menait à sa chambre.

– Chiara ?

Elle se retourna.

– Oui ?

– Moi aussi, je suis désolé… mais je voudrais te dire que si je t'ai caché ces choses, c'est parce que je voulais te protéger et préserver l'image que tu avais de ta mère. Il me semblait qu'il serait trop douloureux pour une petite fille d'apprendre que sa mère avait préféré partir à Paris plutôt que de s'occuper d'elle… Je… Je ne voulais pas que tu souffres.

Pour la première fois de la soirée, Chiara regarda son père dans les yeux.

– Ça, je l'avais deviné, Papa.

38

Lundi 17 mai, 11 h 05

Le retour de Chiara au lycée fut discret. Sans vraiment savoir pourquoi, elle ne chercha pas à prendre contact avec ses trois amies. Et quand elle tomba soudain nez à nez avec Lily et Mélisande au détour d'un couloir, elle tenta plutôt d'écourter la rencontre.

De leur côté, bien qu'un instant stupéfaites de la voir au lycée, les deux filles l'avaient pressée de les rejoindre le soir même au café des Anges pour qu'elle leur raconte en détail toutes ses aventures. Elles se proposaient même d'avertir Maëlle pour que le quatuor soit à nouveau au complet. Mais elle avait décliné l'invitation, prétextant de nombreux devoirs à rattraper. C'était peut-être vrai, mais cela lui ressemblait si peu cependant que les deux filles n'avaient su quoi répondre et s'étaient contentées de la regarder s'éloigner.

Une fois l'effet de surprise dissipé, Mélisande ne put s'empêcher d'être vexée par cette attitude un peu distante et elle ne se priva pas de livrer à Lily le fond de sa pensée. Cette dernière s'empressa de voler au secours de Chiara.

— Il lui faut du temps. Elle vit des choses difficiles en ce moment…

— Elle t'a appelée ? s'enquit Mélisande, une pointe de jalousie dans la voix.

– Non, je le sens, c'est tout…Tu sais, je la connais depuis longtemps…

Mais Mélisande savait bien que le temps n'était pas la seule explication. Lily, sans même en être consciente, avait ce don précieux qui consiste à savoir d'instinct ce dont les gens ont besoin.

Jeudi 27 mai, 17 h 25

L'odeur des cookies arriva à ses narines au moment même où Maëlle poussa la porte. Mais, contrairement à d'habitude, cela ne lui fit pas venir l'eau à la bouche. Depuis quelque temps en fait, elle avait un mal fou à avaler quoi que ce soit. Son estomac était noué en permanence et elle n'avait plus d'appétit.

– Bonjour, ma chérie ! Tu as passé une bonne journée ?

Sans répondre, l'adolescente laissa tomber son sac et se rendit aux toilettes.

– Dis, je t'ai posé une question. Tu pourrais répondre au moins !

Derrière la porte, Maëlle cria d'une voix pleine de colère :

– C'est bon ! Laisse-moi arriver ! Si on ne peut même plus être tranquille aux toilettes, maintenant !

Mme Tadier eut un léger sursaut et posa le magazine qu'elle tenait dans les mains. Elle ouvrit la bouche, prête à riposter, puis se ravisa.

Quand, après un temps infini, sa fille sortit enfin des toilettes, elle l'attendait.

– Tu veux qu'on discute en mangeant un cookie ?

– Non, je n'ai pas faim, refusa Maëlle, que les efforts déployés par sa mère rendaient maintenant mal à l'aise. Et puis, j'ai des devoirs, ajouta-t-elle plus doucement.

Elle tenta de s'échapper par les escaliers, mais Mme Tadier insista :

— Attends, je crois qu'il faut vraiment qu'on parle.

À contrecœur, sa fille se retourna. Elle allait inventer une nouvelle excuse quand sa mère précisa :

— Si ce n'est pas avec moi, ce sera avec ton père. J'ai reçu ce matin tes notes de mi-trimestre et c'est catastrophique.

Maëlle redescendit deux marches et lâcha d'une voix morne :

— Eh bien, tu peux en ajouter une autre, j'ai eu cinq au dernier devoir de maths.

Elle n'avait même plus l'envie de défier sa mère. Son dynamisme naturel avait petit à petit fait place à une apathie profonde. Elle avait le sentiment de s'enfoncer chaque jour davantage dans un trou sans fond et, désespérée de ne pouvoir trouver une solution pour échapper à cet horrible chantage, avait perdu tout esprit de combativité.

Dire qu'au début elle avait pensé que sa bêtise ne lui coûterait que sa place dans le comité d'organisation de la fête ! Elle n'avait pas pensé une seconde que, en cédant sur ce point, elle entamerait une descente vertigineuse. Wendy non plus, d'ailleurs, n'avait pas imaginé sur le moment tout le bénéfice qu'elle allait pouvoir retirer de cette situation, mais le temps passant, elle s'était engouffrée sans aucun scrupule dans la brèche, poussant à chaque fois un peu plus loin ses exigences, laissant Maëlle, soumise, à sa merci !

Les premiers temps, Maëlle avait réussi à sauver la face devant Maxime, ses parents et ses amies, trouvant même encore parfois la force de jouer la fière devant eux, mais maintenant la vérité était qu'elle n'en pouvait plus. Elle évitait de croiser les gens qu'elle aimait, de peur de se trahir ou de devoir écouter leurs exhortations à aller tout avouer. Elle s'attendait d'ailleurs d'un jour à l'autre à ce que Maxime lui annonce que tout était fini entre eux. Et elle le comprenait ! Il n'y avait rien d'amusant à être en sa compagnie en ce moment. Elle ne souriait plus et il lui avait déjà demandé s'il n'y avait pas un autre garçon dans sa vie.

En voyant sa mère porter sa main à sa bouche en entendant sa note, elle haussa les épaules avec fatalisme.

— Mais ce n'est pas possible, les maths, pour toi, c'est aussi naturel que de respirer !

— Eh bien, je dois être en apnée, répondit cyniquement Maëlle.

— Arrête ça, ce n'est pas le moment. Dis-moi plutôt ce qui se passe !

— Ce qui se passe ? Mais c'est que je suis nulle, c'est tout, et tu ne peux même pas imaginer à quel point !

— Ne me prends pas pour une imbécile, je vois bien qu'il y a quelque chose qui ne va pas. Tu as une tête affreuse et tu ne manges plus rien ! Je suis sûre que tu as maigri… Pourtant, tu n'as pas besoin de ça ! J'espère que tu ne t'es pas mis en tête de ressembler à ces squelettes ambulants qui défilent sur les plateaux de mode à la télé !

Sa fille eut un petit rire désabusé :

— Merci pour les compliments ! Et ne t'inquiète pas, si je ne mange pas, c'est que je n'ai pas faim, c'est aussi simple que ça.

— Dans ce cas, ce n'est pas normal ! Je vais prendre rendez-vous chez le médecin.

— Laisse tomber ! Je vais très bien et le médecin ne trouvera rien, et puis, excuse-moi, mais là, j'ai vraiment beaucoup de travail, alors il faut que j'y aille !

Elle gravissait déjà les escaliers quand sa mère lança :

— Même ça, ce n'est pas normal ! Tu passes tout ton temps à étudier pour ramener au bout du compte des notes plus épouvantables les unes que les autres. J'en viens presque à regretter l'époque où tu sortais tout le temps !

Si la situation n'avait pas été aussi affreuse, Maëlle se serait mise à rire. Mais, en l'occurrence, elle n'en avait pas du tout envie. Sans s'arrêter ni répondre, elle regagna sa chambre.

Samedi 29 mai, 14 h 30

— Ça y est ! la voilà !

Lily, jusqu'alors allongée sur un plaid installé au beau milieu du jardin, se releva sur les genoux pour faire signe à la fille brune qui venait de franchir le portillon.

— Eh bien, ce n'est pas trop tôt ! grommela Mélisande qui la regarda arriver, appuyée sur un coude. J'espère qu'on va enfin savoir pourquoi elle a joué les mystérieuses aussi longtemps !

Elle ne pouvait s'empêcher d'être blessée d'avoir été tenue à l'écart, même si ce traitement ne lui avait pas été exclusivement réservé.

— Salut ! fit Chiara en se laissant tomber à côté d'elles sur la pelouse.

Puis remarquant leurs regards inquisiteurs, elle se mit à rire.

— Vous en faites une tête !

— Comprends-nous, réagit vivement Mélisande, tu disparais en plein drame, tu réapparais sans prévenir, et nous là-dedans ? On compte pour rien ?

Le rire de Chiara cessa aussitôt. Elle ne s'était pas attendue à une telle réaction.

— Bien sûr que non, vous ne comptez pas pour rien, s'insurgea-t-elle.

Posant le regard sur Mélisande, elle dit gentiment :

— Je suis désolée, je ne pensais pas que mon attitude te ferait de la peine… J'ai juste appris tant de choses incroyables sur ma mère que j'avais besoin de me retrouver un peu seule.

Embarrassée, Mélisande répondit en haussant les épaules :

— Je crois… Je crois que j'avais un peu peur que notre quatuor se transforme en trio.

Puis très vite, car elle ne voulait pas s'attarder sur le sujet, elle relança la conversation :

— Et si tu nous racontais enfin tes aventures ? C'est bien pour ça que nous sommes réunies, non ? Moi, je n'ai qu'une heure à vous consacrer : j'ai rendez-vous avec Lisandro à seize heures en ville.

— Et on n'attend pas Maëlle ? s'étonna Chiara.

— Elle ne viendra pas, l'informa tristement Lily, à cause de cette affreuse Wendy, elle bosse à s'en rendre malade !

Devant l'air surpris de son amie, Lily se rappela que cette dernière n'était pas au courant des derniers rebondissements de ce qu'elles avaient baptisé « l'affaire de la montre ». En quelques mots, elle lui expliqua le chantage dont Maëlle était victime.

— Mais on ne peut pas laisser faire ça ! s'indigna Chiara.

— On est bien d'accord avec toi, renchérit Mélisande, sauf que Maëlle nous a fait promettre de n'en parler à personne, alors on est coincées.

Il y eut un silence avant que Lily n'intervienne :

— C'est pour ça qu'on est vraiment contentes de te revoir : on a besoin de bonnes nouvelles pour nous remonter le moral !

— Oui, insista Mélisande, raconte-nous !

Sans se faire prier davantage, Chiara se mit à relater dans le détail tout ce qui lui était arrivé. La confrontation dans le restaurant, sa fuite rocambolesque jusqu'en Provence, la lecture du journal de sa mère et enfin les confessions de son père.

– Eh bien, dis donc, s'exclama Lily, pour des nouvelles, ce sont de sacrées nouvelles ! Je comprends maintenant que tu aies été sacrément chamboulée…

– C'est dingue ton histoire… Mais ça doit être génial pour toi d'avoir découvert que tu as hérité de la passion de ta mère !

Le regard soudain lointain, Chiara reconnut :

– Oui, quand j'ai découvert ça, un fardeau énorme s'est envolé de mes épaules : enfin je n'avais plus l'impression d'être le seul « mouton noir » de la famille. Mais ce qui est triste, c'est d'apprendre que mes parents ne se sont pas séparés sur des promesses d'amour éternel mais sur des mots de reproche et d'incompréhension. C'était mieux dans mon imagination…

– J'espère en tout cas que ton père va te laisser faire du théâtre maintenant.

– En fait, on n'en a pas encore reparlé. Pour l'instant, j'essaie surtout de m'habituer à mon nouveau passé, sans compter que l'avenir qui m'attend ne me rassure pas vraiment. Vous imaginez ? Une nouvelle femme avec mon père ? Cela fait beaucoup de changements d'un seul coup… Et puis mon année scolaire n'a pas été brillante, il faut que je fasse au moins bonne impression sur la fin si je veux passer en première L.

– Pardon ? Tu peux répéter ? C'est bien Chiara Palermo qui vient de parler ? s'étonna Mélisande.

Son amie se mit à rire.

– C'est vrai ! Ça me surprend moi-même ! Mais rassurez-vous, au fond de moi, mon cœur bat toujours pour le théâtre.

– Ouf ! fit Lily avec un soupir exagéré, j'ai cru qu'on avait affaire à un clone !

– Non, c'est bien moi, confirma Chiara, enfin j'espère ! Après tout « Être ou ne pas être, là est la question ».

– C'est bon, c'est bien elle ! affirma Mélisande sobrement alors que les deux autres s'esclaffaient.

Puis, elle se leva :

– Allez, c'est l'heure, je dois vous laisser, les filles.

– Ah ! L'amour ! Toujours l'amour ! soupira Chiara sur un ton grandiloquent.

Mélisande, qui s'éloignait déjà pour rejoindre l'arrêt de bus, se retourna pour lui tirer la langue, ce qui provoqua le fou rire des deux autres. Et quand sa silhouette élégante disparut au coin de la maison, Lily retrouvant soudain son sérieux confia d'une voix douce :

– Je suis contente que tu sois revenue. Tu m'as manqué, tu sais.

Samedi 29 mai, 16 h 15

– Dis-moi, est-ce que ça te dirait de sortir en boîte, samedi soir ? lança Lisandro en se penchant par-dessus la petite table de café pour saisir la main de Mélisande assise en face de lui.

La jeune fille ne répondit pas immédiatement et repoussa une mèche de sa main libre. Danser ? Elle adorait ça ! Mais pour ne pas paraître trop puérile, elle s'efforça de modérer son enthousiasme et répondit finalement :

– Oui, ce serait pas mal. J'aime bien danser...

Puis avec un sourire charmeur, elle ajouta :

– D'ailleurs, si ce n'était pas le cas, je ne suivrais pas de cours !

Le jeune Espagnol porta sa main à ses lèvres et s'exclama :

– Eh bien, c'est super, alors !

Comme souvent ces derniers temps, il lui envoya un regard

appuyé qui semblait porteur d'un message codé. Mal à l'aise, Mélisande détourna les yeux. À vrai dire, le message en question lui paraissait de moins en moins codé et de plus en plus explicite… Au point qu'elle en venait à redouter leurs face-à-face quand les lieux étaient trop déserts.

Au moins, sur la piste de danse, ils ne seraient pas seuls et elle pourrait profiter de sa compagnie, charmante par ailleurs, sans devoir se tenir sur ses gardes.

Relevant les yeux, elle plongea son regard dans le sien. Il était vraiment beau et elle devinait par avance qu'elle ferait un grand nombre d'envieuses lors de cette soirée. Le problème de ses parents l'effleura mais, la seconde d'après, elle l'avait résolu : il lui suffirait de prétendre passer la soirée chez une copine. Comme ils ne se donneraient pas la peine de vérifier, le tour serait joué !

— Tu verras, ajouta Lisandro tout heureux, on m'a dit que L'Oasis était une boîte vraiment super. J'ai eu beaucoup de chance qu'on m'offre ces entrées pour cette soirée.

Le sourire de Mélisande se figea sur ses lèvres.

— L'Oasis, tu dis ? bredouilla-t-elle.

— Oui ! Il paraît que tout l'intérieur est décoré aux couleurs du Sahara.

— Mais… il paraît qu'il faut présenter des papiers d'identité pour entrer…

— Oui, oui ! C'est une boîte très exclusive… Là-bas, pas de risque de te faire embêter.

Tout ça, Mélisande le savait très bien et peut-être même mieux que lui. Sa mère avait un soir parlé de ce club qui avait servi de décor à une série de photos qu'elle venait de réaliser. Bien que souvent blasée, elle avait parlé avec admiration de ce lieu très sélect où on n'entrait qu'après avoir montré patte blanche. Et bien sûr, l'entrée en était interdite aux mineurs…

297

Un bref instant, la panique la submergea, mais cela ne dura guère. Elle fronça soudain les sourcils et demanda d'une voix légèrement ennuyée :

– Attends… Quand tu me parlais de samedi soir, tu voulais parler de samedi prochain ?

– Oui, le 6 juin !

La jeune fille afficha aussitôt une mine faussement catastrophée :

– Oh, non ! C'est affreux ! Ça ne va pas être possible pour moi…

– Pourquoi donc ? demanda Lisandro, surpris.

– Mes parents partent ce week-end et je dois garder ma petite sœur, improvisa Mélisande.

– Ta petite sœur ? Mais je croyais qu'elle avait treize ans ! Elle ne peut pas se garder quelques heures toute seule ? On ne rentrera pas tard, c'est promis…

– Oui, mais là, ce n'est pas possible… Elle est malade.

– Malade ? Qu'est-ce qu'elle a ?

– La… heu… la varicelle !

Mélisande espérait qu'il ne trouverait pas bizarre son hésitation. Mais on avait beau avoir l'habitude d'« arranger » la vérité, il arrivait parfois qu'on soit à court d'imagination !

– La varicelle ? C'est ce truc avec tous les boutons ? C'est contagieux, non ?

Voyant son air inquiet, la jeune fille s'empressa de le rassurer :

– Ne t'en fais pas, je l'ai déjà eue, il n'y a aucun risque !

– Ah ! tant mieux !

Tranquillisé, le jeune Espagnol se pencha par-dessus leurs verres pour déposer un baiser sur ses lèvres. Puis, en se redressant, il conclut d'un ton déçu :

– Quand même, c'est dommage ! Jamais une telle occasion ne se représentera.

Mélisande hocha la tête d'un air désolé et ajouta avec conviction :

— Moi aussi, tu sais, j'aurais adoré pouvoir y aller !

Ce qui, pour une fois, n'était que la stricte vérité…

Vendredi 4 juin, 10 h 02

À force de toujours s'adosser à la même porte de WC, Maëlle commençait à connaître par cœur le mur délabré et grisâtre qui lui faisait face. Elle aurait pu, en fermant les yeux, dessiner de mémoire la lézarde profonde qui le sillonnait sur toute sa hauteur et, plutôt que de penser à la désagréable rencontre qui suivait, elle préférait laisser son imagination vagabonder en cherchant chaque jour un sens nouveau à ses zigzags biscornus.

Comme d'habitude, Wendy était en retard. Maëlle la soupçonnait de le faire exprès, histoire de jouer encore un peu plus avec ses nerfs. Mais elle savait bien que, comme d'habitude également, elle serait au rendez-vous.

En effet, quelques secondes plus tard, la porte s'ouvrit sur la petite peste blonde qui lui empoisonnait la vie. Sans se donner la peine d'être polie, elle attaqua :

— Bon, tu as mon commentaire de texte ? J'espère que tu l'as mieux bossé que l'autre fois. Douze, c'était pas terrible, même si je sais que le français, ce n'est pas ta matière préférée.

Sans un mot, Maëlle lui passa une copie double grand format. Wendy s'en saisit et parcourut rapidement ce qu'elle y avait écrit.

— Ouais, bof… Fais-moi voir celui que tu veux garder pour toi que je compare. La dernière fois, tu as eu douze aussi et ça, ce n'est pas ce que nous avions décidé !

– Ce n'est pas moi qui mets les notes, objecta Maëlle d'une voix lasse.

– Je m'en fiche, débrouille-toi pour que Docile t'en mette une mauvaise. Ça ne devrait pas être si difficile, elle doit t'avoir dans le nez après le coup de la montre.

Finalement, après une lecture en diagonale, elle conserva la première copie pour elle et lui rendit l'autre en commentant :

– Ce n'est pas terrible non plus… De toute façon ces histoires de français, ça me fatigue !

Rangeant le devoir dans une pochette plastifiée, elle soupira :

– Dire que je vais devoir recopier tout ça avant cet après-midi…

Puis avec un petit sourire sardonique, elle ajouta :

– Dis donc, ça me donne une idée géniale ! Si tu imitais mon écriture ? Tu pourrais faire mes devoirs directement !

En voyant sa victime ouvrir des yeux effarés, Wendy se mit à rire :

– Allons, je plaisante ! De toute façon tu n'arriveras jamais à écrire aussi bien que moi…

Maëlle, soulagée, commençait à se diriger vers la sortie, quand un bruit cataclysmique les fit soudain toutes deux sursauter.

En entendant le grincement d'un verrou qu'on tirait, elles comprirent que le fracas retentissant et les sifflements qui avaient suivi n'étaient dus qu'au déclenchement de la chasse d'eau fatiguée d'une de ces toilettes vétustes.

La porte de bois s'ouvrit. Et sous leurs regards stupéfaits, Mme Docile apparut.

Alors que le silence revenait peu à peu, les filles continuèrent de dévisager avec incrédulité leur enseignante. Cette dernière darda de ses implacables yeux bleus chacune de ses deux élèves, mais choisit finalement de s'adresser à Wendy.

— Eh bien, mademoiselle Perrin, je vais vous soulager d'un travail qui semble vous peser et qui se révélera désormais inutile puisque vous pouvez d'ores et déjà compter sur un zéro magistral pour votre prochain commentaire de texte…

Devenue blême et muette au moment de l'apparition de Mme Docile, Wendy retrouva soudainement la parole. Sur un ton mielleux, elle plaida :

— Mais c'est elle qui voulait ! Elle a même insisté ! Demandez-lui si ce n'est pas vrai !

D'un regard impérieux, elle ordonna à Maëlle de lui sauver la mise. Celle-ci hésitait, partagée, lorsque Mme Docile intervint :

— Ne me prenez pas pour une imbécile en plus de toutes vos horreurs ! Vous semblez oublier que j'ai tout entendu.

L'adolescente, sentant alors que les choses étaient perdues, opéra un brusque revirement. Une soudaine rougeur envahissant ses joues, elle jeta la copie désormais inutile au visage de Maëlle en criant d'une voix furieuse :

— C'est toi qui as tout manigancé pour me piéger, mais si tu crois que tu vas t'en tirer comme ça, tu te trompes !

S'adressant alors à l'enseignante, elle s'écria d'un ton accusateur :

— Ce qu'elle a fait, elle, c'est autrement pire ! Elle est allée fouiller votre casier dans la salle des profs pour récupérer sa fichue montre. Regardez si vous ne me croyez pas !

Maëlle, horrifiée, la vit tendre son portable à Mme Docile, la photo compromettante affichée sur l'écran.

« Voilà, pensa-t-elle, c'est fini. Je vais être renvoyée et mon père mourra de honte ! »

Et pourtant, malgré tout, un certain soulagement l'avait

envahie. Aussi affreux que semblait se profiler l'avenir, elle était enfin libérée de l'esclavage de cet odieux chantage. Désormais, Wendy n'avait plus aucune prise sur elle. Elle était de nouveau maîtresse de son destin, même si ce destin en question était terrible et pitoyable !

Elle s'attendit à ce que Mme Docile poussât de hauts cris en découvrant le cliché. Mais rien ne vint. Aussi surprise, si ce n'est plus, que Wendy, elle l'entendit déclarer d'une voix posée :

– Ça ? Je suis au courant.

Décomposée, son élève bégaya :

– Vous saviez ?

– Oui, je savais.

– Et vous ne l'avez pas punie ?… Mais c'est injuste !

– Je vous trouve très mal placée, mademoiselle, pour vous permettre de décider ce qui est juste ou ce qui ne l'est pas. Maître chanteur, tricheuse, menteuse, il me semble que vous avez suffisamment à vous inquiéter pour vous-même sans vous préoccuper des autres. Ce que vous avez fait est grave, très grave, et lourd de conséquences. Je pense que votre avenir dans ce lycée est très sérieusement compromis et qu'il vaudrait mieux pour tout le monde que vous ne soyez plus ici l'année prochaine.

Le visage livide, l'adolescente l'avait écoutée parler. Sans un mot, elle tourna les talons et quitta les toilettes. Mme Docile se tourna alors vers Maëlle qui n'avait pas bougé.

Les yeux fixés sur la pointe de ses Converse, cette dernière chuchota :

– Merci d'avoir menti pour moi. Je ne sais pas pourquoi vous l'avez fait, mais merci, merci.

L'enseignante haussa un sourcil.

– Mentir ? Vous me connaissez mal, ma petite…

Ayant capté le regard de Maëlle qui avait relevé la tête, surprise, elle précisa :

— Je n'ai pas menti.

— Mais… vous saviez alors ?

— Pour la photo, oui, je savais.

— Mais comment ? Et depuis quand ? demanda Maëlle médusée.

— Depuis ce matin, huit heures. Quant au « comment », allez le chercher du côté de vos amies… Elles sont venues me trouver l'air fort embarrassé et m'ont juste dit que ce serait une bonne idée de me trouver dans ces toilettes à la récréation de dix heures… et qu'à cause d'une photo compromettante il s'y passait de drôles de choses. Elles avaient l'air suffisamment angoissées pour que je les croie.

Pendant que Maëlle, encore sous le choc de ce qui venait de se passer, s'efforçait d'enregistrer ces nouvelles informations, Mme Docile ajouta :

— Je ne vous mâcherai pas mes mots, ce n'est pas mon style… Ce que vous avez fait vous aussi est très grave et vous méritez d'être sanctionnée… Mais je crois aussi que quand on arrive à se faire des amies aussi dévouées, c'est que l'on doit forcément avoir de grandes qualités…

39

Vendredi 4 juin, 17 h 05

— **B**on, expliquez-moi tout maintenant !

Maëlle, qui reprenait les cours à une heure ce jour-là, avait dû déjeuner au premier service de la cantine sans ses amies, mais elle avait réussi à leur glisser entre deux portes un « merci » débordant de reconnaissance accompagné d'un rapide et surexcité : « Rendez-vous au café des Anges à cinq heures. »

Maintenant que le quatuor était enfin réuni, la jeune fille brûlait d'envie de connaître le fin mot de l'histoire. Mais il lui fallut patienter un peu, car le serveur arrivait pour prendre la commande.

— Une limonade et une crêpe chocolat-chantilly-amandes pour tout le monde, lança vivement Maëlle, métamorphosée, c'est ma tournée ! À moins que tu veuilles autre chose, Lily ?

Cette dernière, euphorique de savoir son amie enfin libérée de cet affreux chantage, s'exclama :

— Non, non, c'est très bien ! Il faut fêter ça dignement !

Devant l'insistance exubérante de ses amies, Maëlle réalisa très vite qu'il lui faudrait réfréner sa propre curiosité et satisfaire la leur en premier. Elle protesta pour la forme, histoire de montrer qu'elle était de nouveau elle-même, mais finit par se plier avec un plaisir évident à leur volonté.

À grand renfort de gestes et d'exclamations, elle leur décrivit donc en détail la scène épique qui s'était déroulée dans les toilettes quelques heures plus tôt. Quel bonheur pour Lily, Chiara et Mélisande d'entendre comment Mme Docile avait remis Wendy à sa place ! Et quelle satisfaction de savoir que c'était grâce à leur intervention que l'apprenti « maître chanteur » avait dû mettre fin à ses méfaits !

Le regard brillant de larmes retenues, ce qui était très inhabituel chez elle, Maëlle conclut d'une voix vibrante :

— Jamais je n'oublierai ce que vous avez fait pour moi, les filles…

Pendant quelques secondes une émotion presque palpable unit les quatre amies. Puis, comme Lily commençait à son tour à avoir les yeux un peu trop humides, Mélisande déclara en secouant ses cheveux roux :

— Bon, c'est vrai qu'on est formidables et que tout cela est très touchant, mais faudrait pas verser dans le mélo non plus !

Les trois autres filles éclatèrent de rire.

— Pour une fois, t'as raison ! approuva Maëlle.

Et sans se soucier un instant de l'œillade belliqueuse que lui avait aussitôt value cette remarque, elle enchaîna :

— Racontez-moi plutôt comment vous vous y êtes prises de votre côté… Et ne vous en faites pas, de toute façon, je vous ai déjà pardonné d'avoir manqué à votre parole !

— Manqué à notre parole ? releva Lily blessée.

— C'est très généreux de ta part, s'exclama ironiquement Mélisande, sauf que tu vois, nous, on n'a rien à se faire pardonner !

— Mais… Mais ce n'est pas possible… balbutia Maëlle, interdite. Mme Docile m'a dit que… que…

— C'est moi qui lui ai tout raconté, intervint Chiara, restée silencieuse jusque-là.

Maëlle demeura sans voix, à dévisager son amie. Grâce à Lily, elle savait tout de ses aventures, mais depuis qu'elle était rentrée, elles n'avaient fait que se croiser dans les couloirs ou à la cantine. Bien trop submergée par ses propres problèmes pour se soucier de ce qui se passait autour d'elle, Maëlle prenait pour la première fois le temps de l'observer vraiment.

Elle la trouva changée. Plus sereine. Plus mûre aussi.

Avec un sourire, Chiara expliqua :

— C'est moi qui ai parlé, car moi, je n'avais rien promis du tout. Cependant, pour être honnête, c'est surtout grâce à Lily que la situation s'est dénouée.

— C'est vrai, souligna Mélisande, pendant des jours, elle nous a répété qu'on ne pouvait pas rester là sans rien faire. Mais franchement, avec cette fichue promesse que tu nous avais arrachée, on était bien coincées.

— Jusqu'au jour où elle a réalisé que moi, je n'avais rien promis du tout !

— Subtil ! releva Maëlle admirative.

Les joues de Lily qui s'étaient déjà légèrement empourprées depuis l'intervention de Chiara virèrent à l'écarlate. Refusant de prendre en compte les signes de protestation muette que lui envoyait son amie, la grande brune poursuivit :

— Et ça n'a pas été facile ! Comme elle voulait à tout prix éviter que les parents viennent mettre leur nez dans cette affaire, elle m'a demandé d'en parler à un prof. Ce dont je n'avais pas du tout envie !

— Puis au fur et à mesure que le temps passait, on t'a vue t'éteindre, commenta Mélisande tout à coup très sérieuse... jusqu'à ce que tu ne sois plus que l'ombre de toi-même...

— C'est alors que je me suis souvenue que Mme Docile m'avait dit un jour qu'elle savait écouter. Ça nous a immédiatement paru être la solution idéale : elle était déjà impliquée dans l'affaire et, même si elle est très stricte, il faut reconnaître qu'elle est « réglo ».

— Finalement on s'est décidées ce matin et l'entretien s'est très bien passé, déclara Mélisande. Entre nous, je n'étais pas trop pour cette solution, au départ. Comme vous le savez, je ne partage que très modérément l'amour de la vérité de Lily.

Elle fit un petit clin d'œil à cette dernière avant de reprendre :

— Mais je dois dire que cette prof a été plutôt cool. Enfin, pas vraiment cool, cool, mais cool quand même, et puis…

— Et si tu laissais Chiara finir de raconter ? la coupa Maëlle.

Offusquée, Mélisande pinça les lèvres. Les yeux lançant des éclairs, elle assena :

— Et puis je disais qu'elle, au moins, a écouté Chiara sans l'interrompre !

Elle se tut alors, croisa les bras et se recula pour s'adosser très droite à sa chaise.

Chiara réprima un sourire et termina de sa voix rauque :

— Elle m'a encore posé quelques questions, puis elle a promis de tirer toute l'affaire au clair au plus vite. La suite nous a prouvé qu'elle a tenu parole.

— Et à toi, qu'est-ce qu'elle a dit ? s'enquit alors Lily qui s'était contentée jusqu'à présent d'écouter.

— En fin de compte, je m'en suis bien tirée : comme elle a estimé que j'avais déjà pas mal souffert de ma bêtise, elle s'est contentée de me coller mercredi après-midi prochain, ce qui n'est pas cher payé pour avoir fouillé dans le casier d'un prof.

Un sourire radieux illuminant son visage, elle conclut :

— De toute façon, l'essentiel, c'est qu'elle a accepté de ne pas en parler à mes parents.

Elle se tut, car le serveur apportait leur commande. Dès qu'il fut reparti, Maëlle leva son verre et lança :

— Aux trois meilleures amies que la Terre ait jamais portées !

– Moi y compris ? demanda soupçonneusement Mélisande.

– Bien sûr, chère idiote ! rétorqua Maëlle.

Hésitant entre une remarque cinglante et le rire, Mélisande, remarquant une lueur gentiment taquine dans les yeux clairs fixés sur elle, finit par choisir la seconde option. Saisissant son verre en riant, elle lança à son tour :

– À notre Maëlle retrouvée !

Lundi 7 juin, 18 h 25

Lorsque Mélisande poussa la porte de l'appartement ce soir-là, il n'y avait personne. Du moins, c'est ce qu'elle déduisit, n'entendant pas la chaîne hi-fi de sa sœur déverser son torrent de décibels habituel. Même quand elle regardait la télé ou jouait sur son ordinateur, Pauline la laissait branchée en permanence. Depuis que leurs relations s'étaient dégradées, c'était en général leur premier sujet de dispute lorsque Mélisande rentrait. Avant, c'était différent. Avant, Pauline l'attendait avec impatience pour lui raconter sa journée et lui résumer le début de leur feuilleton télévisé qu'elle était en train de regarder.

Désormais, Pauline n'ouvrait la bouche que pour lui lancer des piques pleines de sarcasme.

Bien que surprise de l'absence inhabituelle de sa cadette, Mélisande pensa cependant que c'était une bonne chose : sa sœur avait enfin dû se faire inviter par une des filles de son collège. Si elle arrivait à se faire des amies de son côté, elle lui pardonnerait peut-être enfin d'avoir une vie à elle, et l'ambiance à la maison redeviendrait plus agréable.

Ce n'est qu'en se dirigeant vers sa chambre qu'elle perçut un bruit sourd et insolite qui provenait de la pièce voisine. Interloquée, elle s'arrêta devant une porte sur laquelle était placardé en toutes lettres : « Propriété privée-Défense d'entrer. » Juste en dessous, sur une affiche, un troll baveux prévenait encore : « Ceci est le domaine de Pauline de Saint-Sevrin : NO TRES-PASSING. »

Malgré toutes ces interdictions, Mélisande posa la main sur la poignée et poussa la porte.

Le bruit devint soudain très reconnaissable : il s'agissait de celui des pleurs que l'on étouffe en appuyant le visage dans l'oreiller.

— Eh ! Que se passe-t-il ? demanda-t-elle en se précipitant vers sa sœur.

En un rien de temps elle gravit la petite échelle qui menait au lit-mezzanine et s'agenouilla auprès de Pauline dont le corps frêle était secoué par les sanglots.

Il lui fallut attendre plusieurs minutes avant d'obtenir une réponse cohérente. Enfin, sa sœur tourna la tête sur le côté et laissa échapper :

— Ce sont les filles… de ma classe… Elles… se moquent de moi.

Tout en lui tendant un mouchoir, Mélisande poussa plus loin ses questions :

— Elles se moquent de toi ? Mais pourquoi ?

Pauline se redressa et essuya ses yeux gonflés avant d'expliquer :

— Elles m'appellent « la girafe », « la grande perche », « le spaghetti ambulant », enfin des trucs comme ça… Mais le pire, c'est que cet après-midi, devant toute la classe, elles m'ont dit que je devrais faire de la pub pour les écrans plasma. Comme une idiote, j'ai demandé pourquoi et elles m'ont répondu en se tordant de rire qu'il n'y avait pas plus plate que moi à des kilo-mètres à la ronde. Je ne savais plus où me mettre ! C'était… C'était… horrible !

Elle renifla, prit un autre mouchoir et se lamenta :

— C'est tellement vraiment pas juste ! Je suis trop maigre ! Je suis trop moche !

Jetant un regard envieux à sa sœur aînée, elle demanda :

— Pourquoi est-ce que je ne suis pas comme toi ? Hein ? Pourquoi est-ce que je n'ai pas de poitrine, moi ?

Malgré son envie de sourire devant l'air dépité de sa cadette, Mélisande garda son sérieux. Elle repoussa derrière l'oreille de Pauline une de ses mèches de cheveux roux, d'une nuance un peu plus vive que les siens, et qui glissait sur ses yeux pers.

— Rira bien qui rira le dernier, dit-elle. Je te parie que dans deux ans elles ressembleront aux hippopotames de *Fantasia* tandis que toi, tu seras magnifique !

Pauline haussa les épaules, incrédule.

— Tu dis ça pour me consoler...

— Peut-être, reconnut sa sœur avec un sourire, mais je crois quand même que cela a de grandes chances de se passer ainsi... Vois-tu, je parle d'expérience !

— Toi ? Tu as toujours été super belle !

— Ah ouais ? Tu as la mémoire courte ! À ton âge, j'étais comme toi. Les moqueries, j'ai connu ça... Mais maintenant, ça a bien changé. Tu verras, une fois que la puberté sera passée par là, tu ne te reconnaîtras plus !

Malgré son air dubitatif, une lueur d'espoir s'alluma dans les yeux de Pauline. Débordante de reconnaissance, elle murmura :

— Merci d'être venue... et de m'avoir dit tout ça.

Mélisande lui tapota la main avant de se laisser glisser jusqu'au sol.

— Bah, c'est normal, tu es ma petite sœur quand même !

Elle pirouetta sur elle-même avant de lancer :

— Tu verras, la vie est magnifique en grandissant ! Parfois un peu compliquée aussi, mais merveilleuse quand même ! Et quand on a la chance de tomber sur un garçon comme Lisandro, c'est encore plus fabuleux : toutes les filles te regardent avec envie…

Voyant la mine de sa sœur s'allonger, elle se méprit et, voulant la consoler, elle ajouta :

— Mais ne t'en fais pas, je suis sûre que toi aussi tu rencontreras un prince charmant… D'ailleurs, en parlant de prince charmant, ça me rappelle que j'avais promis d'appeler le mien ce soir.

En esquissant un pas de danse, elle se dirigea vers le couloir, sans voir que Pauline, le regard chargé de culpabilité, la regardait s'éloigner en se mordant la lèvre inférieure.

40

Mercredi 9 juin, 17 h 05

Les jours qui passèrent ne firent que renforcer le malaise qui s'était emparé de Pauline. Mélisande, pensant qu'elle souffrait encore de moqueries, faisait des efforts considérables pour être gentille avec elle. Ce qui ne faisait bien sûr que tourmenter davantage sa cadette.

Déjà, auparavant, elle n'était pas très fière de sa conduite. Lire les messages que Lisandro avait envoyés à Mélisande n'avait rien de glorieux, mais, allez, c'était de bonne guerre. Il fallait bien qu'elle trouve une manière de se venger de la façon dont sa sœur l'avait abandonnée. Être toujours la plus jeune n'était pas une situation enviable. Elle se rendait compte que Mélisande se moquait de ses récriminations et de ses plaintes. Il fallait donc qu'elle fasse preuve d'imagination pour pouvoir rendre à son aînée la monnaie de sa pièce.

Mais ce genre de secrets et de petites trahisons se devait de rester au sein de la famille.

D'ailleurs, si ce garçon n'avait pas sonné ce jour-là, jamais elle n'aurait eu l'idée de faire lire à quelqu'un les SMS de Lisandro, surtout en sachant que leur contenu faisait apparaître clairement le mensonge entretenu par sa sœur. Elle avait bien ri en comprenant que cette dernière mentait à son copain en lui faisant croire qu'elle avait dix-huit ans et qu'elle était en fac de sciences humaines. Pauvre Lisandro qui lui envoyait des messages pour lui souhaiter bonne chance pour ses partiels !

Adrien, lorsqu'il avait compris ce qu'elle lui faisait lire, avait fait une drôle de tête puis était parti sans prononcer un mot. Sur le coup, elle avait trouvé ça amusant, mais sa plaisanterie prenait désormais un goût amer.

À plusieurs occasions, Pauline avait voulu tout avouer à sa sœur. Mais elle avait renoncé chaque fois par manque de courage. Elle se rendait compte maintenant qu'elle n'oserait jamais lui dire ces choses en face.

Prise d'une impulsion subite, elle saisit son téléphone portable et fit défiler les noms de son répertoire jusqu'à tomber sur celui de Mélisande. Elle s'apprêtait à l'appeler quand soudain elle changea d'avis : un SMS serait plus facile. Au moins, elle n'aurait pas à entendre en direct le flot des reproches incendiaires que sa sœur ne manquerait pas de lui adresser.

Du pouce, elle tapa rapidement :

« Adrien sait que tu mens à Lisandro sur ton âge. Désolée. P. »

Puis d'un geste rapide elle appuya sur la touche d'envoi.

D'un regard à l'horloge murale, elle constata que Mélisande devait être à son cours de danse. Tant mieux, elle n'aurait le message qu'un peu plus tard. Cela accordait à Pauline un délai supplémentaire pour se préparer à affronter les foudres de sa sœur aînée.

Lorsque Mélisande rejoignit les vestiaires après son cours, elle repensait encore à la proposition que Lisandro lui avait faite deux heures plus tôt alors qu'ils buvaient un Coca à L'Estudiantin. Amoureusement, avec insistance, il lui avait demandé de l'accompagner cet été en Espagne pour rencontrer sa famille.

Seule avec lui, seule CHEZ LUI ? Pas besoin d'être devin pour savoir ce que cela impliquait ! Cette fois, elle ne pouvait plus nier que son petit mensonge l'entraînait beaucoup trop loin. Et ce dont elle était sûre, c'est qu'elle ne voulait pas s'engager sur cette route-là.

Malgré son affolement, elle avait encore, devant lui, réussi à biaiser, mais, depuis, elle n'avait pu se sortir cette histoire de la tête. Alors même qu'elle suivait la chorégraphie imposée par son prof, elle avait pris sa décision : cette fois, elle allait avouer la vérité à Lisandro.

Après tout, être jeune n'était pas un crime. S'il l'aimait vraiment, il comprendrait. Oui, leur amour serait bien assez fort pour résister à cette révélation !

Une fois qu'elle se fut changée, elle se mit à chercher dans son sac son téléphone. Maintenant que sa décision était prise, elle voulait régler ça au plus vite.

Avec un soupir de frustration, elle se rendit compte qu'elle avait une fois de plus dû l'oublier quelque part. Tant pis ! Ce n'était pas ça qui l'arrêterait. À cette heure, Lisandro était toujours à L'Estudiantin. Si elle partait immédiatement, elle avait de grandes chances de l'y trouver. Les jours étaient longs, et ses habitudes espagnoles l'inclinaient à aller dîner plus tard que les autres.

Elle prit le bus, le métro, avant de finir à pied et sa persévérance fut récompensée lorsqu'elle l'aperçut qui lui tournait le dos, sa tête brune penchée sur un livre, une bière à portée de main.

Malgré l'enjeu de la rencontre, elle ne put s'empêcher de s'approcher à pas de loup et de placer ses deux mains sur ses yeux.

— Devine qui est là ? demanda-t-elle en déposant un léger baiser dans son cou.

Lisandro lâcha son livre et ôta posément ses mains de devant ses yeux. Dès qu'il la regarda, elle comprit qu'il s'était passé quelque chose.

— Ah, c'est toi !

Puis, d'un air désabusé, il ajouta :

— Bien sûr que c'est toi... Ces petits jeux, c'est bien de ton âge.

Inquiète, Mélisande s'assit en face de lui. Il sortit de la poche de sa veste un petit téléphone rose qu'elle reconnut aussitôt. Sur le même ton, le jeune homme poursuivit :

— J'imagine que tu viens chercher ça ?

Sa question sonnait comme une affirmation. Tendant la main vers l'appareil, Mélisande balbutia :

— Heu oui, enfin non... Oui, c'est mon téléphone, mais je ne savais pas que je l'avais oublié ici... Et du coup, non, ce n'est pas pour ça que je suis revenue.

— Et ça, c'est la vérité ou un nouveau mensonge ?

Abasourdie, elle le dévisagea avant de s'insurger :

— Mais qu'est-ce que tu racontes ?

— Je te retourne la question ! En fait, je me demande bien quelle est la part de vérité dans tout ce que tu dis.

Mélisande sentit ses joues s'empourprer. Furieuse contre elle-même, elle serra les poings.

— Je ne comprends rien à cette histoire !

D'une voix amère, le jeune homme expliqua :

— Quand tu es partie, je rêvais déjà à notre été ensemble et il m'a fallu quelques minutes pour constater que tu avais oublié ton téléphone. Un peu plus tard, quand il a sonné, je l'ai ouvert pour vérifier que tu n'essayais pas de savoir où tu l'avais perdu. Mais je suis tombé sur un SMS.

— Un SMS ? Et alors ?

— Et alors, j'ai compris que tu me prenais pour un imbécile ! Que, depuis le début, tu te moquais bien de moi !

— Quoi ?

Il lui tendit l'appareil ouvert et elle put lire avec effroi le message envoyé par Pauline.

S'il n'avait pas déjà été convaincu de sa culpabilité, cela aurait été chose faite en voyant Mélisande pâlir subitement.

— Écoute, je ne veux ni savoir qui est cet Adrien ni l'âge que tu as vraiment. Une relation basée sur le mensonge dès le départ n'a pas d'avenir. Je n'ose pas imaginer le nombre de fois où tu m'as raconté des histoires… Et je n'ose pas imaginer non plus où ton mensonge aurait pu m'entraîner ! Ah, tu as dû bien rire de moi ! Et quand je pense en plus…

Lisandro s'interrompit et secoua la tête, le regard dur.

Mélisande voulut protester, s'expliquer, s'excuser enfin, mais devant ce visage fermé, les mots lui restèrent bloqués dans la gorge.

Lisandro releva le menton avec fierté, referma son livre d'un geste sec et se leva.

— Au revoir, Mélisande, et surtout, s'il te plaît, ne me rappelle pas !

Puis, il tourna les talons et sortit du café sans se retourner.

L'adolescente ne le regarda pas disparaître dans la rue. Les yeux fixés sur la chaise vide qui lui faisait face, elle souffla dans un murmure à peine audible, les yeux embués de larmes :

— C'était juste pour que tu m'aimes…

41

Mercredi 9 juin, 17 h 05

Je sors Saxo ! cria Lily à la ronde en attrapant le collier du chien.

Ce dernier frétillait déjà d'excitation à l'idée de partir en balade avec sa jeune maîtresse. Depuis les vacances de Noël, leur promenade du soir était devenue un rituel apprécié autant par l'un que par l'autre.

Il jappa et se mit à tourner autour d'elle, l'entraînant malgré elle dans sa ronde. Mais sur un ordre de Lily, il parvint à demeurer immobile le temps qu'elle fixe sa laisse à l'anneau du collier.

— Ne rentre pas trop tard, lança sa mère depuis la cuisine, il va bientôt faire nuit.

— Ne t'en fais pas, on ira vite.

Le labrador attendit avec impatience qu'elle enfile une paire de ballerines. Quand enfin elle ouvrit la porte, il leva des yeux débordants de reconnaissance vers celle qui lui permettait de découvrir un terrain d'exploration bien plus intéressant que le jardin du petit pavillon.

— Mon brave toutou, fit Lily en lui grattant le haut de la tête avec affection.

Il y a quelque temps, tout le monde se défilait pour sortir le chien en balade, et M. Berry avait beau protester que Saxo avait besoin de se dépenser, ce dernier devait se contenter, en

317

fait d'exercice, de faire la chasse à Méphisto, le chat des voisins, les rares fois où ce dernier osait s'aventurer sur son territoire. Mais désormais, pour la plus grande joie de ses frères, Lily avait pris cette corvée en charge.

Au début, elle était allée promener le chien avec sa mère en ayant comme principal objectif de perdre quelques kilos. Puis, quand celle-ci avait été très prise par une commande, elle avait continué seule.

Maintenant, elle n'aurait manqué cette sortie pour rien au monde.

Après avoir refermé le portillon du jardin, elle s'apprêtait, fidèle à ses habitudes, à tourner à gauche pour rejoindre le petit bois, quand le labrador se mit à aboyer et à tirer sur sa laisse dans la direction opposée. Surprise, elle tenta de le faire changer d'avis, mais Saxo aboya encore plus fort sans céder un pouce de terrain.

– Tu veux aller par là ? Mais c'est la route ! Il n'y a rien d'intéressant pour toi… Crois-moi, ce n'est pas là que tu trouveras des écureuils à poursuivre !

Le chien la regarda avec insistance et jappa à nouveau. Lily haussa les épaules.

– OK, comme tu veux, mais on ne traîne pas.

Une centaine de mètres plus loin, ils sortirent du lotissement et débouchèrent dans la rue. À quelques pas de là, Lily aperçut soudain une silhouette familière qui attendait à l'arrêt de bus le plus proche.

– Mélisande ? Mais qu'est-ce que tu fais là ?

Saxo, qui n'était pas rancunier, faisait déjà fête à la jeune fille rousse. Contrairement aux fois précédentes, celle-ci ne se plaignit ni de son museau baveux ni de ses pattes boueuses. D'un air absent, elle lui caressa le haut du crâne.

– Qu'est-ce que tu fais là ? répéta Lily, il est tard !

Son amie releva la tête et dit laconiquement :

— Il m'a quittée.

Elle n'eut pas besoin d'en dire plus. Lily avait compris.

— Viens chez moi, dit-elle simplement.

— Non… Non, je ne veux pas vous déranger…

— Mais tu étais bien venue pour ça !

— Oui, mais… je n'avais pas fait attention à l'heure. Quand je suis arrivée, je vous ai vus par la fenêtre autour de la table en train de dîner. Je n'y avais pas pensé avant, tu sais, chez moi, on mange rarement ensemble le soir.

— Alors, tu as fait demi-tour…

— Oui, et ce maudit bus qui n'arrive pas…

Lily observa son amie. Malgré la pénombre, elle remarqua vite que celle-ci s'était retranchée derrière le masque détaché et légèrement hautain des premiers jours. Elle soupira. Cela devait vraiment aller mal.

Prenant Mélisande par le bras, elle l'informa :

— Et il n'arrivera pas avant demain matin ! Tu es en banlieue ici…

Puis, comme Saxo tirait sur sa laisse, elle l'entraîna avec douceur jusque chez elle.

Cette fois-ci, Mélisande se laissa faire sans protester.

Mme Berry, devinant que la situation était critique, proposa à l'adolescente d'appeler ses parents au cas où elle désirerait passer la nuit chez eux. Mélisande accepta avec reconnaissance et M. de Saint-Sevrin, bien qu'un peu surpris, n'y vit pas d'objection. En un rien de temps, Lily ramassa le bric-à-brac qui jonchait le sol de sa chambre et elle installa un matelas gonflable à côté de son lit.

Cette nuit-là, les deux amies ne dormirent pas beaucoup. À la faveur de l'obscurité, Mélisande, bien que toujours très maîtresse de ses émotions, laissa peu à peu tomber son masque et elle raconta à Lily l'incroyable enchaînement de circonstances qui avait conduit à sa rupture avec Lisandro.

— C'est incroyable, cette histoire… Comment Adrien a-t-il pu être au courant de ton mensonge ?

— Et comment Pauline a-t-elle su qu'il savait ? Je suis sûre qu'elle y est pour quelque chose, même si je ne sais pas comment elle s'y est prise… En fait j'ignorais même qu'elle le connaissait !

— Tu dois lui en vouloir à mort…

— Oui, elle va passer un sale quart d'heure quand on va se retrouver face à face.

Lily se tourna sur le côté et plaida :

— Vas-y doucement quand même, elle ne pouvait pas savoir que Lisandro lirait son SMS.

Mélisande garda le silence. Au bout d'une minute, elle commenta avec détachement :

— C'est bête quand même, juste au moment où j'allais tout lui avouer…

— Tu crois que cela aurait changé grand-chose ? glissa Lily.

Son amie réfléchit un instant avant de répondre :

— Je ne sais pas, peut-être…

Au moment où le sommeil l'envahissait, Lily s'étonna encore que deux filles comme elles puissent être amies. Elles étaient aussi différentes que le jour et la nuit. Pleine d'admiration pour la dignité dont Mélisande faisait preuve, elle lui confia dans un murmure :

— En tout cas, tu m'épates. Moi, à ta place, j'aurais pleuré pendant des heures…

Il y eut quelques secondes de silence, puis une réponse lui parvint enfin :

— Ne sois pas épatée. Moi, j'aurais préféré être comme toi.

Lorsque les deux autres membres du quatuor furent informées de la situation, elles mirent aussitôt tout en œuvre pour changer les idées à leur amie.

— Pour soigner un cœur brisé, il faut une bonne dose de sorties, une pincée de glace au chocolat et arroser le tout d'une généreuse portion d'amitié ! avait déclaré Maëlle en apprenant la chose.

Elles s'étaient donc organisées de façon à ce que Mélisande soit seule le moins souvent possible.

Lily l'avait invitée à un concert, Maëlle à un après-midi shopping et Chiara, au grand dam des deux autres, avait voulu l'emmener voir *Roméo et Juliette* qui se jouait au théâtre des Célestins.

— Ça ne va pas, non ? Tu veux nous l'achever ?

— Au contraire, on dit souvent qu'il faut soigner le mal par le mal ! Un bon traitement de choc, et elle ira bien mieux !

— Moi, dans son cas, je pencherais plutôt pour l'homéopathie, était intervenue Lily.

Devant cette levée de boucliers, Chiara avait finalement accepté de faire marche arrière.

— D'accord, avait-elle concédé avec emphase, je vois bien que je suis une incomprise. C'est, hélas, le lot de tout artiste…

Puis, la tête haute, tel un général en campagne, elle avait ajouté :

— Mais il ne sera pas dit que je resterai sans rien faire. Au nom de l'amitié, je ne reculerai devant aucun sacrifice !

Avec un sourire gourmand, elle avait alors décrété :

— Puisque c'est ainsi, vous ne me laissez guère le choix. C'est donc à moi que reviendra la délicate mission de lui faire ingurgiter des litres de glace au chocolat !

— Une pincée, corrigea Maëlle en riant, j'ai dit une pincée, pas des litres…

42

L'année scolaire tirait à sa fin et, malgré l'ombre des conseils de classe qui planait sur les têtes, on parlait désormais bien plus dans les couloirs de la soirée organisée par Farouk et sa bande que de devoirs et de contrôles.

Grâce à son réseau de connaissances étendu, le lycéen avait réussi à se faire prêter une petite salle de la maison de quartier située à quelques centaines de mètres du lycée. Bien qu'un peu vétuste et décrépite, il avait été décidé qu'après une demi-journée consacrée à la déco, elle serait parfaite pour l'occasion.

Les membres de l'organisation s'étaient donc attelés à la tâche, n'économisant ni leur énergie ni le papier crépon, et le résultat avait été à la hauteur des espérances. Maëlle, qui depuis le départ « volontaire » de Wendy en avait profité pour reprendre sa place, s'était dépensée sans compter. Elle avait tout particulièrement à cœur que cette soirée soit une réussite car elle voulait qu'elle soit l'occasion, pour Maxime et elle, d'un nouveau départ. Elle regrettait le bonheur insouciant de leurs premières rencontres, avant que cette histoire de montre et de chantage ne vienne tout gâcher, et était bien résolue à tout lui expliquer. Mises au courant, ses amies, Mélisande en tête, l'avaient encouragée dans cette voie, et après avoir longuement discuté du moment idéal, il leur avait paru judicieux d'attendre cette fameuse soirée. Dans une ambiance festive, au cours d'un slow langoureux, Maëlle pourrait plus facilement trouver le courage de parler à Maxime…

Samedi 19 juin, 19 h 35

— Mais qu'est-ce qu'elle fiche ? demanda Mélisande pour la dixième fois. Cela fait une demi-heure qu'on l'attend ! Dire qu'elle nous a fait la leçon pour qu'on ne soit pas en retard !

Lily et Chiara, qui se tenaient à ses côtés dans un coin proche de l'entrée de la salle, ne comprenaient pas davantage. Maëlle, en tant que membre du comité organisateur, aurait dû être là la première !

— Tu as essayé de l'appeler ?

— Oui, mais elle ne répond pas. Je tombe à chaque fois sur sa messagerie.

Un verre de soda à la main, elles scrutaient avec attention chaque nouvel arrivant, déçues à chaque fois de ne pas reconnaître les yeux clairs et la queue-de-cheval blonde de leur amie.

Dans la salle, l'ambiance commençait à monter. Farouk, DJ de la soirée, régnait sur les platines et la plupart des invités s'étaient mis à danser, entraînés par sa bonne humeur communicative.

— Mince, les filles, regardez qui vient par là… fit tout à coup Chiara.

Tournant la tête d'un même mouvement, Mélisande et Lily virent Maxime qui approchait. Vêtu d'un jean et d'un tee-shirt bleu foncé, il fonçait sur elles, le visage sombre.

— Il est toujours aussi craquant, soupira Lily, ce qu'elle a de la chance…

– Oui, fit Mélisande entre ses dents, mais là, il n'a pas vraiment l'air content.

Le garçon les salua rapidement et, sans autre préambule, demanda :

– Vous savez où est Maëlle ?

Embarrassée, Lily répondit en secouant la tête :

– Non, elle nous avait dit qu'on se retrouverait ici, mais elle est en retard.

– À moi aussi elle m'a dit ça, mais, franchement, j'en ai assez de l'attendre. Cela fait des semaines qu'elle est bizarre. Si cela ne l'intéresse plus de sortir avec moi, elle n'a qu'à le dire franchement ! En tout cas, la prochaine fois que vous la verrez, dites-lui que, cette fois, j'en ai marre. Pour moi, c'est fini et bien fini !

Devant sa colère, les trois filles ne surent quoi répondre et le regardèrent s'éloigner sans dire un mot.

Alors qu'elles échangeaient un regard désemparé, le téléphone de Chiara vibra dans la poche de son pantalon. D'un geste vif, elle s'en saisit et décrocha.

– Allô ? Maëlle ? Mais qu'est-ce que tu fiches ? cria-t-elle. Maxime est furieux… Il s'apprête à partir !

Bien que Chiara ait branché le haut-parleur, la musique de la salle empêcha Mélisande et Lily de saisir le moindre mot de la réponse.

Prenant leur mal en patience, elles attendirent que Chiara raccroche pour en savoir davantage.

– C'est son père. Au moment où elle partait, il est tombé sur une vieille copie de maths qui datait de l'époque du chantage. Quand il a vu qu'elle avait eu cinq, il s'est mis en colère et lui a interdit de venir. Finalement, c'est sa mère qui a plaidé sa cause. Maëlle n'en revenait pas. C'est la première fois qu'elle faisait ça. Mais bon, tout ça a pris du temps… Et elle nous demande de retenir Maxime jusqu'à ce qu'elle arrive.

Les deux autres filles écarquillèrent les yeux.

– Retenir Maxime ? se lamenta Lily, mais comment ? On ne peut pas l'attacher tout de même !

Affolées, elles le virent dire au revoir à ses copains. Dans quelques minutes, il serait parti !

Mélisande respira à fond et lança :

– Je m'occupe du premier round ! Mais préparez-vous pour la suite, je ne sais pas combien de temps je tiendrai.

Avant qu'elles ne puissent dire un mot, Chiara et Lily la virent foncer droit sur le garçon et insister pour l'inviter à danser. Bien que surpris, il finit par reposer son sweat-shirt sur une chaise et la suivre sur la piste. Mélisande portait une robe débardeur toute simple, resserrée sur les hanches par une ceinture tressée, mais la couleur vert céladon de son vêtement mettait en valeur ses longues boucles de feu et faisait ressortir sa grâce naturelle. Comment un adolescent normalement constitué aurait-il pu résister, sous le regard de ses amis, à une telle invitation ?

Mais Maxime n'avait pas le cœur à la fête et, malgré les attraits indéniables de sa cavalière, il ne se laissa pas tourner la tête. Lorsque la musique changea, il se pencha vers Mélisande pour lui glisser quelques mots à l'oreille puis retourna chercher son sweat-shirt.

Avec un geste d'impuissance, cette dernière fit comprendre à ses amies que c'était maintenant à elles de jouer.

Voyant le garçon se diriger vers elles pour gagner la sortie, Lily sentit la panique l'envahir. À son grand soulagement, Chiara susurra alors :

– Deuxième round !

Le garçon arrivait à leur hauteur quand soudain la jeune fille porta la main à son front avant de laisser échapper d'une voix plaintive :

— Je ne me sens pas bien, je crois…

La seconde suivante, elle s'effondrait dans les bras de Maxime qui, la voyant tituber, avait eu le réflexe de tendre les bras.

Bien embarrassé, il tourna la tête vers Lily pour demander :

— Eh ! Qu'est-ce que j'en fais, moi ?

Dans un sursaut de lucidité, la jeune fille répondit :

— Tu peux la conduire dans la petite pièce derrière la sono ? Je vais lui chercher quelque chose à boire.

Soutenant Chiara qui s'accrochait à lui, il suivit sans discuter les recommandations de Lily.

Quand un peu plus tard celle-ci les rejoignit, il laissa échapper un soupir de soulagement.

— Ouf ! j'ai cru que tu ne reviendrais jamais.

— Désolée, s'excusa-t-elle avec un sourire, il fallait juste que je règle un truc.

— Bon, il va falloir que j'y aille… Je pense qu'elle va mieux. Elle n'a pas l'air trop pâle…

Comme pour le contredire, Chiara, qu'il avait fait asseoir sur une chaise, poussa un gémissement.

— Ne t'en fais pas, fit Lily, généreuse, je m'en occupe maintenant.

Avec un soulagement visible, Maxime s'échappa vers la sortie. Aussitôt, Chiara se redressa et protesta :

— Tu aurais dû me laisser faire, je suis sûre que je pouvais encore le retenir cinq minutes de plus !

— Cela aurait paru suspect… Et puis, ce n'était pas la peine, le troisième round doit déjà avoir commencé. En plus, Mélisande a appelé Maëlle : elle devrait arriver d'une minute à l'autre.

— Le troisième round, mais comment ?

En riant, Lily lui fit signe de la suivre. Par l'entrebâillement de la porte, Chiara aperçut alors Florian en grande conversation avec Maxime.

— Je l'ai mis à contribution. Je n'avais ni le charme ravageur de Mélisande ni tes talents de comédienne, il fallait bien que je trouve autre chose.

— Qu'est-ce que tu lui as dit ?

— Juste que j'avais besoin qu'il retienne Maxime quelques minutes et que c'était pour une bonne cause.

— Eh bien ! Je ne savais pas que tu étais dans ses petits papiers.

Comme Lily rougissait à la fois de plaisir et d'embarras, une main aux ongles mordillés poussa la porte et Mélisande apparut.

— Opération réussie ! La mère de Maëlle vient de la déposer à l'entrée. Maintenant, c'est à elle de jouer…

Effectivement, depuis leur poste d'observation, les trois filles virent leur amie arriver. Malgré son air inquiet, elles la trouvèrent resplendissante dans l'ensemble turquoise spécialement acheté pour l'occasion. Sa jupe courte et ample mettait en valeur ses jambes fines et son top assorti s'arrêtait juste au-dessous de sa taille mince.

Quand il se retourna et se retrouva face à elle, Maxime dut se faire la même réflexion, car il la fixa un instant sans rien dire. Puis elles virent Maëlle lui parler et, malgré son visage fermé, il la suivit à l'extérieur, abandonnant Florian.

— Bon, fit Chiara, il ne reste plus qu'à espérer qu'elle saura le convaincre…

— À mon avis, intervint Mélisande, vu la tête qu'il faisait quand on dansait ensemble, il tient drôlement à elle… Au moins, l'une de nous parviendra à sauver son histoire d'amour.

Lily lui jeta un regard plein de compassion avant de demander doucement :

— Tu penses encore à Lisandro ?

Mélisande haussa les épaules d'un air fataliste :

— Oui, bien sûr... Mais, en même temps... Les choses auraient fini par aller trop loin. En plus, il voulait me présenter à sa famille en Espagne. Vous imaginez ? Je n'étais pas prête pour ça...

Elle passa sa main dans ses cheveux pour repousser une mèche folle avant d'ajouter, philosophe :

— Je crois que, finalement, c'est vous qui avez fait le bon choix en ne tombant pas amoureuses.

Lily, qui ne s'attendait pas à cette réflexion, resta un court instant interloquée. Devant le sourire sincère de Mélisande, elle se dit que le moment de leur révéler son secret était peut-être venu. Prenant son courage à deux mains, elle ouvrait la bouche quand Chiara remarqua d'un ton docte :

— Je ne crois pas qu'on choisisse vraiment ce genre de chose... Prenez Roméo et Juliette par exemple, ça leur est tombé dessus comme ça... Pareil pour Chimène et Rodrigue, sans parler de tous les autres que je ne nommerai pas pour ne pas vous entendre dire que je vous fatigue ! Si, si, pas la peine de protester, je sais bien que je suis pénible avec mes référces !

Mais, avec un sourire qui prouvait bien qu'elle ne leur en tenait pas rigueur, elle ajouta avec emphase :

— Cela dit, moi, mon cœur est déjà pris : mon grand amour, c'est le théâtre !

— Pas possible ! s'exclama Mélisande en jouant l'étonnée, les mains sur la taille. Là, tu nous livres un scoop !

Chiara éclata d'un rire joyeux, aussitôt rejointe par les deux autres. Lily pensa alors que c'était chouette de la voir si heureuse après ce qu'elle avait traversé. Elle affichait même un air inhabituellement radieux. La puce à l'oreille, elle demanda soudain :

— Dis donc, tu ne nous cacherais pas quelque chose, toi ?

Chiara ne se fit pas prier longtemps. Les yeux brillants de joie, elle leur confia :

— Ça y est, je commence les cours de théâtre l'année prochaine. Mon père a enfin accepté.

Les cris de joie de ses amies résonnèrent dans la petite pièce.

— Tu dois être tellement heureuse !

— Oui, je ne pense qu'à ça depuis ce matin.

— C'est génial, s'écria Mélisande, j'ai hâte de te voir sur les planches !

À ce moment-là, la porte s'ouvrit et Farouk passa la tête par l'entrebâillement :

— Cool, je vois que la mourante va beaucoup mieux…

Les filles se remirent à pouffer avant que Lily ne réponde :

— Oui, merci, elle revient doucement à la vie.

Il leur fit un clin d'œil complice puis, de sa voix nonchalante, il s'enquit :

— Alors, qu'est-ce que vous faites encore ici ? Il y a une ambiance de folie à côté… Et ce n'est pas tous les jours que vous aurez un DJ comme moi.

Sans même avoir à se concerter, les trois filles s'élancèrent vers la porte.

— Tu as raison, reconnut Mélisande, et on a bien l'intention d'en profiter. On a juste eu un petit contretemps…

— Mais maintenant, si Cupidon y met un peu du sien, les choses devraient rentrer dans l'ordre, s'écria Chiara.

Elle allait en dire plus lorsqu'elle reçut un léger coup de coude de Lily pour l'amener à plus de discrétion. Farouk, qui n'était pas dupe, eut un petit sourire en coin. Au moment où il s'effaçait pour les laisser passer, il désigna d'un mouvement de tête un couple qui venait de rentrer. Les filles découvrirent alors Maëlle et Maxime qui se tenaient côte à côte.

« Bon, pensa Mélisande, ils ne se tiennent pas encore par la main, mais ils sont là, c'est déjà une bonne chose. Il ne suffirait plus que d'un petit truc… »

Comme s'il avait deviné ses pensées, Farouk dit :

– Pour ce qui est de votre Cupidon, je suppose qu'il a fait son « max », mais, visiblement, il a besoin que je lui file un petit coup de main.

Il les laissa là pour retourner, de sa démarche ondulante, derrière ses platines.

Quelques secondes plus tard, à la fin du morceau de rock qui avait enflammé les danseurs, plusieurs spots lumineux s'éteignirent les uns après les autres pour transformer la piste de danse en un lieu intime où chaque couple allait pouvoir s'imaginer seul au monde et bientôt s'égrenèrent les premières notes du célébrissime « Hotel California ».

– Et c'est parti pour un peu plus de six minutes de drague ininterrompue, murmura Mélisande sur un ton doux-amer… Sacré Farouk, il assure en tant que partenaire de Cupidon !

– Et ça marche ! chuchota Chiara ravie, en voyant Maëlle se faire inviter par Maxime.

Toute leur attention fixée sur le couple, les filles sursautèrent en entendant une voix demander :

– Tu danses ?

Adrien, les yeux braqués sur Mélisande, attendait sa réponse.

« Pauvre Adrien, pensa Lily dont le cœur se serra, il est tellement amoureux qu'il est prêt à se faire rembarrer devant tout le monde. Depuis le temps, il aurait pourtant dû comprendre que c'était un cas désespéré. »

Mélisande, de son côté, fut également assaillie de pensées. Son premier réflexe fut de rabrouer Adrien. Par lassitude, et aussi, un peu, par amertume. Mais aussitôt, la conversation qu'elle avait eue avec sa jeune sœur à la suite de sa rupture avec Lisandro lui était revenue en mémoire.

Lorsqu'elle était rentrée de chez Lily ce jour-là, elle s'était retrouvée face à une Pauline dévorée par le remords. En quelques mots entrecoupés de pleurs, celle-ci lui avait tout avoué, assurant à maintes reprises qu'elle n'avait jamais voulu que cela finisse ainsi. Du coup, sa colère était retombée et elle avait renoncé au discours vengeur qu'elle avait préparé par avance.

Mélisande restait muette. Face à ce silence, le malaise d'Adrien allait croissant et faisait peine à voir. Lily, peinée, cherchait comment elle pourrait venir à son secours, quand son amie finit par lâcher :

– Pourquoi pas ?

L'expression du garçon se transforma et, rayonnant, il lui prit la main pour la guider vers la piste de danse. Mélisande se laissa faire avec complaisance sous les regards ébahis de ses amies. Celles-ci auraient mieux compris ce revirement si elles avaient pu entendre ce que Mélisande murmurait, quelques mesures plus tard, à l'oreille d'Adrien :

– Au fait, merci de ne pas m'avoir trahie auprès de Lisandro. Ma sœur m'a dit qu'elle t'avait donné son numéro de téléphone et fait lire ses SMS…

Comme son cavalier, ne sachant quoi dire, restait silencieux, elle ajouta :

– J'ai trouvé ça très classe.

Ils firent encore quelques pas avant qu'Adrien finisse par avouer :

– Ce n'est pas l'envie qui m'a manqué mais, quand même, il y a des choses qui ne se font pas.

Leurs yeux se croisèrent, puis, prise d'une impulsion soudaine, Mélisande lui sourit avant de déposer un baiser léger sur sa joue.

Malheureusement, ses amies manquèrent cet événement exceptionnel, car Farouk venait de se planter devant elles :

— Eh ! Tu fais de nouvelles infidélités à tes platines ? s'exclama Lily.

— Pas de problème, j'ai programmé deux autres slows et j'ai demandé à Blaise de surveiller tout ça.

Puis s'adressant à Chiara, il proposa :

— Tu viens faire un tour sur la piste ? Franchement, j'en ai marre de me bousiller les vertèbres à danser avec des filles qui m'arrivent à la taille. Toi, au moins, tu es une fille à ma hauteur…

Chiara se courba dans un simulacre de révérence tout en modulant comiquement sa voix rauque pour susurrer d'un ton précieux :

— C'est si romantiquement demandé que cela ne se refuse pas.

Farouk se mit à rire et l'entraîna de sa démarche si particulière vers la piste.

« Et voilà, se dit Lily un brin déprimée, une fois de plus, c'est moi qui reste sur la touche. »

Éloignant son regard des couples qui évoluaient au rythme lent de la chanson, elle se mit à chercher Florian. La moindre des choses serait d'aller le remercier pour son intervention réussie. La lumière tamisée ne lui facilitait pas la tâche, mais elle finit par l'apercevoir. Il venait vers elle, deux verres dans les mains. Aussitôt, son cœur se mit à battre plus vite.

— Tiens, je t'ai pris un Coca.

— Merci… Et merci aussi pour tout à l'heure.

– Oh ! de rien, fit-il avec un grand sourire, si ça a pu aider…

Puis, secouant la tête pour bien marquer son incompréhension, il ajouta :

– Quand même, tu ne trouves pas qu'ils se compliquent drôlement la vie avec leurs histoires d'amour ?

– Oui, un peu… Mais choisit-on vraiment de tomber amoureux ? demanda-t-elle en reprenant à son compte la réflexion de Chiara.

– Là, tu me poses une colle !

Puis en riant il poursuivit :

– Je poserai ce soir la question à mon ordinateur et je te donnerai sa réponse.

Malgré elle, Lily se mit à rire.

– Et si on dansait ? proposa-t-elle, en posant son verre sur une petite table.

Florian la regarda d'un air étonné. Elle-même était surprise de sa propre audace, mais elle attribua ce petit grain de folie à l'excitation qui s'était emparée d'elle au cours de cette soirée riche en rebondissements. Elle sourit à Florian.

– Danser ? dit-il, ce n'est pas trop mon truc…

Il se passa la main dans les cheveux, repoussa ses lunettes qui glissaient sur son nez et finit par lui retourner son sourire.

– Mais avec toi, pourquoi pas ?

Composition et mise en page : Facompo, Lisieux
N° d'édition : 13159
Achevé d'imprimer en juin 2013 en Italie
sur les presses de l'imprimerie L.E.G.O. S.p.A.
Dépôt légal : septembre 2009